WARCROSS

L'auteure

Marie Lu, de son vrai prénom Xiwei, est née en Chine en 1984. Elle est arrivée aux États-Unis à l'âge de cinq ans. Ses romans sont pourtant très marqués par les souvenirs de la répression pendant la Révolution culturelle, et surtout par les manifestations de la place Tien'anmen en 1989.

C'est sans doute pour cette raison que, après avoir été créatrice de jeux vidéo, elle s'est lancée dans l'écriture de romans dystopiques pour jeunes adultes. Marie Lu est aujourd'hui devenue une auteure à succès dans le monde entier.

WARCROSS

MARIE LU

Traduit de l'anglais (États-Unis)
par Guillaume Fournier

POCKET JEUNESSE
PKJ·

Directeur de collection :
Xavier d'Almeida

Titre original :
Warcross
Publié pour la première fois en 2017
par G. P. Putnam's Sons, an imprint
of Penguin Random House
New York

Loi n° 49-956 du 16 juillet 1949 sur les publications
destinées à la jeunesse : janvier 2018.

ISBN : 978-2-266-27478-4
Dépôt légal : janvier 2018

Pour Kristin et Jen.
Merci d'avoir changé ma vie
et d'être toujours là après toutes ces années.

Il n'y a pas une personne au monde à n'avoir jamais entendu parler d'Hideo Tanaka, le jeune prodige qui a inventé Warcross à l'âge de treize ans. Un sondage mondial publié aujourd'hui révèle que quatre-vingt-dix pour cent des 12-30 ans y jouent régulièrement, ou au moins une fois par semaine. Cette année, le championnat officiel de Warcross devrait être suivi par plus de deux cents millions de spectateurs. [...]

Correction : *Une version antérieure de cet article présentait à tort Hideo Tanaka comme millionnaire. Il est milliardaire.*

The New York Digest

MANHATTAN

New York, New York

1

Il fait drôlement froid aujourd'hui pour courir après le menu fretin.

Saisie d'un frisson, je remonte mon écharpe sur mon nez et j'essuie quelques flocons pris dans mes cils. Puis je frappe du talon mon skateboard électrique. C'est une vieille planche, d'occasion, comme tout ce que je possède, et sa peinture bleue écaillée laisse apparaître le plastique argenté en dessous. Mais elle en a encore dans le ventre et, après un deuxième coup de talon, elle finit par démarrer. Je me faufile entre deux rangées de voitures ; mes cheveux, teints aux couleurs de l'arc-en-ciel, me cinglent le visage.

— Hé ! gueule un conducteur au moment où je le dépasse.

Je jette un coup d'œil vers l'arrière et le vois qui agite le poing au-dessus de sa vitre baissée.

— Tu as failli rayer ma portière !

Je me retourne et l'oublie aussitôt. D'habitude je suis quand même plus aimable ; en temps normal, j'aurais au moins crié : « Pardon ! » Mais ce matin, j'ai trouvé une feuille jaune scotchée sur la porte de mon appartement avec imprimé dessus en gros caractères :

72 HEURES POUR PAYER OU VIDER LES LIEUX

Traduction : j'ai presque trois mois de retard pour le règlement de mon loyer. Alors, à moins de rassembler illico trois mille quatre cent cinquante dollars, je serai à la rue d'ici la fin de la semaine.

Un truc à pourrir la journée de n'importe qui.

Le vent froid me brûle les joues. Le ciel qu'on entrevoit entre les immeubles est gris, en train de virer au noir, et dans quelques heures il neigera pour de bon. Ça bouchonne partout, un flot ininterrompu de feux stop et de klaxons jusqu'à Times Square. De temps à autre, le coup de sifflet d'un agent de la circulation s'élève par-dessus le vacarme. L'air empeste les gaz d'échappement. De la vapeur s'échappe en tourbillonnant d'une grille de ventilation à proximité. Une foule de piétons se presse sur les trottoirs. On repère facilement les étudiants qui rentrent chez eux après les cours, avec leurs sacs à dos et leurs gros écouteurs.

En principe, je devrais être des leurs. Je devrais être en première année d'université. Sauf que j'ai commencé à sécher les cours après la mort de papa, pour finir par quitter le lycée il y a des années. (D'accord, d'accord : en réalité, je me suis fait renvoyer. Mais je vous jure que j'aurais fini par partir de moi-même de toute manière. J'y reviendrai plus tard.)

Je baisse les yeux sur mon téléphone et me concentre sur la chasse. Voilà deux jours, j'ai reçu ce texto :

**Alerte du New York Police Department !
Mandat d'arrêt contre Martin Hamer.
5 000 $ de récompense.**

La police est tellement débordée par l'augmentation de la criminalité dans les rues qu'elle n'a plus le temps de faire la chasse à tous les petits délinquants, des gens comme ce Martin Hamer, recherché pour paris clandestins sur Warcross, escroquerie, plus vente de drogue pour financer ses paris. Alors une fois par semaine environ, elle diffuse une alerte de ce genre pour que d'autres se chargent de retrouver un criminel à sa place.

C'est là que j'entre en jeu. Je suis chasseuse de primes – on est nombreux à Manhattan – et j'ai bien l'intention de mettre la main sur ce Martin Hamer avant qu'un de mes collègues ne me grille la politesse.

Tous ceux qui ont traversé une passe difficile comprendront facilement les chiffres qui se bousculent dans ma tête en ce moment. Un mois de loyer dans le pire appartement de New York : mille cent cinquante dollars. Un mois de nourriture : cent quatre-vingts dollars. L'électricité plus l'abonnement Internet : cent cinquante dollars. Nombre de sachets de macaronis, de nouilles chinoises et de boîtes de conserve qui restent dans mon placard : quatre. Et ainsi de suite. Pour couronner le tout, je dois trois mille quatre cent cinquante dollars de loyer en retard et j'ai six mille dollars d'encours sur ma carte de crédit.

Nombre de dollars sur mon compte en banque : treize.

Pas vraiment les préoccupations habituelles d'une fille de mon âge. Je devrais être en train de m'inquiéter pour mes examens. De faire mes devoirs. De me réveiller à l'heure.

Mais je n'ai pas eu ce qu'on pourrait appeler une adolescence normale.

Cinq mille dollars, c'est de loin la plus grosse récompense proposée depuis des mois. Pour moi, c'est une véritable fortune. Donc ça fait deux jours que je ne fais rien d'autre que traquer ce type. J'ai déjà vu quatre récompenses me filer sous le nez ce mois-ci. Si je rate celle-là, je serai vraiment dans de sales draps.

Saletés de touristes ! on ne peut plus mettre un pied devant l'autre, me dis-je quand la circulation m'oblige à faire un détour vers Times Square, où je me retrouve coincée à un feu rouge derrière une grappe de taxis automatiques. Je me penche en arrière sur ma planche, m'arrête et repars à reculons. Tout en consultant mon téléphone encore une fois.

Voilà deux mois, j'ai réussi à pirater le répertoire principal des joueurs de Warcross de New York pour le synchroniser avec les cartes de mon téléphone. Ça n'a rien de compliqué, dans la mesure où l'on est tous reliés les uns aux autres d'une manière ou d'une autre ; ça prend juste un temps fou. Il suffit de s'introduire dans le compte de quelqu'un, puis dans celui de ses amis, puis dans celui des amis de ses amis, et comme ça on finit par pouvoir retracer la localisation de n'importe quel joueur partout dans New York. J'ai enfin réussi à localiser ma cible, mais mon téléphone est une antiquité toute cabossée, fissurée, avec une batterie qui flanche. Il n'arrête pas de se mettre en veille pour s'économiser et l'écran est si sombre que je parviens à peine à déchiffrer quoi que ce soit.

— Réveille-toi, je murmure en plissant les yeux sur les pixels.

Mon pauvre téléphone finit par laisser échapper un bourdonnement plaintif. Le marqueur rouge de géolocalisation se réactualise sur la carte.

Je m'extirpe de la masse des taxis et relance ma planche d'un coup de talon. Elle commence par protester puis consent à m'emporter à travers la marée humaine.

Parvenue à Times Square, je suis entourée d'une multitude d'écrans géants qui me plongent dans un monde de bruit et de néon. Chaque printemps, le championnat officiel de Warcross s'ouvre par une cérémonie gigantesque durant laquelle deux équipes de joueurs de premier rang s'affrontent en match amical. La cérémonie de cette année doit avoir lieu ce soir à Tokyo, si bien que tous les écrans ne parlent que de Warcross, avec une présentation frénétique des joueurs les plus célèbres, des pubs et les meilleures séquences de la cérémonie de l'an dernier. Le dernier clip délirant de Frankie Dena est diffusé sur le flanc d'un gratte-ciel. Habillée comme son avatar dans Warcross – une tenue en édition limitée complétée par une cape à paillettes –, elle danse au milieu d'un groupe d'hommes d'affaires en complets-vestons roses. Sous l'écran géant, des touristes tout excités s'arrêtent pour se prendre en photo avec un type déguisé en joueur de Warcross.

Un autre écran montre cinq des joueurs stars qui vont concourir ce soir. Asher Wing. Kento Park. Jena MacNeil. Max Martin. Penn Wachowski. Je me dévisse le cou pour les admirer. Chacun d'eux est habillé à la toute dernière mode. Ils me sourient d'en haut, avec des bouches assez grandes pour dévorer la ville entière, et pendant que je les regarde, ils lèvent tous une cannette en déclarant que Coca-Cola est leur boisson préférée. Un sous-titre défile au bas de l'écran :

LES MEILLEURS JOUEURS DE WARCROSS ARRIVENT À TOKYO, PRÊTS À CONQUÉRIR LE MONDE

Je passe enfin le carrefour et m'engage dans une rue moins fréquentée. Le petit point rouge se déplace encore sur mon téléphone. On dirait que ma cible vient de tourner dans la 38e Rue.

Je me glisse au milieu de la circulation sur quelques blocs encore avant de m'arrêter à un coin de rue près d'un kiosque à journaux. Le point rouge clignote sur l'immeuble qui me fait face, juste au-dessus de la porte d'un café. J'abaisse mon écharpe et pousse un soupir de soulagement. Mon haleine forme un panache blanc dans l'air glacial. Je murmure « Je te tiens » et m'autorise à sourire en pensant aux cinq mille dollars de récompense. Je descends de mon skateboard, sors ses bretelles et le jette sur mon épaule où il rebondit contre mon sac à dos. La chaleur qu'il dégage encore se diffuse à travers mon blouson et je déroule ma colonne vertébrale pour en profiter.

En passant devant le kiosque à journaux, je jette un coup d'œil aux couvertures. J'ai l'habitude de les consulter pour prendre des nouvelles de ma personnalité favorite. Il y a toujours des articles sur elle. Et bien sûr, je le retrouve en une d'un magazine : un grand jeune homme assis dans son bureau, en pantalon noir et chemise à col droit, les manches remontées jusqu'aux coudes, le visage dans l'ombre. Le logo d'Henka Games, la boîte de production de Warcross, bien visible derrière lui. Je m'arrête pour lire le titre.

HIDEO TANAKA FÊTE SES VINGT ET UN ANS

Coup de projecteur sur la vie privée du créateur de Warcross

Mon pouls s'emballe comme d'habitude lorsque je lis le nom de mon idole. Dommage que je n'aie pas le temps de m'arrêter pour feuilleter le magazine. Plus tard, peut-être. Je me détourne à contrecœur, remonte un peu mon sac et dos et mon skateboard sur mes épaules et relève la capuche de mon blouson pour cacher mon visage. Les vitrines que je longe me renvoient une image déformée de moi-même – traits allongés, jean sombre trop grand, gants noirs, bottines craquelées, écharpe rouge délavée et blouson noir. Mes cheveux multicolores s'échappent de ma capuche. J'essaie de m'imaginer en couverture d'un magazine, moi aussi.

Ne sois pas ridicule. J'écarte cette idée stupide pour m'avancer vers l'entrée du café et passe plutôt en revue la liste de tout ce que j'ai dans mon sac à dos.

1. Des menottes
2. Un lance-grappin
3. Des gants en mailles d'acier
4. Mon téléphone
5. Des fringues de rechange
6. Un pistolet étourdissant
7. Un livre

Lors d'une de mes premières arrestations, ma cible m'a vomi dessus à la suite d'un tir de pistolet étourdissant (n° 6). J'ai pris l'habitude d'emporter de quoi me changer (n° 5) après ça. Deux autres cibles ont essayé de me mordre, si bien qu'après quelques piqûres antitétaniques j'ai ajouté les gants (n° 3). Le lance-grappin (n° 2), c'est pour atteindre certains endroits difficiles d'accès. Mon téléphone (n° 4) est mon principal outil de piratage. Quant aux menottes (n° 1), eh bien, leur présence se passe d'explication.

Enfin, le livre (n° 7) me permet de tuer le temps quand je dois rester en planque un moment. Il vaut mieux pouvoir compter sur des loisirs qui n'épuisent pas la batterie.

Je pénètre dans le café, savoure la chaleur qui règne à l'intérieur et consulte mon téléphone. Les clients font la queue devant un comptoir à pâtisseries, attendant l'ouverture de l'une des quatre caisses automatiques. Des étagères chargées de livres décorent les murs. Une foule d'étudiants et de touristes se presse autour des tables. Quand je pointe l'objectif de mon téléphone dans leur direction, je peux voir leurs noms s'afficher au-dessus d'eux, ce qui veut dire qu'aucun n'est en mode privé. Ma cible se trouve peut-être à l'étage.

Je passe devant les étagères en examinant les tables l'une après l'autre. La plupart des gens ne font pas vraiment attention à ce qui les entoure ; demandez-leur ce que porte la personne assise à côté d'eux, et il y a de bonnes chances qu'ils soient incapables de vous répondre. Moi, je peux. Je pourrais vous détailler la tenue et le comportement de chaque personne dans la file d'attente, vous dire exactement combien sont assises à chaque table, vous décrire avec précision le type aux épaules un peu trop voûtées, le petit couple assis côte à côte qui n'échange pas un mot, le garçon qui prend bien soin de ne pas croiser le regard de qui que ce soit. Je peux mémoriser une scène avec une précision photographique : je détends le regard, j'analyse le tableau d'ensemble, j'en isole les principaux points d'intérêt et j'en prends un cliché mental pour me rappeler les moindres détails.

Je cherche la rupture dans le schéma, le clou qui dépasse du mur.

Mon regard s'arrête sur un groupe de quatre garçons en train de lire sur des banquettes. Je les observe un
moment pour écouter leur conversation, m'assurer qu'ils ne
s'échangent pas des tickets de la main à la main ou par téléphone. Sans résultat. Je me tourne vers l'escalier qui mène
à l'étage. D'autres chasseurs de primes doivent être en train
de converger sur ma cible en ce moment même, je dois à
tout prix la trouver avant eux. Je monte les marches d'un
pas rapide.

Il n'y a personne en haut, du moins est-ce ma première
impression. Puis j'entends une conversation à voix basse
en provenance d'une table dans le coin, dissimulée par une
étagère qui la rend presque impossible à voir de l'escalier. Je
m'approche en catimini et jette un coup d'œil par-dessus
les rangées de livres.

Une femme est assise à une table, le nez plongé dans
un bouquin. Un homme se tient devant elle, visiblement
agité. Je lève mon téléphone. Sans surprise, les deux sont en
mode privé.

Je me glisse le long du mur pour être sûre de ne pas être
vue et je tends l'oreille.

— Je ne peux pas attendre jusqu'à demain soir, dit
l'homme.

— Désolée, s'excuse la femme, je ne peux pas y faire
grand-chose. Mon patron ne veut pas vous remettre autant
d'argent sans prendre un minimum de précautions. Il y a
quand même un mandat d'arrêt contre vous.

— Vous m'aviez promis !

— Vous m'en voyez désolée, cher monsieur, répond
la femme d'une voix calme, cynique, comme si elle avait
déjà répété ça des centaines de fois. La saison de jeu a commencé. La police est sur les dents.

— J'ai trois cent mille tickets chez vous. Avez-vous la moindre idée de ce que ça représente ?

— Oui. C'est mon métier de le savoir, réplique la femme sur un ton des plus cinglants.

Trois cent mille tickets. Soit environ deux cent mille dollars, au taux de change actuel. Mon client est un flambeur. Les paris sur Warcross sont illégaux aux États-Unis ; c'est l'une des nombreuses lois promulguées récemment par le gouvernement pour tenter d'enrayer la cybercriminalité. Quand vous gagnez un pari sur une partie de Warcross, vous remportez des crédits qu'on appelle des tickets. Le truc, c'est que vous pouvez aussi bien utiliser ces tickets en ligne que les sortir sous forme matérielle et les remettre à un intermédiaire comme cette femme. Qui accepte de vous les échanger. Elle vous remet du cash en contrepartie, prélevant au passage un pourcentage pour son patron.

— C'est mon argent, insiste le type.

— Nous sommes obligés de nous protéger. Les mesures de sécurité supplémentaires réclament du temps. Revenez demain soir, je pourrai vous changer la moitié de vos tickets.

— Je vous l'ai déjà dit, je n'ai pas jusqu'à demain soir ! Je dois quitter la ville au plus vite.

Ce dialogue de sourds se répète en boucle. J'écoute en retenant mon souffle. La femme vient pratiquement de me confirmer l'identité de ma cible.

Je plisse les yeux et sens mes lèvres se retrousser sur un petit sourire carnassier. On y est : le meilleur moment de la chasse. Quand tous les indices que j'ai rassemblés me conduisent à la solution, que je vois ma cible devant moi, prête à être cueillie. Quand j'ai enfin complété le puzzle.

Je te tiens.

Pendant que leur discussion s'anime un peu, je tapote deux fois mon téléphone et j'envoie un texto à la police.

Suspect maîtrisé.

La réponse est quasi immédiate.

Le NYPD est prévenu.

Je sors le pistolet étourdissant de mon sac à dos. Il s'accroche à la fermeture Éclair avec un petit bruit métallique.

La conversation s'interrompt aussitôt. À travers l'étagère, je vois l'homme et la femme redresser la tête et pivoter vers moi comme deux lapins pris dans un faisceau de phares. Lui a le visage luisant de sueur, les cheveux plaqués sur le front. Une fraction de seconde s'écoule.

Je tire.

Il détale ; je le rate d'un cheveu. *Joli réflexe.* La femme se lève d'un bond et s'enfuit à son tour. Ce n'est pas elle qui m'intéresse. Je me rue à la poursuite de l'homme. Il dévale les marches quatre à quatre, manque de se casser la figure, sème son téléphone et quelques stylos sur son passage. Je le vois sprinter vers l'entrée à l'instant où j'arrive au rez-de-chaussée. Je m'engouffre derrière lui dans la porte à tambour.

Nous débouchons sur le trottoir. Les gens s'écartent en poussant des cris : une touriste qui prenait des photos se fait bousculer et tombe à la renverse. D'un mouvement coulé, je pose mon skateboard par terre, saute dessus et le fais démarrer d'un grand coup de talon. Il s'élance avec un chuintement aigu, je fléchis les genoux et j'accélère. L'homme jette un coup d'œil vers l'arrière. Il me voit fondre sur lui, tourne à gauche dans une autre rue et s'enfuit à toutes jambes, pris de panique.

Je vire tellement sec que je racle le bord de ma planche sur le trottoir. Je braque mon pistolet étourdissant sur le dos de l'homme et tire.

Il pousse un grand cri et s'écroule. Il essaie aussitôt de se relever, mais je lui arrive droit dessus. Il m'attrape la cheville. Déséquilibrée, je réplique par un coup de pied. Il roule des yeux fous et montre les dents, mâchoire serrée. Il sort une lame. Je la vois miroiter juste à temps. Je le repousse et m'écarte en roulant. Puis je l'attrape par son blouson et je tire encore une fois, à bout portant. Impossible de le rater. Il se raidit et s'affale sur le trottoir, agité de spasmes.

Je lui saute dessus. Je lui colle mon genou dans le dos pour l'immobiliser. Des sirènes de police se rapprochent. Un cercle de badauds s'est rassemblé autour de nous ; ils enregistrent la scène avec leurs lunettes.

— Je n'ai rien fait, pleurniche l'homme encore et encore. (Il s'étrangle à moitié, car je le tiens plaqué contre le sol.) La dame du café – je peux vous donner son nom…

— Oh, ta gueule ! dis-je en lui passant les menottes.

À ma grande surprise, il s'exécute. C'est rare qu'ils soient aussi dociles. Je maintiens quand même la pression jusqu'à l'arrivée de la voiture de police, jusqu'à ce que les gyrophares repeignent le mur en rouge et bleu. Alors seulement, je me relève et m'écarte en levant les mains bien haut pour être sûre que les flics les voient. Avec encore des picotements sur la peau dus à l'excitation de la poursuite, je regarde les deux flics relever mon prisonnier sans ménagement.

Cinq mille dollars ! À quand remonte la dernière fois où j'ai touché ne serait-ce que la moitié de cette somme ? Jamais. Voilà qui devrait me permettre de souffler un moment : je pourrai payer mon loyer en retard, ce qui devrait calmer mon propriétaire. Après quoi il me restera mille cinq cent cinquante dollars. Une fortune ! Je dresse rapidement la liste de mes autres factures. Je pourrai peut-être m'offrir autre chose que des nouilles instantanées ce soir.

J'ai presque envie de sauter en l'air pour célébrer ma victoire. Je vais m'en sortir. Jusqu'à ma prochaine chasse.

Il me faut une minute pour m'apercevoir que la police emmène mon prisonnier sans un regard dans ma direction. Mon sourire s'efface.

— Hé, m'dame ! dis-je en courant après la femme flic, parce que c'est elle la plus proche. Vous m'accompagnez au poste pour que je touche ma récompense, ou quoi ? À moins que vous ne préfériez que je vous retrouve là-bas ?

La fliquette me jette un regard étonnamment peu amène, dans la mesure où je viens quand même de leur livrer un criminel. Elle a l'air exaspérée ; les gros cernes noirs qu'elle a sous les yeux trahissent son manque de sommeil.

— Tu n'étais pas la première, me dit-elle.

Je cligne des yeux, interloquée.

— Quoi ? dis-je.

— Un autre chasseur de primes a donné l'alerte avant toi.

Pendant un instant, je me contente de la dévisager sans réagir.

Puis je crache :

— N'importe quoi ! Vous avez vu ce qui s'est passé. Vous avez confirmé mon alerte !

Je lui montre mon téléphone afin de lui montrer le texto que j'ai reçu. Bien sûr, c'est le moment que choisit la batterie pour me lâcher.

Non pas qu'une preuve aurait fait la moindre différence. La fliquette ne daigne même pas regarder mon appareil.

— C'était une réponse automatique. D'après mes messages, j'ai reçu le premier appel d'un autre chasseur sur place. La prime va toujours au premier. C'est comme ça.

Elle hausse les épaules d'un air compatissant.

C'est le règlement le plus stupide que j'aie jamais entendu.

— Tu parles que c'est comme ça ! dis-je en m'emportant. Qui c'était, l'autre chasseur ? Sam ? Jamie ? Il n'y a qu'eux qui opèrent dans ce secteur. (Je lève les mains avec colère.) Vous savez quoi ? C'est de la foutaise, il n'y a jamais eu d'autre chasseur. Vous voulez simplement garder la prime.

Elle me tourne le dos et s'éloigne. Je la poursuis.

— J'ai fait le sale boulot à votre place ; c'est le deal, c'est pour ça que les chasseurs de primes se chargent de ceux que vous avez la flemme d'arrêter. J'ai mérité ma récompense, et vous allez…

Le partenaire de la fliquette m'empoigne par le bras et me repousse avec une telle brutalité que je manque de m'étaler.

— Laisse tomber ! gronde-t-il avec un rictus. Emika Chen, c'est ça ? (Son autre main est posée sur la crosse de son arme.) Oui, je me souviens de toi.

Je n'ai pas l'intention de discuter face à un pistolet, même dans son étui.

— Ça va, ça va ! (Je me résous à reculer d'un pas et lève les mains en signe d'apaisement.) J'ai compris, OK ? Je m'en vais.

— Je sais que tu as déjà fait de la taule, petite. (Il me toise d'un œil dur avant de rejoindre sa partenaire.) Ne m'oblige pas à te renvoyer à l'ombre.

Un message radio les appelle sur une autre scène de crime. Les bruits se mélangent autour de moi, et l'image que je me faisais de mes cinq mille dollars se brouille jusqu'à l'effacement. En l'espace de trente secondes, la victoire m'a filé entre les doigts.

2

Je sors de Manhattan en silence. La température s'est encore rafraîchie. La neige tombe, de plus en plus épaisse. La morsure du vent contre mon visage convient très bien à mon humeur maussade. Les participants à plusieurs soirées commencent à descendre dans la rue ici et là, et des gens en maillots rouge et bleu entonnent le compte à rebours à pleins poumons. Je passe au milieu de cette animation joyeuse. Au loin, les quatre côtés de l'Empire State Building sont illuminés et affichent des images géantes de Warcross.

À l'époque où j'habitais encore dans le foyer d'hébergement, je pouvais voir l'Empire State Building en grimpant sur le toit. Je m'asseyais là-haut pendant des heures et regardais les images de Warcross en balançant mes jambes maigrichonnes dans le vide, jusqu'à ce que le soleil se lève et noie tout dans sa lumière dorée. En les fixant assez longtemps, je parvenais à m'imaginer à l'intérieur de ces images. Aujourd'hui encore, je ressens un frisson d'excitation à la vue de ce gratte-ciel.

Mon skateboard électrique lâche un bip qui m'arrache à ma rêverie. Je baisse les yeux. Il ne me reste plus qu'une barre de batterie. Je soupire, m'arrête et jette ma planche sur mon épaule. Je trouve un peu de monnaie au fond de ma poche et me dirige vers la station de métro la plus proche.

Le crépuscule a viré au gris-bleu le temps que je regagne Hunts Point, dans le Bronx, le complexe d'appartements où je dors. C'est la face obscure des lumières de la ville : une façade de l'immeuble est couverte de graffitis ; les fenêtres du rez-de-chaussée sont protégées par des barreaux rouillés ; les détritus s'empilent près des marches de l'entrée principale – gobelets en plastique, emballages de fast-food, bouteilles de bière cassées –, le tout partiellement recouvert d'une mince couche de neige. On ne voit pas d'écrans géants ici, pas de belles voitures automatisées qui filent sur le bitume craquelé. J'ai la tête rentrée dans les épaules et l'impression d'avoir des semelles de plomb. Je n'ai encore rien avalé, mais au point où j'en suis, je n'arrive pas à savoir si j'ai envie de manger ou de me coucher.

Plus loin dans la rue, un groupe de sans-abri s'installe pour la nuit. Ils étalent leurs couvertures et dressent leurs tentes sous l'auvent d'un magasin au rideau de fer baissé. On entrevoit des sacs en plastique sous leurs haillons. Je détourne les yeux ; ça me rend malade de voir ça. Ils ont été gamins, eux aussi, un jour, ils ont peut-être eu des parents qui les aimaient. Comment en sont-ils arrivés là ? De quoi aurais-je l'air, à leur place ?

Finalement, je grimpe avec peine les quelques marches du perron et me traîne jusqu'à ma porte. Le couloir sent toujours autant la pisse de chat et la moquette moisie, et à travers les murs trop fins on entend les voisins qui s'engueulent, une télé qui hurle, un bébé qui braille. Je me détends un peu. Si j'ai de la chance, je ne tomberai pas sur mon propriétaire, avec son débardeur, ses auréoles de sueur et son visage rougeaud. J'aurai peut-être même droit à une bonne nuit de sommeil avant de devoir l'affronter demain matin.

Un nouvel avis d'expulsion m'attend sur la porte, à l'endroit précis où j'avais arraché le premier. Je le fixe une seconde, épuisée, et le relis.

AVIS D'EXPULSION DE LA VILLE DE NEW YORK
LOCATAIRE : EMIKA CHEN
72 HEURES POUR PAYER OU VIDER LES LIEUX

Avait-il besoin de revenir scotcher ça ? Est-ce qu'il tenait absolument à ce que tout l'immeuble soit au courant ? Était-ce pour m'humilier encore plus ? J'arrache la feuille, la froisse dans mon poing et reste un moment immobile devant ma porte. Un désespoir familier m'envahit ; je sens la panique cogner dans ma poitrine, à repenser à tout l'argent que je dois. Les chiffres se bousculent de nouveau dans ma tête. Loyer, nourriture, factures, encours de carte…

Où vais-je pouvoir trouver tout cet argent en trois jours ?

— Hé !

La voix me fait sursauter. M. Klouduke, mon propriétaire, est sorti de son appartement et s'avance vers moi d'un pas menaçant, avec sa tête de poisson pas frais et ses cheveux orange clairsemés qui rebiquent dans toutes les directions. À voir ses yeux injectés de sang, on devine tout de suite qu'il n'est pas à jeun. Super. Encore une dispute. Je n'ai vraiment pas besoin de ça ce soir. Je cherche mes clés dans ma poche, mais il est déjà trop tard. Alors, je bombe le torse et relève le menton.

— Bonsoir, monsieur Klouduke.

J'ai une manière de prononcer son nom qui le fait sonner comme « Trouduc ».

Il m'observe en plissant les yeux.

— Tu m'as évité toute la semaine.

— Pas du tout. Simplement j'ai trouvé un boulot comme serveuse dans un petit resto, je fais le service du matin, et…

— Plus personne n'emploie de serveuses, rétorque-t-il d'un air soupçonneux.

— Eh bien, eux, si. C'est le seul job que j'ai pu trouver. Il n'y avait rien d'autre.

— Tu avais dit que tu me paierais aujourd'hui.

— Je sais, je m'en souviens. (Je prends une grande inspiration.) Je pourrais passer chez vous plus tard pour en discuter…

— Est-ce que j'ai dit « plus tard » ? Je veux être payé maintenant. Et tu vas devoir ajouter cent dollars à ce que tu me dois.

— Hein ?

— J'ai décidé d'augmenter le loyer. Dans tout l'immeuble. Qu'est-ce que tu crois, c'est un quartier très demandé.

— Ce n'est pas juste. Vous ne pouvez pas faire ça ; vous l'avez déjà augmenté le mois dernier !

— Tu sais ce qui n'est pas juste, jeune fille ? (M. Klouduke croise les bras. Ses taches de rousseur me sautent au visage.) Le fait que tu vives chez moi sans rien payer.

Je lève les mains en signe d'apaisement. Le sang me monte aux joues. Je le sens bouillonner.

— Je sais. Seulement…

— Tu n'as pas de tickets ? Cinq mille tickets. Tu les as ?

— Si je les avais, je vous les donnerais.

— Alors propose-moi autre chose, crache-t-il. (Il pointe un doigt de l'épaisseur d'une saucisse vers mon skateboard.) Si je revois encore ce truc, je le fracasse à coups de marteau. Tu n'as qu'à le revendre et me filer le fric.

— Il vaut à peine cinquante dollars ! dis-je avant de faire un pas vers lui. Écoutez, je ferai ce qu'il faudra, je vous le jure, c'est promis. (Les mots s'échappent de ma bouche en un marmonnement confus.) Donnez-moi encore quelques jours.

— Écoute, petite… (Il lève trois doigts pour me rappeler combien de mois de loyer je lui dois.) J'en ai marre de faire la charité.

Puis il m'inspecte de la tête aux pieds.

— Tu as quoi, dix-huit ans ?

Je me raidis.

— C'est ça.

Il indique le bout du couloir d'un mouvement de la tête.

— Fais-toi engager au Rockstar Club. Leurs filles gagnent dans les quatre cents dollars par soir rien que pour danser sur les tables. Toi, tu pourrais probablement t'en faire cinq cents. Et eux se ficheront pas mal que tu aies un casier.

Je plisse les paupières.

— Vous croyez que je n'ai pas demandé ? Il faut avoir vingt et un ans.

— Je me fiche de savoir comment tu t'y prendras. Je te laisse jusqu'à jeudi. C'est compris ? s'emporte M. Klouduke en me postillonnant au visage. Et je veux que tu me rendes cet appartement entièrement vide. Nettoyé.

Je m'emporte :

— Il ne l'était pas quand vous me l'avez loué !

Mais il m'a déjà tourné le dos et s'éloigne dans le couloir.

Je souffle longuement après avoir entendu claquer sa porte. Je sens mon cœur cogner contre mes côtes. J'ai les mains qui tremblent.

Je repense aux sans-abri, avec leurs yeux creusés et leurs épaules tombantes, puis aux filles que je vois parfois sortir du Rockstar Club, qui empestent la fumée, la sueur et le parfum bon marché, barbouillées de maquillage. La menace de M. Klouduke me rappelle comment je risque de finir si la chance ne me sourit pas très bientôt. Des choix difficiles m'attendent.

Je vais devoir trouver un moyen de l'apitoyer. De le ramener à de meilleurs sentiments. *Donnez-moi juste une semaine de plus, et je vous rapporte la moitié de ce que je vous dois. Promis, juré.* Je répète ces mots plusieurs fois dans ma tête tandis que je glisse la clé dans la serrure et ouvre la porte.

Il fait noir à l'intérieur, malgré la lueur bleutée des néons dans la rue. J'allume la lumière, lâche mes clés sur le plan de travail de la kitchenette et jette mon avis d'expulsion froissé dans la poubelle. Puis je prends le temps d'examiner l'appartement.

C'est un studio minuscule où mes affaires s'entassent un peu partout. Les murs en plâtre sont fissurés. L'une des ampoules au plafond est morte et la deuxième ne vaut guère mieux ; elle attend qu'on veuille bien la remplacer avant de rendre son dernier soupir. Sur la table pliante, mes lunettes de Warcross : un vieux modèle que j'ai obtenu pour trois fois rien. Le reste de l'espace est occupé par deux cartons de bric-à-brac près de la cuisine, deux matelas posés à même le sol près de la fenêtre, un vieux téléviseur pourri et un canapé défoncé jaune moutarde.

— Emi ?

Une voix étouffée sort de la couverture sur le canapé. Ma colocataire s'assied, se frotte le visage et passe la main dans ses cheveux blonds. Keira. Elle s'est endormie avec ses lunettes de Warcross sur le nez, qui lui ont laissé une marque en travers des joues et du front. Elle fait la grimace.

— Tu as encore ramené un mec ?

Je secoue la tête.

— Non, ce soir il n'y a que moi, dis-je. Tu as donné la moitié de l'argent à M. Klouduke aujourd'hui, comme tu avais promis de le faire ?

— Oh ! (Elle évite mon regard, balance les jambes par-dessus le bras du canapé et attrape le paquet de chips ouvert qui traînait par terre.) Je le ferai cette semaine.

— Tu sais qu'il nous jette dehors jeudi ?

— Non, personne ne m'a rien dit.

Ma main se crispe sur le dossier de la chaise. Elle n'a pas quitté l'appartement de la journée, donc elle n'a pas vu l'avis d'expulsion sur la porte. Je prends une grande inspiration et me rappelle que Keira non plus ne trouve pas de travail. Après avoir essayé en vain pendant près d'un an, elle a fini par lâcher l'affaire et se replier sur elle-même. Désormais, elle passe ses journées à jouer à Warcross.

C'est un état qui ne m'est pas inconnu, mais ce soir je suis trop fatiguée pour faire preuve de patience. Je me demande si elle comprendra enfin quand on se retrouvera à la rue toutes les deux, debout sur le trottoir au milieu de nos affaires.

Je retire mon écharpe et mon blouson pour ne garder que mon débardeur favori et je mets une casserole d'eau à chauffer. Puis je me dirige vers l'un des deux matelas posés le long du mur.

Keira et moi séparons nos deux lits au moyen d'un écran de fortune, fabriqué à partir de vieux cartons scotchés les uns aux autres. Je garde mon coin aussi propre et bien rangé que possible. Un plan de Manhattan couvert d'annotations est punaisé au mur, parmi des couvertures de magazines où l'on voit Hideo Tanaka, la liste manuscrite des leaders du classement amateur de Warcross et une vieille décoration de Noël, souvenir de mon enfance. Mon dernier trésor est un vieux tableau de mon père, le seul qui me reste, rangé soigneusement à côté de mon lit. Les couleurs explosent sur la toile à gros coups de pinceau épais, on pourrait croire que la peinture est encore fraîche. J'en avais d'autres, mais j'ai dû les vendre, un par un chaque fois que je traversais une trop mauvaise passe. J'ai sacrifié sa mémoire par petits bouts afin de survivre à son absence.

Je m'écroule sur le matelas qui pousse un petit couinement. Plafond et murs baignent dans la lueur bleutée de l'enseigne au néon du magasin de vins et spiritueux de l'autre côté de la rue. Je reste allongée sans bouger et j'écoute la plainte incessante des sirènes dans le lointain, le regard fixé sur une vieille trace d'humidité au plafond.

Si papa était là, il serait en train de s'activer en bon prof d'école de mode, mélangeant ses couleurs ou lavant ses pinceaux. Peut-être qu'il réfléchirait au programme de ses cours de printemps, ou à ses projets pour la Fashion Week de New York.

Je tourne la tête vers le fond de la pièce et je fais comme s'il était là, encore vigoureux et en pleine santé, comme si sa grande silhouette dégingandée se découpait dans la lumière près de l'entrée, avec ses cheveux teints en bleu qui jetteraient des reflets argentés dans l'obscurité, sa barbe soigneusement taillée, ses lunettes à monture noire et son air rêveur. Il porterait un T-shirt noir qui laisserait apparaître les tatouages multicolores sur son bras droit, et il serait impeccable – chaussures vernies, pantalon repassé à la perfection – à l'exception des taches de peinture sur les doigts et dans les cheveux.

Je souris en me rappelant ce moment où, assise sur une chaise, je balançais les jambes en contemplant mes genoux bandés pendant que mon père me faisait des mèches de toutes les couleurs. J'étais rentrée en larmes de l'école parce qu'on m'avait poussée dans la cour et que j'avais déchiré ma jupe. Papa s'affairait en sifflotant. Quand il a eu fini, il m'a tendu un miroir pour que je m'admire et j'ai poussé un cri de ravissement. « *Très Givenchy, très tendance* », a-t-il dit en me donnant une petite tape sur le nez. J'ai gloussé. « *Surtout si tu les attaches comme ça. Tu vois ?* » Il a rassemblé mes cheveux en queue-de-cheval. « *Mais ne t'y habitue pas trop, les couleurs partiront dans quelques jours. Et maintenant, allons nous offrir une pizza.* »

Papa disait toujours que mon uniforme scolaire était comme un gros bouton d'acné sur le nez de New York. Il disait que je devrais plutôt m'habiller comme si le monde était bien meilleur. Il achetait des fleurs chaque fois qu'il pleuvait ; notre appartement était très gai. Il oubliait aussi de s'essuyer les mains après avoir travaillé sur une toile et laissait des traces de peinture partout. Il dépensait son maigre salaire en cadeaux pour moi, en fournitures d'art, en aumônes, en vêtements et en vin. Il riait trop souvent, tombait amoureux trop vite et buvait trop volontiers.

Et puis un soir, alors que j'avais onze ans, je l'ai vu rentrer à la maison, s'allonger sur le canapé et regarder dans le vide d'un air éteint. Il revenait d'un rendez-vous chez le médecin. Six mois plus tard, il avait disparu.

La mort a la fâcheuse habitude de trancher net les lignes que vous pensiez pouvoir tendre entre votre présent et votre avenir. Ces lignes qui mènent à votre père en train de garnir de fleurs votre chambre d'étudiante le jour de la remise de votre diplôme. Votre père dessinant votre robe de mariée. Ou venant déjeuner chez vous tous les dimanches, chantant si faux que vous en auriez les larmes aux yeux. J'avais des centaines de lignes comme ça, et en l'espace d'une journée elles sont toutes tombées, ne me laissant qu'une montagne de dettes de jeu et de factures de frais médicaux. La mort ne m'a même pas offert un coupable contre lequel diriger ma colère. Je pouvais seulement me tourner vers le ciel.

Après sa mort, je me suis mise à imiter son look : des cheveux en bataille teints de toutes les couleurs (les flacons de teinture étant la seule chose pour laquelle je veux bien gaspiller de l'argent) et un bras entièrement tatoué (gratuitement, par l'ancien tatoueur de papa qui avait eu pitié de moi).

Je contemple les tatouages qui s'enroulent autour de mon bras gauche et les suis du doigt. Ils démarrent au poignet et montent jusqu'à l'épaule, par touches éclatantes de bleu et de turquoise, d'or et de rose : des pivoines (les fleurs préférées de mon père), des bâtiments à la Escher qui émergent des vagues, des notes de musique, des planètes dans l'espace, rappel de ces nuits où papa nous emmenait en voiture hors de la ville pour admirer les étoiles. Enfin, ils s'achèvent par quelques mots qui longent ma clavicule gauche : un mantra que me répétait papa, et que je me récite chaque fois que la situation me semble inextricable.

Chaque serrure a sa clé.

Chaque problème a sa solution.

Chaque problème, oui, enfin… sauf celui qui a fini par l'emporter. Sauf celui dans lequel je suis plongée jusqu'au cou en ce moment. Et ce rappel suffit presque à me convaincre de me rouler en boule, de fermer les yeux et de me laisser glisser.

Le son de l'eau en train de bouillir m'arrache à point nommé à mes idées noires. *Lève-toi, Emi,* me dis-je.

Je m'extrais du lit, me traîne jusqu'à la cuisine et cherche un sachet de nouilles instantanées (coût du dîner de ce soir : un dollar). Il me manque une boîte de macaronis. Je jette un regard noir en direction de Keira, toujours vautrée sur le canapé, l'œil rivé à la télé (d'occasion : soixante-quinze dollars). Avec un soupir, je déchire le sachet et verse les nouilles dans la casserole.

Des bruits de musique et de fête nous parviennent de quelque part dans l'immeuble. Toutes les chaînes locales diffusent des émissions consacrées à la cérémonie d'ouverture. Celle qu'a choisie Keira commence par retransmettre les meilleurs moments de l'année dernière. Puis l'écran montre un panel d'experts, réunis sur le dernier gradin du Tokyo Dome, qui débattent avec passion de l'équipe qui va gagner, et pourquoi. On aperçoit en contrebas cinquante mille spectateurs déchaînés balayés par des projecteurs rouges et bleus. Une pluie de confettis dorés dégringole du toit.

— Un point sur lequel nous serons tous d'accord, c'est qu'on a rarement vu une sélection de *wild cards* comme celle de cette année ! déclare une experte, un doigt dans l'oreille pour filtrer une partie du brouhaha. L'une d'elles est déjà une célébrité.

— C'est vrai ! s'exclame un de ses confrères, tandis que les autres acquiescent de la tête. (La vidéo d'un adolescent s'affiche derrière eux.) DJ Ren est une étoile montante de la scène musicale underground française. Et maintenant, Warcross va le faire connaître au monde entier !

Tandis que les experts se disputent à propos des nouveaux joueurs de cette édition, je ravale ma jalousie. Chaque année, une quarantaine d'amateurs appelés « wild cards » sont désignés par un comité secret pour intégrer le processus de sélection des équipes. Pour moi, ces gars-là sont les plus gros veinards du monde. Mon casier judiciaire m'interdit tout espoir de nomination.

— Parlons un peu du buzz qui devrait entourer les parties de cette année. Vous croyez que nous établirons un nouveau record ? demande la première experte.

— J'ai l'impression que c'est déjà le cas, répond un troisième. L'année dernière, le tournoi final a été suivi par trois cents millions de spectateurs. Trois cents millions ! M. Tanaka peut être fier de sa réussite.

À l'instant où il dit ça, l'image en toile de fond est remplacée par le logo d'Henka Games, suivi d'une vidéo du créateur de Warcross.

C'est un clip où on le voit vêtu d'un pantalon de smoking impeccable, sortant d'un gala de charité, une jeune femme à son bras. Il doit faire un peu froid, car il lui a prêté sa veste. Il a beaucoup trop de classe pour quelqu'un de vingt et un ans. Alors que les flashs crépitent autour de lui, je me penche malgré moi vers l'écran. En quelques années, Hideo s'est transformé : le génial adolescent filiforme est devenu un jeune homme élégant au regard perçant. La plupart de ceux qui l'ont rencontré s'attachent à souligner sa politesse ; mais seuls ses proches le connaissent vraiment. Pourtant, il ne se passe pas une semaine sans qu'un tabloïd le mette à la une, lui prête une liaison avec telle ou telle célébrité ou le hisse en tête d'un palmarès quelconque : le plus jeune, le plus beau, le plus riche, le plus irrésistible des cœurs à prendre…

— Voyons un peu combien de personnes sont venues assister ce soir à l'ouverture de la compétition ! continue l'expert.

Un chiffre s'affiche, et ils se mettent tous à applaudir bruyamment. *Cinq cent vingt millions.* Rien que pour la cérémonie d'ouverture. Warcross est officiellement l'événement le plus suivi au monde.

J'emporte mon bol de nouilles jusqu'au canapé et je mange sans y penser devant la télé. On voit des interviews de fans surexcités à l'entrée du Tokyo Dome, le visage peinturluré, cramponnés à des posters faits maison. On voit des images de techniciens en train de procéder aux ultimes vérifications du matériel. Des reportages aux allures de documentaires olympiques présentent les différents joueurs à grand renfort de photos et de vidéos. Viennent ensuite des séquences extraites du jeu lui-même – qui montrent deux équipes en train de s'affronter à travers les mondes virtuels de Warcross. La caméra fait un panoramique sur la foule en délire, puis sur les joueurs professionnels qui patientent en coulisses. Ils adressent des saluts à la caméra avec un grand sourire, l'œil pétillant d'excitation.

Je ne peux m'empêcher d'éprouver de l'amertume. Je pourrais être là-bas, moi aussi, je pourrais être aussi bonne qu'eux, si j'avais le temps et suffisamment d'argent pour jouer toute la journée. J'en suis convaincue. Au lieu de quoi je suis coincée ici, à manger des nouilles instantanées, à me demander si j'arriverai à survivre jusqu'à la prochaine récompense offerte par la police. À quoi ça peut ressembler, d'avoir une vie parfaite ? D'être une superstar adulée de tous ? De régler ses factures à l'heure et de pouvoir s'acheter tout ce qu'on veut ?

— Qu'est-ce qu'on va faire, Em ? demande Keira, rompant notre silence.

Sa question sonne creux. Elle me la pose chaque fois qu'on s'aventure en zone dangereuse, comme si c'était toujours à moi de nous tirer d'affaire. Mais ce soir je reste silencieuse devant la télé, incapable de lui répondre. Avec très précisément treize dollars sur mon compte, je ne me suis jamais retrouvée dans une situation aussi désespérée.

Je m'enfonce dans le canapé et passe en revue mes différentes options. Je suis une bonne informaticienne – excellente, même –, sauf que je ne peux pas postuler pour un job. Je suis soit trop jeune, soit trop délinquante. Qui voudrait embaucher une personne condamnée pour usurpation d'identité ? Qui voudrait lui confier son ordinateur avec toutes ses données personnelles ? Voilà ce qu'il en coûte d'avoir dans son casier quatre mois de détention en maison de correction, assortis d'une interdiction de deux ans d'approcher un ordinateur. Ça ne m'empêche pas de me servir de mon téléphone ou de mes lunettes piratées, bien sûr, mais ça m'interdit de pratiquer le seul vrai métier que je sais faire. C'est déjà beau que j'aie pu louer cet appartement. Tout ce que j'ai réussi à décrocher comme boulots jusqu'ici, c'est mon activité de chasseuse de primes et un travail de serveuse à temps partiel ; lequel travail s'envolera en fumée à l'instant où le resto qui m'emploie s'achètera une serveuse robotisée. Tout le reste supposerait que je fasse partie d'un gang ou que je me mette à voler.

Il faudra peut-être en arriver là.

Je prends une grande inspiration.

— Je ne sais pas. Je vais vendre la dernière toile de papa.

— Em… commence à protester Keira, sans conviction.

Elle sait que je ne parle pas sérieusement. Même en vendant tout le contenu de notre appartement, on ne récupérerait pas plus de cinq cents dollars. Pas de quoi dissuader M. Klouduke de nous jeter dehors.

Une nausée familière me tord le ventre. Je lève la main pour caresser le tatouage le long de ma clavicule. *Chaque serrure a sa clé.* Mais si celle-ci n'en avait pas ? Si je n'arrivais pas à me dépêtrer de cette situation ? Je ne vois aucun moyen de me procurer autant d'argent si vite. Je suis à court d'options. Je m'efforce de ne pas m'effondrer, lutte contre la panique et m'astreins à contrôler ma respiration. Mon regard se détourne de la télé pour s'égarer vers la fenêtre.

Où que je sois dans la ville, je sais toujours avec précision dans quelle direction chercher mon ancien foyer d'hébergement. Il me suffit de fermer les yeux pour revoir ses salles sombres et son papier peint jaune qui se décollait. Je me rappelle les grandes qui me poursuivaient dans les couloirs et me battaient jusqu'au sang. Je me rappelle les morsures des punaises. J'ai en mémoire la sensation de brûlure sur la joue quand Mme Devitt me giflait. Je m'entends encore pleurer en silence dans mon lit, à m'imaginer que mon père viendrait me sauver de cet endroit. Je me souviens du grillage qui m'avait entaillé les doigts quand je l'ai escaladé pour m'enfuir.

Réfléchis. Tu peux trouver une solution, insiste une petite voix butée dans ma tête. *Ce n'est pas ça, ta vie. Tu ne vas quand même pas rester ici éternellement. Tu n'es pas comme ton père.*

À la télé, les lumières du Tokyo Dome baissent enfin. La clameur de la foule enfle jusqu'à devenir assourdissante.

— Voilà ce qu'on pouvait dire ce soir avant la cérémonie d'ouverture de Warcross ! s'exclame un expert d'une
voix rauque. (Ses confrères et lui font le V de la victoire.)
Pour ceux d'entre vous qui nous regardent de chez eux, il
est temps de mettre vos lunettes et de nous rejoindre pour
L'ÉVÉNEMENT… DE… L'ANNÉE !

Keira a déjà ses lunettes sur le nez. Je m'approche de la
table de camping où j'ai laissé les miennes.

Il y a des gens qui disent que Warcross n'est qu'un jeu
stupide. D'autres, que c'est une révolution. Mais pour moi
comme pour des millions de personnes, c'est le seul moyen
garanti d'oublier les problèmes. J'ai vu ma prime me filer
sous le nez, mon propriétaire va repasser demain matin
pour réclamer son fric en hurlant, je devrai encore aller
faire la serveuse et d'ici quelques jours je n'aurai plus de
toit sur la tête ni nulle part où aller… Mais ce soir, je peux
me fondre dans la masse, chausser mes lunettes et laisser la
magie se dérouler devant mes yeux.

3

Je me souviens encore du moment précis où Hideo
Tanaka a changé ma vie.

J'avais onze ans, mon père était mort quelques mois
plus tôt. La pluie cinglait la vitre de la chambre que je partageais avec quatre autres résidentes du foyer. J'étais au lit,
incapable encore une fois de me lever pour aller à l'école.
Les devoirs à faire s'étalaient sur ma couverture, où je les
avais abandonnés la veille au soir. J'avais rêvé de chez nous,
de papa en train de nous préparer des œufs brouillés et
des pancakes noyés dans le sirop, les cheveux parsemés de
paillettes et de colle, avec son grand rire familier qui rem-
plissait la cuisine et s'échappait par la fenêtre ouverte. « *Bon
appétit, mademoiselle !* » s'était-il exclamé, le visage rêveur.
Et j'avais poussé un cri de ravissement quand il m'avait
prise dans ses bras pour m'ébouriffer les cheveux.

Après quoi je m'étais réveillée et la scène s'était dissipée,
m'abandonnant à cette grande maison lugubre et silencieuse.

Je n'avais pas remué dans mon lit ; je n'avais pas pleuré.
Je n'avais pas pleuré une seule fois depuis la mort de papa,
pas même à ses funérailles. Il faut dire que j'étais encore

sous le choc des dettes qu'il avait accumulées. Je venais d'apprendre qu'il y avait des années qu'il traînait sur des forums de paris. Qu'il ne s'était pas fait soigner à l'hôpital parce qu'il cherchait plutôt à rembourser ce qu'il devait.

J'avais donc passé la matinée comme je le faisais tous les jours, à ruminer en silence. Cela faisait des mois que mes émotions s'étaient enfouies dans une cavité brumeuse au fond de ma poitrine. Je passais tout mon temps à regarder dans le vague : le mur de ma chambre, le tableau de ma classe, l'intérieur de mon casier, mon assiette de nourriture insipide. Mon bulletin de notes était barbouillé de rouge. Un écœurement permanent me faisait perdre tout appétit. J'avais les os saillants aux poignets et aux coudes. Des cernes noirs bordaient mes yeux : tout le monde le remarquait, sauf moi.

Quelle importance, de toute façon ? Mon père n'était plus là, je me sentais si fatiguée… Peut-être que le brouillard dans ma poitrine pourrait s'étendre, s'épaissir et finir par m'envelopper tout entière ? Ainsi je pourrais disparaître moi aussi. Je restais donc recroquevillée sous les draps, à regarder la pluie battre la vitre et les branches des arbres s'agiter dans le vent, à me demander combien de temps ça prendrait pour qu'on s'aperçoive à l'école que j'avais encore séché les cours.

Le radio-réveil – le *seul* objet présent dans la chambre, en dehors de nos lits – était allumé. C'était un vieux machin donné au foyer par un centre de charité. Les autres filles n'avaient pas pris la peine de l'éteindre en se levant. J'écoutais distraitement les infos sur la situation économique, les manifestations dans les villes et à la campagne, la criminalité galopante que la police ne parvenait plus à enrayer, les évacuations de Miami et de La Nouvelle-Orléans.

Et puis, le journal a pris fin et un long reportage d'une heure a démarré, consacré à un jeune garçon dénommé Hideo Tanaka. Il avait quatorze ans à l'époque, le monde le découvrait tout juste. J'ai commencé à prêter attention à ce que racontait le journaliste.

— Vous souvenez-vous à quoi le monde ressemblait avant l'invention du smartphone ? disait le présentateur. Quand on sentait qu'on était au bord d'un grand bouleversement, que la technologie était *presque là mais pas tout à fait*, et qu'il a suffi d'une invention révolutionnaire pour tout faire basculer ? Eh bien, l'année dernière, un garçon de treize ans du nom d'Hideo Tanaka a déclenché un nouveau bouleversement de ce genre.

« Il a réussi ce tour de force en inventant une paire de lunettes sans fil ultralégères, à monture métallique, avec des oreillettes rétractables. Attention, ça n'a rien à voir avec les grosses lunettes de réalité augmentée que nous connaissons déjà, celles qui ressemblent à des briques géantes qu'on s'attache sur le crâne. Non, celles-ci s'appellent NeuroLink et on les porte avec autant de naturel qu'une paire de lunettes ordinaires. Nous en avons reçu un exemplaire au studio, et je peux vous dire… (Là, le journaliste a ménagé une pause dramatique.) que c'est la chose la plus *sensationnelle* que nous ayons jamais essayée !

Un NeuroLink. J'avais déjà entendu le nom aux infos. J'ai écouté le reportage m'expliquer en quoi ça consistait.

Pendant longtemps, pour créer un environnement virtuel réaliste, il fallait produire un monde aussi détaillé que possible. Ce qui réclamait beaucoup de travail et d'argent. On pouvait y consacrer tous les efforts qu'on voulait, le résultat n'était jamais complètement satisfaisant. Il y a des milliers de mouvements infimes à chaque seconde sur un visage humain, des milliers de frémissements dans le feuillage d'un arbre, des millions de choses minuscules qui sont propres à la réalité et qu'un univers virtuel ne sait pas reproduire. L'esprit le perçoit inconsciemment, si bien qu'il y a toujours un détail qui cloche, même si on est incapable de mettre le doigt dessus.

Or, Hideo Tanaka avait imaginé une autre solution. Pour créer un monde virtuel sans aucun défaut, il n'est pas nécessaire d'élaborer l'environnement 3D le plus réaliste et le plus détaillé possible.

Il suffit de vous *convaincre* de sa réalité.

Et devinez qui est le mieux placé pour faire ça ? Votre cerveau.

Quand vous faites un rêve, aussi dingue soit-il, vous croyez à sa réalité. Comme si vous aviez le son surround, la haute définition, les effets spéciaux sur trois cent soixante degrés. Pourtant, ce que vous voyez n'existe pas, c'est une pure création de votre cerveau, sans le moindre support technologique.

Hideo avait donc créé la meilleure interface de tous les temps entre l'ordinateur et le cerveau. Une paire de lunettes au style épuré. Le NeuroLink.

Quand vous les portez, elles permettent à votre cerveau de créer autour de vous des mondes virtuels impossibles à distinguer de la réalité. Vous pouvez vous déplacer dans ce monde en toute liberté et y interagir, jouer, parler. Vous pouvez déambuler dans une rue parisienne ultraréaliste, par exemple, ou vous prélasser sur une simulation de plage hawaïenne. Ou même voler à travers un monde de fantasy peuplé d'elfes et de dragons. Tout ce que vous voulez.

D'une simple pression sur un bouton intégré à la monture, vous pouvez modifier la polarisation des verres et basculer ainsi du virtuel à la réalité et inversement. Quand vous regardez le monde réel à travers ces lunettes, vous pouvez aussi voir des objets virtuels superposés à la réalité. Des dragons qui volent au-dessus de la ville. Des noms de boutiques, de restaurants, de gens.

Afin d'illustrer à quel point ses lunettes étaient cool, Hideo avait imaginé un jeu vidéo fourni avec chaque paire : Warcross.

Le concept de base était simple : il opposait deux équipes, chacune devant essayer de s'emparer de l'artefact (une gemme scintillante) de l'autre sans se faire dérober le sien. Son intérêt tenait surtout aux terrains de jeu spectaculaires où se déroulaient les batailles, si réalistes qu'en enfilant vos lunettes vous aviez la sensation d'être parachuté en plein dedans.

Au fil du reportage, j'ai appris qu'Hideo était né à Londres, qu'il avait grandi à Tokyo et qu'il avait appris à coder tout seul à l'âge de onze ans. *Mon âge.* Après quoi, il avait fabriqué ses premières lunettes NeuroLink dans la boutique de réparation informatique de son père. Ses parents l'avaient aidé à financer mille exemplaires, qu'il avait mis en vente. En l'espace d'une nuit, les mille exemplaires avaient suscité cent mille commandes. Puis un million, dix millions, cent millions… Les investisseurs lui faisaient des ponts d'or. Les actions en justice se multipliaient contre ses brevets. Ses critiques prétendaient que le NeuroLink allait tout bouleverser : la vie quotidienne, les voyages, la médecine, l'armée, l'éducation. *Link Up*, « Branchez-vous », était le titre d'une chanson très populaire de Frankie Dena, le tube de l'été dernier.

Et tout le monde – *tout le monde* – jouait à Warcross. Certains s'y adonnaient avec passion, en formant des équipes qui s'affrontaient pendant des heures. D'autres appréciaient juste de pouvoir flâner à leur guise sur une plage ou partir en safari. D'autres encore portaient leurs lunettes dans le monde réel pour se faire accompagner d'un tigre domestique virtuel ou croiser leurs célébrités favorites dans la rue.

Quelle que soit la manière dont les gens s'en servaient, le NeuroLink était devenu un mode de vie.

Mon regard est passé de la radio aux pages de devoirs éparpillées sur mon lit. L'histoire d'Hideo avait réveillé quelque chose en moi, au cœur du brouillard. Comment un garçon d'à peine trois ans de plus que moi avait-il pu exercer une telle influence sur le monde ? Je suis restée couchée comme ça jusqu'à la fin du reportage suivi d'une plage musicale. Je suis restée dans mon lit une bonne heure de plus. Après quoi, je me suis redressée et j'ai attrapé une page de mes devoirs.

C'était un devoir du cours d'introduction à l'informatique. Le premier problème consistait à repérer l'erreur au sein de trois lignes de code. Je l'ai examiné, imaginant un Hideo de onze ans à ma place. Lui ne serait pas resté là, le regard vide. Il aurait résolu ce problème, puis le suivant, et tous les autres.

Cette certitude m'a remis en mémoire un vieux souvenir avec mon père, assis sur mon lit, qui me montrait le dos d'un magazine sur lequel figuraient deux dessins quasiment identiques. Le but pour le lecteur était de trouver les différences entre les deux.

« *C'est une question piège* », me souvenais-je avoir déclaré, bras croisés. J'avais examiné soigneusement les deux dessins sous tous les angles. « *Ils sont exactement pareils.* »

Mon père m'avait adressé un sourire en coin avant de remonter ses lunettes sur son nez. Il avait encore de la peinture et de la colle dans les cheveux, traces de ses expérimentations de l'après-midi avec des tissus. Il faudrait que je l'aide à couper les pointes irrécupérables un peu plus tard. « *Regarde mieux* », avait-il insisté. Il avait attrapé le crayon coincé derrière son oreille et esquissé un mouvement circulaire autour des images. « *Pense à un tableau accroché au mur. Tu n'aurais pas besoin d'une équerre ni d'un niveau à bulle pour dire s'il est penché ne serait-ce qu'un tout petit peu. Tu le sentirais. Pas vrai ?* »

J'avais haussé les épaules. « *Oui, j'imagine.* »

« *L'homme se montre parfois étonnamment sensible.* » Mon père avait indiqué de nouveau les deux dessins de ses doigts tachés. « *Tu dois apprendre à regarder chaque chose dans son ensemble, sans t'arrêter à ses différents éléments. Détends tes yeux. Considère chaque image dans son intégralité.* »

Je l'avais écouté. Je m'étais redressée et j'avais adouci mon regard. Et j'avais fini par repérer une différence, un tout petit trait en plus sur l'un des dessins. « *Là !* » m'étais-je exclamée en le pointant du doigt.

Papa m'avait souri. « *Tu vois ?* avait-il dit. *Chaque serrure a sa clé, Emi.* »

J'ai contemplé mon devoir en retournant les paroles de mon père dans ma tête. Et puis j'ai suivi son conseil : j'ai pris du recul et considéré les lignes de code dans leur ensemble. Comme un tableau. Comme si j'en cherchais le point de fuite.

Et presque immédiatement j'ai localisé l'erreur. J'ai ouvert mon ordinateur scolaire et j'ai entré les lignes de code corrigées.

Ça a marché. Un grand « Bienvenue ! » s'est affiché sur mon écran.

Aujourd'hui encore, je serais incapable de décrire avec précision ce que j'ai ressenti à ce moment-là. Voir ma solution prendre forme, *fonctionner* à l'écran. Comprendre qu'avec trois lignes de code j'avais le pouvoir de commander à une machine, de lui faire accomplir exactement ce que je voulais.

Les rouages de mon cerveau se sont mis en branle, d'abord en grinçant, puis impatients de continuer à tourner. Prêts à résoudre un autre problème. J'ai bouclé le deuxième ; expédié le troisième. J'allais de plus en plus vite. Pour finir, j'ai non seulement terminé mes devoirs mais résolu tous les problèmes du manuel. Le brouillard dans ma poitrine s'est dissipé, dévoilant un cœur tout chaud, avide de battre.

Si j'étais capable de résoudre ces problèmes, je pouvais contrôler quelque chose. Et si je pouvais contrôler quelque chose, je pouvais me pardonner pour le seul problème que je n'aurais jamais pu solutionner, la seule personne que je n'aurais pas pu sauver. On a tous une manière différente d'échapper aux idées noires. Je venais de trouver la mienne.

Ce soir-là, j'ai terminé mon assiette pour la première fois depuis des mois. Le lendemain, le surlendemain, et tous les jours qui ont suivi, j'ai consacré mon énergie à en apprendre le plus possible à propos du codage, de Warcross et du NeuroLink.

Quant à Hideo Tanaka… à compter de ce jour, j'ai été fascinée, comme le reste du monde. Je l'observais en craignant de cligner des yeux, incapable de détourner le regard, comme s'il risquait de déclencher une nouvelle révolution à tout moment.

4

Mes lunettes sont vieilles, usées, elles ont plusieurs
générations de retard, n'empêche qu'elles fonc-
tionnent encore très bien. Quand je les chausse,
les oreillettes se mettent en place pour occulter le bruit de
la circulation à l'extérieur et les bruits de pas à l'étage au-
dessus. Notre modeste appartement, et tous mes soucis avec
lui, est remplacé par le noir et le silence. Je soupire, sou-
lagée de pouvoir laisser la réalité derrière moi un moment.
Une lumière bleu électrique emplit mon champ de vision
et je me retrouve debout au sommet d'une colline, au-
dessus d'un Tokyo virtuel qui a toutes les apparences du
vrai. Le seul rappel que j'évolue dans une simulation est
un cadre clair qui flotte devant mes yeux.

Bienvenue, [néant]
Niveau 24 | 430 ₮

Puis ces deux lignes disparaissent. Mon vrai pseudo n'est
pas [néant], bien sûr. Avec mon compte pirate, je peux
jouer de manière anonyme : les autres joueurs me voient
sous un pseudo généré de manière aléatoire.

En regardant derrière moi, je vois ma chambre customisée frappée du logo Warcross. Normalement, elle comporte deux portes : l'une pour jouer une partie, l'autre pour regarder les autres jouer. Aujourd'hui pourtant, il y a une troisième porte, surmontée du texte suivant :

**Cérémonie d'ouverture
du championnat de Warcross
Direct**

Dans la vraie vie, je pianote sur le dessus de ma table. Les lunettes perçoivent le mouvement de mes doigts et font apparaître un clavier virtuel dessous. Je cherche Keira dans la liste des joueurs. Je la trouve tout de suite, la contacte, et quelques secondes plus tard elle accepte mon invitation et apparaît à côté de moi. Comme moi (ainsi que la plupart des autres joueurs), elle a choisi pour avatar une version idéalisée d'elle-même, additionnée de quelques objets cool – une cuirasse scintillante, une paire de cornes – qu'elle s'est achetés dans le jeu.

— Allons-y, dis-je.

Je m'avance, tends la main et pousse la troisième porte. Un flot de lumière m'éblouit. Je plisse les yeux et sens mon cœur s'emballer tandis que le rugissement des spectateurs invisibles submerge tout le reste. Une musique se déverse dans mes oreillettes. Je me retrouve debout sur une sorte d'île parmi un million d'autres, à contempler d'en haut la plus belle vallée que j'ai jamais vue.

Des plaines verdoyantes mènent à un lagon aux eaux cristallines, entouré de falaises et de rochers taillés à la serpe, au sommet recouvert de végétation. Des cascades grondent le long des parois. En y regardant de plus près, je remarque que les rochers sont en fait de gigantesques statues à l'image des vainqueurs des éditions précédentes. Des nuées d'oiseaux blancs criaillent en formation au-dessous de nous. Plus loin encore, le ciel est noir et des éclairs crépitent entre les nuages. Je frissonne, comme si je pouvais percevoir l'électricité dans l'air.

Même la bande-son choisie pour ce niveau atteint des sommets épiques, avec un orchestre à cordes au grand complet et des percussions dévastatrices qui font battre mon cœur encore plus fort.

Au-dessus du vacarme, une voix grave s'élève à travers le monde :

— Bienvenue à la cérémonie d'ouverture du championnat de Warcross.

Un « ting » discret se fait entendre, et une bulle transparente s'affiche devant mes yeux :

Accès à la cérémonie d'ouverture + 150 points. Score du jour : + 150 Niveau 24 | 580 Ŧ

Puis elle disparaît. Ma récompense pour suivre la cérémonie d'ouverture est de cent cinquante points, qui devraient s'ajouter à mon score pour me permettre d'augmenter de niveau… sauf que non, puisque j'utilise une version piratée de Warcross. Dommage. Si je jouais comme quelqu'un de normal, je serais probablement au niveau 90 ou pas loin à l'heure qu'il est. Au lieu d'être encore bloquée au niveau 24.

— Ils savent soigner la présentation, pas vrai ? s'extasie Keira.

Sa voix m'arrache à mes ruminations.

Je souris devant son air émerveillé, j'inspire un grand coup et j'écarte les bras. Je bondis de mon île. Et je vole.

Mon cœur remonte jusqu'à ma gorge tandis que mon cerveau se persuade que je flotte vraiment à des centaines de mètres de hauteur. Je pousse un cri de joie et m'élance au-dessus de la plaine, portée par la musique. Il existe des restrictions concernant les joueurs en compétition : certains univers leur permettent de voler ou de nager sous l'eau, tandis que dans d'autres ils sont soumis à la gravité virtuelle. Mais le public est toujours autorisé à se déplacer librement dans le paysage. En revanche, on ne peut pas le modifier de quelque manière que ce soit ni interférer avec les joueurs. Et ces derniers ne nous voient pas non plus. Ils peuvent seulement entendre nos acclamations ou nos huées, ainsi que les décisions de l'arbitre.

Je vole, comme un fantôme, remontant le plus haut possible. Puis je fais demi-tour et plonge comme un météore. Pour finir, je me pose sur l'une des îles au moment où les clameurs de la foule se mêlent aux voix des commentateurs dans mes oreillettes, comme si je les écoutais à la radio.

— C'est l'heure du match de la cérémonie d'ouverture ! s'exclame l'un d'eux. Nous sommes réunis ici ce soir pour assister à cette rencontre au sommet entre les plus grandes stars du jeu avant le début du championnat proprement dit. D'un côté, nous avons l'équipe Alpha, emmenée par Asher Wing ! Et de l'autre, l'équipe Bêta, sous la conduite de Penn Wachowski !

Les joueurs apparaissent enfin ! J'abandonne Keira et m'approche pour mieux les observer.

Concernant les avatars des joueurs professionnels de Warcross, le règlement stipule qu'ils doivent être le plus ressemblants possible, sans aucune des personnalisations délirantes si chères au cœur du joueur lambda, et que les membres d'une même équipe doivent tous porter la même couleur. L'équipe Alpha est en bleu. J'aperçois Jena, avec ses longs cheveux blonds et ses bras fins, dans son armure bleue en écailles de dragon. C'est une Irlandaise, l'une des joueuses les plus jeunes du circuit ; dix-huit ans tout juste, comme moi. Je la vois rejeter ses cheveux derrière son épaule et planter les deux poings sur les hanches. Ses manchons d'armure scintillent au soleil, à l'instar des deux dagues jumelles attachées à ses cuisses. Le public l'acclame bruyamment.

Sur l'île voisine, il y a Max. C'est un fils de millionnaire, diplômé de Harvard. Il joue le rôle d'un Guerrier, ce qui veut dire qu'il mise tout sur la force et la puissance et que sa mission consiste à s'attaquer aux autres plutôt qu'à courir après l'artefact. À vingt-huit ans, c'est l'un des plus âgés du championnat cette année. Ses plaques aux épaules sont particulièrement imposantes, si brillantes que le ciel se reflète dedans, formant un contraste frappant avec sa peau brune.

Et puis il y a Asher, le capitaine de l'équipe, sur l'île la plus éloignée de moi. D'abord connu comme le petit frère de Daniel Batu Wing, le célèbre acteur et cascadeur, Asher s'est fait un nom grâce à Warcross. Ses cheveux sont châtain très clair, presque blonds, et ses yeux, d'un bleu pétillant qui rappelle la couleur du lagon virtuel en contrebas. Son armure saphir comprend des épaulières en acier et des lanières de cuir le long des bras et autour de la taille.

Il sourit avec impudence, croise les bras sur son torse et adresse un défi à l'équipe adverse à l'autre bout du terrain de jeu. La foule explose. Quand je bascule sur la vision du Tokyo Dome, je vois les fans hurler son nom et agiter avec frénésie des bâtons lumineux. « ÉPOUSE-MOI,

ASHER !!! » supplient plusieurs pancartes. Asher dit quelque chose sur sa ligne sécurisée, que seuls ses partenaires peuvent entendre. Une gemme bleue scintillante flotte au-dessus de sa tête. C'est l'artefact de son équipe.

Le speaker entame le rituel officiel d'avant-match, appelant les participants à s'affronter loyalement et à se montrer fair-play. J'en profite pour m'intéresser à l'équipe Bêta. Ils sont tous en armures rouges, naturellement ; le match de la cérémonie d'ouverture oppose toujours une équipe rouge à une équipe bleue. Penn, le capitaine des Bêta, a une gemme rouge scintillante au-dessus de la tête. Asher et lui échangent des sourires arrogants, et les cris de la foule grimpent d'une octave.

Dans mes oreillettes, le speaker conclut son discours en rappelant le but du jeu pour les nouveaux spectateurs qui découvriraient le championnat.

— Surtout, ne perdez pas de vue votre objectif principal, qui est de s'emparer de l'artefact de l'adversaire avant qu'il ne puisse vous prendre le vôtre !

Les joueurs lèvent le poing droit. Ils s'en frappent le torse à deux reprises, pour marquer leur acceptation des règles. S'ensuit une brève pause, comme si le niveau entier s'était brusquement figé.

— Prêts ? hurle le speaker. (La foule scande la suite avec lui.) En position… Combattez !

Le monde tremble sous la clameur du public invisible, et les nuages commencent à se déplacer dans le ciel. La tempête qui noircit l'horizon se rapproche à une vitesse alarmante ; la foudre s'abat plus près à chaque instant. Comme dans toutes les parties de Warcross, le jeu devient de plus en plus difficile au fil du temps.

Simultanément, des boules de couleurs vives apparaissent au-dessus de nombreuses îles. Ce sont des bonus, qui vous confèrent une vitesse surhumaine pendant une courte période, vous procurent des ailes temporaires, ou encore vous fournissent un bouclier magique qui absorbe une certaine quantité de dégâts, et ainsi de suite. Il en existe des dizaines de sortes et le jeu ne cesse d'en introduire de nouveaux. Ces bonus majeurs sont très rares et difficiles à atteindre. Certains sont si précieux qu'une équipe détache parfois l'un de ses membres pour se consacrer à les récolter.

Les bonus peuvent valoir beaucoup d'argent au sein de la communauté Warcross. Dans une partie habituelle, ceux que vous n'avez pas utilisés restent stockés dans votre inventaire. Vous pouvez ensuite les revendre ou les échanger auprès d'autres joueurs. Les plus recherchés atteignent parfois plusieurs milliers de tickets.

La programmation de Warcross est si bonne que je n'ai encore jamais essayé de voler un bonus, mais récemment j'ai découvert une faille de sécurité qui me permettra peut-être d'en subtiliser un dans l'inventaire de son utilisateur au moment précis où il cherchera à s'en servir.

Je regarde autour de moi en me demandant si je ne pourrais pas rafler l'un de ces bonus pour le revendre. Aucun de ceux que j'aperçois n'est suffisamment intéressant. Cinquante tickets ici, une trentaine là… Pas assez pour courir le risque de pirater le plus grand match d'ouverture de tous les temps. Et encore moins pour risquer de rallonger mon casier judiciaire.

— Asher est le premier à se découvrir ! s'exclame un commentateur dans mes oreillettes. Il vient de donner ses instructions à Jena. Il lui montre un bonus !

Effectivement, Asher a dû repérer quelque chose avant tout le monde. Tourné vers Jena, il lui indique une boule qui flotte au-dessus d'un rocher, tout au fond du lagon. Elle n'hésite pas une seconde. Elle s'élance de son île et saute sur la voisine pour se diriger vers le rocher. Son île de départ se désagrège derrière elle.

— Ça doit être un bonus très important, intervient un autre commentateur. Pour qu'il choisisse de se séparer d'une coéquipière.

Au même moment, Asher et son Guerrier, Max, s'élancent tous les deux. L'autre équipe est déjà en train de se déployer à leur rencontre. Chaque fois qu'un joueur quitte une île, elle s'écroule derrière lui. Ça les oblige à choisir leur itinéraire avec soin. Asher et Max se déplacent comme un seul homme, leur attention focalisée sur Penn. Ils vont le prendre en tenailles.

Je dresse la tête vers la boule flottante au bout du terrain pour tâcher de voir quel bonus a retenu l'attention d'Asher. Je zoome dessus. C'est une sphère marbrée, si rouge qu'on la croirait trempée dans le sang.

— Une Mort Subite ! s'exclame l'un des commentateurs, alors que je lâche une exclamation de surprise.

La Mort Subite peut pétrifier un joueur jusqu'à la fin de la partie sans qu'il puisse intervenir en faveur de son équipe. Je n'en ai jamais vu dans une partie ordinaire, et seulement deux ou trois fois en championnat officiel.

Elle doit valoir au moins cinq mille, peut-être même quinze mille dollars.

En dépit de sa carrure imposante, Max est plus rapide qu'Asher. Il atteint Penn en premier, puis plonge sur l'artefact rouge au-dessus de sa tête. Penn se dérobe au dernier moment. L'île sur laquelle ils se tiennent tous les deux commence à se fissurer, incapable de supporter leur poids. Penn tente de bondir sur l'île la plus proche. Mais Max le retient par le bras et le projette en arrière avec un rugissement. Penn vole dans les airs. Il réussit à se cramponner de justesse à une autre île. Il y reste accroché du bout des doigts, momentanément désorienté, impuissant. Le public donne de la voix en voyant sa barre de vie dégringoler.

Penn Wachowski | Équipe Bêta
Vie : — 35 %

Asher passe à l'action à son tour. Il bondit de son île et se réceptionne en souplesse sur celle à laquelle s'accroche Penn. L'île frémit sous l'impact. Il se penche, soulève Penn qui n'a pas repris ses esprits par le cou et le plaque violemment dans la poussière. Le sol se fissure. Un cercle de lumière bleue s'élargit autour d'Asher pour symboliser son attaque.

Penn Wachowski | Équipe Bêta
Vie : — 92 % | ATTENTION

Le public invisible vocifère, tandis qu'un commentateur s'écrie :

— Penn est fichu ! S'il ne protège pas son artefact, Asher va faire gagner son équipe beaucoup plus vite que…

Penn libère une main et balance un bonus de Foudre à la figure de son adversaire avant que celui-ci ne puisse lui assener le coup de grâce. Un flash de lumière enveloppe Asher un bref instant. Le capitaine de l'équipe Alpha lève les mains pour se protéger, mais trop tard : le bonus l'a aveuglé pour cinq secondes. Sa propre barre de vie descend de vingt pour cent. Penn cherche à se saisir de son artefact. Au dernier moment, Max sauve son équipe en le raflant en premier. C'est lui désormais qui a l'artefact au-dessus de sa tête.

La foule pousse des acclamations et des huées. Je m'y mets moi aussi. Mais mon regard revient sans cesse au bonus de Mort Subite.

Ne fais pas ça.

Un vent violent se met à souffler et la pluie se met à tomber à grosses gouttes, rendant le sol glissant.

Je me tourne vers Jena et Kento, dont les silhouettes réduites par la distance arrivent tout près du bonus. Je quitte les îles et file dans leur direction. Je me retrouve bientôt juste à côté de la Mort Subite.

Je me concentre sur le bonus. En théorie, si Jena ou Kento met la main dessus, je devrais pouvoir pirater son compte de jeu. Récupérer la Mort Subite dans son inventaire. Et la revendre.

Quinze mille dollars.

L'excitation me donne le tournis. Est-ce que ça pourrait vraiment marcher ? Personne n'a jamais réussi à pirater une partie ordinaire de Warcross, alors un match officiel de championnat… Inimaginable. Je ne sais même pas si je pourrai accéder à leurs comptes comme dans une partie normale. Il se peut que mon piratage refuse de marcher.

En revanche, si je me fais pincer, je serai jugée en tant qu'adulte.

Enfreindre la loi n'a fait qu'accélérer la fin de mon père. Et ça ne m'a pas rendu la vie plus facile, loin de là.

Je reste où je suis, tiraillée, la gorge sèche.

Et si je réussissais à le voler ? C'est juste un bonus dans un jeu ; ce n'est pas comme si j'allais blesser quelqu'un. Je n'ai jamais tenté de piratage dans une arène de ce genre. Mais si ça fonctionnait ? Je pourrais revendre ce bonus pour des milliers de dollars ; je pourrais toucher l'argent immédiatement et rembourser M. Klouduke, payer mes dettes. Ça pourrait me sauver. Et je ne recommencerais plus jamais.

La tentation me met au supplice, et je me demande si c'était pareil pour mon père chaque fois qu'il se connectait pour placer *juste un dernier pari.*

Rien qu'un seul. Rien qu'une fois.

Jena est la première à atteindre le bonus. Elle a tout juste le temps de le rafler avant que Kento ne se jette sur elle.

Si je ne me décide pas tout de suite, il sera trop tard.

Je passe à l'action d'instinct. Mes doigts se mettent à pianoter follement. J'ouvre le listing des joueurs et recherche le profil de Jena. Pendant ce temps, Jena se débarrasse de Kento d'un coup de pied et plonge vers le lagon en décrivant une courbe parfaite. Le fracas du tonnerre résonne au-dessus de nous.

Le nom de Jena finit par apparaître. Je n'ai que quelques secondes pour agir. *Ne le fais pas.* Je suis déjà lancée. L'inventaire complet de ses possessions apparaît. Je le fais défiler jusqu'à ce que je tombe sur la Mort Subite, écarlate et rutilante.

La seule faille que j'ai trouvée dans la sécurité de War-cross est un tout petit bug chaque fois qu'un joueur est sur le point d'utiliser un objet. Au moment où il le transfère dans le jeu, son compte devient vulnérable pendant une fraction de seconde.

J'ai les doigts qui tremblent. Devant moi, Jena prend son nouveau bonus dans son inventaire. Je le vois émettre un flash doré. C'est ma chance ! J'inspire un grand coup, j'hésite (*Ne fais pas ça !*), et je tape un ordre à l'instant précis où l'objet quitte la main de Jena.

Un frisson me saisit tout entière. Je me fige. En fait, tout le monde se fige dans le jeu.

Puis je remarque qu'Asher regarde dans ma direction. Comme s'il pouvait me voir.

Je cligne des paupières. *Impossible. Je fais partie du public.* Mais Jena aussi me dévisage. Ils ouvrent des yeux ronds. C'est là que je m'aperçois que le bonus de Mort Subite m'appartient désormais. Je le vois dans mon inventaire, au bas de mon champ de vision.

J'ai réussi. Ça a marché.

Seulement, j'ignore comment, mais le vol du bonus m'a projetée à l'intérieur du match.

Un coup de sifflet de l'arbitre résonne autour de nous. Les clameurs de la foule se changent en murmures indignés. Je reste où je suis, ne sachant plus quoi faire. Frénétiquement, je tape un autre ordre pour essayer de réintégrer le public. En vain.

Tout le monde, les joueurs, les commentateurs, des millions de spectateurs, peut me voir.

— Mais d'où tu sors, toi ? me demande Asher.

Je le dévisage, bêtement.

L'éclairage de la scène vire au rouge tandis qu'une voix caverneuse déclare :

— Arrêt du temps. Erreur système.

Puis tout devient noir. Éjectée du jeu, je me retrouve dans la pièce de départ, à contempler le Tokyo virtuel. Les portes ont disparu. En revanche, la Mort Subite brille toujours dans mon inventaire.

Mais quand j'essaie de la prendre, elle disparaît. Ils l'ont effacée de mon compte.

J'arrache mes lunettes. Je m'adosse à ma chaise et jette des regards affolés sur notre appartement. Mes yeux se posent sur Keira assise en face de moi. Elle aussi a retiré ses lunettes et elle m'observe avec la même expression choquée qu'avait Jena.

— Em, murmure-t-elle. Qu'est-ce que tu as fabriqué ?

Je bredouille :

— J-je…

Puis je m'interromps. Le fait de craquer le compte de Jena a effacé mon anonymat. Je suis découverte. Je baisse les yeux sur la table. Mon cœur bat à cent à l'heure.

Keira se penche vers moi.

— Je t'ai vue dans le jeu. Em, Asher t'a parlé ! Il pouvait te voir. Ils pouvaient tous te voir. (Elle lève les mains en l'air avec stupéfaction.) Tu as fait bugger le jeu !

Elle n'a aucune idée de la masse d'ennuis qui s'apprête à me tomber dessus ; elle croit qu'il s'agit d'une erreur de bonne foi. Sous la panique, j'éprouve un océan de regrets. Je ne connais pas la procédure habituelle chez Henka Games concernant les hackeurs, mais ils vont sûrement me bannir du jeu. Me traîner devant les tribunaux.

— Désolée, dis-je, hébétée. Peut-être que… peut-être qu'ils n'en feront pas toute une histoire…

Je n'achève pas ma phrase. Keira pousse un soupir et s'affaisse sur sa chaise. Aucune de nous ne dit plus rien pendant un moment. Après notre immersion dans Warcross, le silence qui règne dans l'appartement a quelque chose d'assourdissant.

— Tu es une maligne, Em, finit par déclarer Keira en croisant mon regard. Mais j'ai comme l'impression que tu as commis une grosse boulette sur ce coup-là.

À ce moment précis, mon téléphone se met à sonner.

5

On sursaute toutes les deux. Quand je me penche sur mon téléphone, l'écran affiche : « Numéro inconnu ».

— Tu ne réponds pas ? me demande Keira avec des yeux aussi ronds que les miens.

Je secoue la tête avec insistance. Je ne quitte pas le téléphone des yeux jusqu'à ce qu'enfin, au bout d'une éternité, il s'arrête de sonner.

Puis ça recommence aussitôt. « Numéro inconnu ».

J'en ai les cheveux qui se dressent sur la nuque. Je coupe le son de mon téléphone et je le lance sur le canapé pour ne plus le voir. Dans le silence retrouvé, je reste rivée à ma chaise et j'évite le regard éberlué de Keira.

C'est forcément la police. Est-ce qu'ils vont venir m'arrêter maintenant, voyant que je ne décroche pas ? Est-ce qu'Henka Games va me faire un procès ? Je me rends compte que je viens d'interrompre une partie suivie par un demi-milliard de spectateurs, une partie qui a rapporté des millions en sponsoring. Les studios vont-ils mettre une prime sur ma tête, lancer des chasseurs sur ma piste ? En fait, l'alerte a peut-être déjà été envoyée. Peut-être que, partout dans la ville, des collègues enfourchent leur moto ou sautent dans un taxi pour venir chez moi. Je presse mes mains tremblantes sur mes genoux.

Je pourrais m'enfuir. Je devrais le faire. Attraper le premier train et quitter la ville le temps que les choses se calment. Je fais la grimace, réalisant aussitôt que c'est impossible. Où irais-je ? Je ne tiendrais pas longtemps avec treize dollars. Et si je me fais prendre, enfin, *quand* je me ferai prendre, ça ne fera qu'empirer la situation. Il vaut sans doute mieux ne pas bouger.

Keira se dirige vers le canapé.

— Il sonne toujours, Em.

— Alors arrête de le regarder ! dis-je, plus sèchement que je n'en avais l'intention.

Elle lève les mains en l'air.

— D'accord, relax. Fais comme tu veux.

Sans un mot de plus, elle me tourne le dos et va se réfugier sur son matelas. Je ferme les yeux, la tête dans les mains. Le silence qui règne dans l'appartement est suffocant et, même si je ne peux pas entendre mon téléphone, je le *sens* vibrer, je sens qu'on insiste. Des poings vont venir tambouriner à la porte d'un moment à l'autre.

Chaque serrure a sa clé. Sauf que, cette fois, on dirait bien que je suis dans un cul-de-sac.

J'ignore combien de temps je reste assise comme ça, à ruminer, et à quel moment je finis par m'assoupir. En tout cas, un bruit pressant m'oblige à émerger.

Ding.

Ding.

Ding.

J'ouvre un œil, à moitié groggy. C'est mon réveil que j'entends ? Le soleil entre à flots à travers les stores de notre appartement. L'espace d'un instant, j'admire la beauté de la lumière. Or, c'est le genre de lumière qui m'indique en général que je suis en retard pour quelque chose. Un sentiment de consternation me serre le ventre. Je me suis endormie sur notre table de pique-nique.

Je me redresse brusquement. J'ai mal partout, et mes bras sont tout engourdis d'avoir servi d'oreiller. Les événements d'hier soir me reviennent en mémoire. Alors que Keira allait se coucher, je suis restée assise ici, la tête entre les mains, à me demander comment j'avais pu être assez bête pour me dévoiler devant cinq cents millions de personnes. J'ai dû faire des cauchemars toute la nuit – même si je ne me souviens d'aucun, je me sens vannée, et mon cœur cogne furieusement dans ma poitrine.

Les coups de téléphone. Le numéro inconnu. Mon sang se glace. Je pose les yeux sur mon téléphone. Il est toujours sur le canapé, à l'endroit où je l'ai jeté. J'ai dormi plusieurs heures et personne n'est venu m'arrêter.

La panique que j'ai pu éprouver hier soir retombe un peu et le choc de m'être retrouvée en pleine partie s'atténue. Peut-être que ça n'aura pas de conséquences, finalement. J'ai presque l'impression d'avoir rêvé.

Ding.

Je me retourne vers le bruit. Il vient de mon téléphone. Je me rappelle tout à coup qu'on est mercredi. Je suis de service au restaurant. Ça doit être mon patron qui m'envoie des textos pour me demander ce que je fabrique ;

même en mode silencieux, mon téléphone me les signale par un indicateur sonore. En un clin d'œil, mes préoccupations passent du piratage au danger de perdre le seul boulot régulier que j'ai réussi à décrocher.

Je bondis de ma chaise. Keira remue dans son coin, partiellement dissimulée derrière l'écran en carton. Je me précipite dans la salle de bains, enfourne une brosse à dents dans ma bouche et me passe un rapide coup de peigne en même temps. Je porte mes habits de la veille, mais ça fera l'affaire. Je n'ai pas le temps de me changer. Je me maudis intérieurement tout en achevant de me brosser les dents. Je vais me faire virer pour mon retard. Je m'appuie contre le lavabo et baisse la tête, accablée par le poids du monde.

Ding.

Ding ! Ding !

— Oh ! pour l'amour de… dis-je en grommelant.

Après encore deux « ding » supplémentaires, je cesse de faire la sourde oreille et me dépêche de sortir de la salle de bains.

— J'arrive ! dis-je à voix basse, comme si mon patron pouvait m'entendre.

J'attrape mon téléphone et consulte la liste des messages reçus.

Quatre-vingt-quatre textos, en provenance d'un numéro masqué. Ils disent tous la même chose :

Mademoiselle Emika Chen, veuillez appeler immédiatement le 212-555-0156 s'il vous plaît.

J'ai un mauvais pressentiment.

— Em…

Je me tourne vers Keira, qui est sortie de son lit et regarde à travers les stores. C'est à ce moment-là seulement que je remarque les bruits de voix qui montent de la rue en contrebas.

— Emi, insiste Keira. Viens voir.

Je m'approche avec réticence. De minces rais de lumière passent entre les stores, zébrant mes bras de rayures jaunes. Keira affiche une moue perplexe. J'écarte deux lames du store et jette un coup d'œil au-dehors.

Une petite foule se presse devant le perron de notre immeuble. La plupart de ces gens sont équipés de télé-objectifs. J'aperçois des sigles sur leurs micros. C'est la presse locale.

Mon estomac se noue.

— Qu'est-ce que c'est que ce bazar ?

Keira se tourne vers moi, puis sort son téléphone de sa poche. Elle tape quelques mots. Je retiens mon souffle, écoutant le brouhaha qui monte d'en bas.

Keira consulte les résultats de sa recherche sur son télé-phone. Elle blêmit et ouvre de grands yeux.

— Emi, souffle-t-elle. On parle de toi partout.

Je me retrouve à parcourir une succession d'articles de presse, tous illustrés par la même photo : *moi,* avec mes che-veux arc-en-ciel, au beau milieu du match d'ouverture de Warcross, et Asher qui me regarde avec stupéfaction. Keira fait défiler la liste. Les gros titres s'enchaînent et finissent par se confondre :

Une spectatrice s'invite dans le match d'ouverture du championnat de Warcross

Piratage de Warcross !

Une intruse perturbe temporairement l'ouverture du championnat

Qui est Emika Chen ?

J'ai la bouche qui se dessèche quand je lis mon nom. Quelle idiote j'ai été, de croire que mon petit numéro d'hier soir serait vite oublié. Mon anonymat n'a pas duré. Pire, mon nom s'étale partout sur Internet en grosses lettres clignotantes. *Trop tard pour me tirer.* Je reste figée sur place tandis que Keira continue sa lecture, abasourdie.

Je bredouille :

— Ça ne peut pas être de moi qu'ils parlent. C'est un cauchemar. Je vais me réveiller.

— Tu ne rêves pas, répond Keira en me montrant son téléphone. Tu arrives en tête des sujets tendance dans le monde entier.

Sur la table, mon téléphone émet un nouveau « ding ». On le regarde toutes les deux.

— Keira, dis-je, sois gentille et vérifie un numéro pour moi, tu veux ? (Elle me suit jusqu'à la table, où je ramasse mon téléphone pour ouvrir le dernier message reçu.) Le 212-555-0156.

Keira entre le numéro dans un moteur de recherche. Une seconde plus tard, elle se tourne vers moi.

69

— C'est le numéro du siège d'Henka Games à Manhattan.

Un frisson de terreur me parcourt l'échine et descend le long de mes bras. Henka Games m'a envoyé plus de quatre-vingts messages. Keira et moi nous regardons sans parler, laissant le brouhaha de la foule combler le silence.

— Probablement leur service juridique, dis-je dans un murmure.

J'ai la tête qui tourne, les jambes en coton. Plusieurs images se télescopent dans ma tête : des gyrophares de police, des menottes, une salle d'interrogatoire, un tribunal. Autant d'expériences qui me sont familières.

— Keira, ils vont me faire un procès.

— Tu ferais mieux de les appeler, dit Keira. Ça ne risque pas de s'arranger sinon.

Elle a raison. J'hésite encore une seconde, puis je regarde mon téléphone. J'ai les mains qui tremblent si fort que j'ai du mal à composer le numéro. Bras croisés, Keira fait les cent pas devant moi.

— Mets le haut-parleur.

Je m'exécute et tiens le téléphone entre nous.

Je m'attends à tomber sur un message enregistré, du type « Bienvenue chez Henka Games, pour un interlocuteur anglophone merci de taper 1 », message d'accueil typique d'une multinationale. Au lieu de quoi, une femme décroche après la première sonnerie.

— Mademoiselle Emika Chen ? demande-t-elle.

Déstabilisée, je parviens tout juste à bafouiller :

— Heu… salut. Oui. Enfin, je veux dire… Oui, c'est moi.

Je fais la grimace. Pourquoi suis-je étonnée ? Bien sûr qu'ils connaissent mon numéro, avec l'avalanche de textos qu'ils m'ont envoyée. Ils ont dû me basculer automatiquement vers une opératrice à l'instant où mon numéro a fini de s'afficher. *Ils attendaient mon appel.*

— Excellent, se réjouit la femme. J'ai M. Hideo Tanaka au bout du fil. Restez en ligne.

Keira étouffe une exclamation et s'arrête de marcher. Elle me dévisage avec des yeux ronds. Je lui retourne un regard incrédule tandis qu'une petite musique d'attente s'échappe de mon téléphone. Je ne sais plus quoi penser.

— Elle a bien dit… ?

Nous sursautons toutes les deux quand la musique s'interrompt. Une voix masculine la remplace. Une voix que je reconnaîtrais entre toutes, que j'ai écoutée dans je ne sais combien de documentaires et d'interviews, la voix de la dernière personne avec laquelle j'aurais cru pouvoir discuter un jour.

— Mademoiselle Chen ? dit Hideo Tanaka.

Il a un accent britannique. *Il a fait toute sa scolarité dans une école internationale britannique. Et suivi des études à Oxford.* Sa voix claire et raffinée dégage l'autorité qu'on est en droit d'attendre de la part d'un dirigeant de multinationale. Je reste plantée là, le téléphone à la main, à fixer Keira comme si elle était transparente.

Keira me fait de grands signes pour me rappeler que je suis censée répondre quelque chose.

— Heu, dis-je. Salut.

— C'est un plaisir, déclare Hideo.

Mon téléphone tremble dans ma main. Keira prend pitié de moi et le tient à ma place. Je m'attends à ce qu'Hideo enchaîne en me parlant de mon piratage, alors je prends les devants et je bafouille quelques excuses pathétiques, comme si ça pouvait alléger mon cas.

— Monsieur Tanaka, à propos d'hier… écoutez, je suis sincèrement désolée pour ce qui s'est passé, c'était un accident, je vous le jure, je veux dire, mes lunettes sont un vieux modèle, elles se dérèglent souvent… Enfin, je ne veux pas dire que votre matériel est mal fichu ou rien de ce genre, parce que ce n'est pas le cas ! heu, mais disons que…

— Je vois. Êtes-vous occupée en ce moment ?

Si je suis occupée en ce moment ? J'ai Hideo Tanaka au bout du fil, qui me demande *si je suis occupée en ce moment ?* Keira a les yeux qui menacent de sortir de leurs orbites. *Ne fais pas l'idiote, Emika. Sois cool.*

— Eh bien, dis-je, en fait je suis déjà en retard pour mon travail…

Keira se frappe le front du plat de la main. Prise de panique, j'ouvre les bras vers elle.

— Je suis navré de bouleverser votre emploi du temps, s'excuse Hideo comme si ma réponse était la plus naturelle du monde, mais pourriez-vous envisager de prendre un congé pour la journée et de venir à Tokyo ?

Mes oreilles se mettent à bourdonner.

— Que… à Tokyo ? Au Japon ?

— Oui.

Je tressaille, bien contente qu'il ne puisse pas me voir rougir. À quoi m'attendais-je ? à ce qu'il me réponde : « Non, Tokyo dans le New Jersey » ?

— Quoi… tout de suite ?

Une note d'amusement perce dans sa voix.

— Mais oui, tout de suite.

— Je, heu… (Je me sens prise de vertige.) J'adorerais, mais ma colocataire et moi allons nous faire expulser de notre appartement demain, et…

— Nous avons pris la liberté de nous occuper de vos dettes.

Keira et moi échangeons un regard hébété.

— Désolée. Pardon ? dis-je dans un murmure. Vous vous en êtes… occupés ?

— C'est cela.

Les calculs qui me trottent constamment dans la tête – loyer, factures, encours de carte. Mille cent cinquante dollars. Trois mille quatre cent cinquante dollars. Six mille dollars. Ils s'évaporent comme ça, d'un claquement de doigts. « *Nous avons pris la liberté de nous occuper de vos dettes.* » Comment est-ce possible ? Si je descendais chez M. Klouduke, là, maintenant, est-ce qu'il nous dirait qu'on peut y aller, que tout est réglé ? Pourquoi Hideo Tanaka ferait-il une chose pareille ? Je me sens soudain la tête légère, comme si j'étais sur le point de m'élever au-dessus de mon corps. *Ce n'est pas le moment de s'évanouir.*

— Comment avez-vous fait ? dis-je d'une petite voix. Ça représente beaucoup d'argent.

— Je vous assure que ç'a été très simple. Mademoiselle Chen ?

— Oui. Pardon. Oui, je suis toujours là.

— Parfait. Il y a une voiture qui vous attend au bas de votre immeuble, prête à vous emmener à l'aéroport international John F. Kennedy. Prenez le temps de faire votre sac. Le chauffeur patientera.

— Une voiture ? Mais… attendez, à quelle heure est le vol ? Sur quelle compagnie aérienne ? Combien de temps est-ce que je…

— Vous prendrez mon jet privé, répond-il tranquillement. Il décollera dès que vous serez à bord.

Son jet privé.

— Attendez, mais… toutes mes affaires. Je serai partie combien de temps ?

Je me retourne vers Keira. Livide, elle semble avoir encore du mal à croire que nos dettes ont été effacées en un clin d'œil.

— Si vous avez besoin qu'on passe prendre vos affaires et qu'on vous les fasse parvenir à Tokyo, répond-il, vous n'avez qu'un mot à dire et ce sera fait dans la journée. En attendant, vous trouverez tout ce dont vous aurez besoin ici.

— Une minute. (Je commence à secouer la tête. Faire transporter mes affaires à Tokyo ? Combien de temps a-t-il l'intention de me garder là-bas ? Je fronce les sourcils.) Ce dont j'ai besoin, c'est un moment pour réfléchir. Je ne comprends pas.

Mes émotions finissent par déborder, libérant un torrent d'interrogations.

— Qu'est-ce que ça veut dire ? La voiture, mes dettes, l'avion… Tokyo ? Hier, j'ai interrompu le plus gros match de l'année. Quelqu'un devrait m'en vouloir. Vous devriez m'en vouloir. Pourquoi tenez-vous tant à me faire venir à Tokyo ? (Je prends une grande inspiration.) Qu'attendez-vous de moi ?

Il y a une pause à l'autre bout du fil. Soudain, je me rends compte que je suis en train de me faire prier par l'une des personnes les plus puissantes du monde ; par mon idole, que je regarde, que je lis et qui m'obsède depuis des années ; quelqu'un qui a changé ma vie. Face à moi, Keira fixe le téléphone comme si elle pouvait y voir l'expression d'Hideo. J'avale ma salive en silence, momentanément effrayée.

— J'ai un travail à vous offrir, répond Hideo. Aimeriez-vous en savoir plus ?

6

Aveu : j'ai pris l'avion une seule et unique fois dans
ma vie. C'était après le départ de maman, quand
papa a décidé qu'on allait quitter San Francisco
pour venir s'installer à New York. Voilà ce que je me rappelle du voyage : un minuscule écran télé sur lequel j'avais
regardé des dessins animés ; un petit hublot à travers lequel
je pouvais observer les nuages ; un plateau façon Tetris
dans lequel on nous avait servi du supposé poulet ; et une
version pour téléphone du Sonic 2 original, mon jeu préféré chaque fois que je me sentais stressée.

J'ai comme l'impression que mon deuxième vol sera très
différent du premier.

Après avoir raccroché avec Hideo, ma première réaction
consiste à me précipiter dans le couloir pour aller frapper
chez M. Klouduke. Un seul coup d'œil à son expression
ébahie me suffit pour comprendre que je ne suis pas en
train d'halluciner.

Notre loyer est réglé jusqu'à la fin de l'année prochaine.

Je fais mes bagages comme une automate. Faute d'avoir
une valise, je fourre autant de vêtements de rechange que
je peux dans mon sac à dos. Mes pensées se bousculent,

centrées sur Hideo. Que me veut-il ? Ça doit être important pour qu'il me fasse venir à Tokyo. Je sais qu'il lui est déjà arrivé d'embaucher quelques hackeurs, mais tous avec beaucoup plus d'expérience que moi, et probablement sans casier judiciaire. Et s'il était vraiment fâché, et qu'il attendait que je débarque au Japon pour me le faire savoir ? C'est absurde, bien sûr... mais pas plus que d'être invitée à faire mon sac et partir pour Tokyo du jour au lendemain. *Invitée par Hideo Tanaka.* Cette idée me donne chaud partout. Je frémis d'excitation à l'idée de son offre d'emploi.

Keira me suit du regard pendant que je m'active à travers l'appartement.

— Tu reviens quand ? me demande-t-elle, comme si elle n'avait pas assisté à la conversation.

Je bourre un autre T-shirt dans mon sac.

— Aucune idée, dis-je. Bientôt, j'imagine.

Au fond de moi, j'espère me tromper.

— Comment sais-tu qu'il ne s'agit pas d'une blague ? dit-elle avec une pointe de confusion dans la voix. Je veux dire... il y avait quand même ton nom partout sur Internet.

Je m'arrête pour la dévisager.

— Comment ça ?

— Eh bien, quelqu'un a très bien pu composer ton numéro des milliers de fois pour monter le plus gros canular de tous les temps, non ?

Ça doit être ça. C'est forcément ça. Un hackeur qui se croit malin. Quelqu'un a dû pirater mon vieux téléphone et imiter la voix d'Hideo pour se payer ma poire. Il doit bien rigoler en ce moment.

Sauf qu'on a quand même payé notre loyer. Qui gaspillerait autant d'argent pour une simple blague ?

Je hausse les épaules.

— Je suppose qu'on va bien voir jusqu'où il est prêt à aller. Je n'ai pas grand-chose à perdre.

Une fois mon sac presque bouclé, je me tourne vers les souvenirs que je garde près de mon lit. Ma décoration de Noël. Le tableau de papa. J'emporte les deux, en faisant particulièrement attention au tableau. C'est une explosion de bleu, de vert et d'or dans laquelle on peut voir, à condition de prendre assez de recul, papa qui me tient par la main dans une allée ensoleillée de Central Park. Je le contemple un moment avant de le glisser soigneusement dans mon sac. Mieux vaut avoir tous mes porte-bonheur avec moi.

Au bout d'une heure, je suis fin prête. J'enfile mon sac à dos, je jette mon skateboard par-dessus mon épaule et je sors de l'appartement, avant de me retourner vers Keira. J'ai la drôle de sensation que je ne reviendrai jamais ici ; que c'est la dernière fois qu'on se voit. Et j'éprouve subitement une bouffée de tendresse pour elle. J'espère que tout ira bien de son côté. Elle a un appartement payé jusqu'à la fin de l'année prochaine, ça l'aidera peut-être à rebondir.

— Bon, dis-je, ne sachant pas comment lui dire au revoir. Le resto du coin va avoir besoin de quelqu'un pour me remplacer. Si ça t'intéresse.

— Oui. (Elle sourit.) Merci.

— Bonne chance.

Elle m'adresse un hochement de tête un peu solennel. Comme si elle savait, elle aussi, que ces adieux risquaient d'être définitifs.

— Toi aussi, me répond Keira.

Je ferme la porte derrière moi et m'en vais sans un regard en arrière.

Lorsque j'arrive sur le perron de mon immeuble, je suis éblouie par une explosion de flashs. Je plisse les paupières et me couvre le visage d'une main. Tout le monde se met à crier en même temps :

— Mademoiselle Chen ! Mademoiselle Chen ! Emika !

Je me demande en passant comment tous ces gens peuvent me reconnaître, avant de me rappeler qu'avec mes cheveux multicolores à la une de tous les sites d'info je ne peux plus passer inaperçue.

Une silhouette gigantesque bondit jusqu'à moi en écartant sans ménagement les journalistes.

— Permettez-moi, mademoiselle, dit-il sur un ton amical avant de me débarrasser de mon sac et de ma planche.

Il tend un bras et commence à me frayer un passage au bas des marches. Quand un journaliste se montre un peu trop insistant, il le repousse en montrant les dents. Je suis sagement mon garde du corps, ignorant les questions dont on me bombarde de tous les côtés.

On parvient enfin à la voiture : la plus somptueuse limousine que j'aie jamais vue. Je parie que c'est la première fois qu'on en croise une comme ça dans cette rue. Le garde du corps range mes affaires dans le coffre. L'une des portières s'ouvre automatiquement, attend que je m'engouffre à l'intérieur, puis se referme. Le silence soudain, la coupure avec le vacarme extérieur, est un vrai soulagement. L'intérieur est si luxueux que j'ai l'impression de le gâcher par ma seule présence. Il y flotte une odeur de voiture neuve. Une bouteille de champagne trempe dans un seau de glace. Sur les vitres, des incrustations virtuelles s'affichent au-dessus des rues et des immeubles. Je lis « Randall Avenue » en caractères blancs sur la rue dans laquelle nous sommes.

Des petites bulles de texte aux couleurs vives s'ouvrent au-dessus de chaque immeuble. « Complexe d'appartements de Green Hills ». « Lav-o-Matic ». « Traiteur chinois ». Cette voiture a des vitres à NeuroLink intégré.

L'éclairage intérieur s'allume. Une voix douce se fait entendre :

— Bonjour, mademoiselle Chen, dit-elle.

Je sursaute.

— Salut, dis-je dans le vide, ne sachant pas où regarder.

— Une préférence pour l'ambiance de la voiture ? continue la voix. Quelque chose de serein, peut-être ?

Je jette un coup d'œil vers la meute de journalistes qui continue à vociférer derrière les vitres teintées.

— La sérénité, oui, ce serait bien, monsieur… Voiture.

— Fred, corrige la voiture.

— D'accord, Fred, dis-je en m'efforçant de ne pas me sentir trop ridicule à parler à une bouteille de champagne dans un seau de glace. Salut.

Les vitres s'opacifient d'un coup, et les journalistes sont remplacés par un paysage à couper le souffle : de hautes herbes balayées par le vent, des falaises blanches à l'horizon, un océan limpide semé d'écume et un coucher de soleil qui teinte les nuages en orange et en rose. Même les bruits extérieurs sont atténués, noyés dans le cri des mouettes et le fracas des rouleaux virtuels.

— Je m'appelle George, m'apprend le garde du corps alors que la voiture démarre et nous emporte. Vous avez dû passer une sacrée matinée.

— Oui, dis-je. Alors… est-ce que vous savez pourquoi on va à l'aéroport ?

— Les instructions de M. Tanaka sont simplement de vous escorter jusqu'à son jet.

Je regarde le paysage virtuel défiler derrière les vitres. *Les instructions d'Hideo.* Il ne s'agit peut-être pas d'une blague, en fin de compte.

Une demi-heure plus tard, le paysage serein derrière les vitres s'estompe et le monde réel réapparaît. Nous sommes arrivés à l'aéroport. Au lieu de s'engager, comme la plupart des autres véhicules, sur la rampe qui mène à l'entrée principale, la limousine emprunte une voie secondaire en direction du tarmac. Elle s'immobilise derrière l'aéroport sur un parking privé à côté d'une rangée de jets.

Je sors de la voiture en plissant les yeux sous la lumière. L'un des jets est frappé du logo d'Henka Games. Il est énorme, presque aussi imposant qu'un avion de ligne, en plus fin, plus racé, avec un nez aux lignes élégantes qui le distingue des autres. La carlingue présente un aspect étrange, presque translucide. La porte est ouverte et une volée de marches en descend jusqu'à un tapis rouge. C'est l'avion qu'Hideo utilise pour ses déplacements personnels.

— Par ici, mademoiselle Chen, m'indique George d'un petit signe de tête. (Je veux passer derrière la voiture pour récupérer mon sac, mais il m'arrête.) Vous n'aurez rien à porter pendant toute la durée du voyage, ajoute-t-il avec un sourire.

Je reste plantée là, gênée, les bras ballants, pendant qu'il sort mes affaires du coffre. Puis il m'entraîne vers le jet.

Je monte l'escalier. En haut des marches, deux stewards en uniforme m'accueillent avec des sourires éblouissants et des courbettes.

— M. Tanaka vous souhaite la bienvenue à bord, me dit l'un d'eux.

J'acquiesce en silence, ne sachant pas quoi répondre. Hideo est-il tenu informé de mes déplacements en temps réel ? Sait-il que je suis en train d'embarquer dans son jet en ce moment même ? Je tourne et retourne dans ma tête les mots du steward jusqu'à ce que je remarque la décoration intérieure de l'avion.

Je comprends maintenant pourquoi la carlingue avait l'air translucide. On dirait que l'intérieur est tapissé de panneaux de verre à travers lesquels je vois l'aéroport, la piste, et le ciel. À y regarder de plus près, ces panneaux affichent le logo d'Henka Games en incrustations discrètes. Ils sont délimités par de fines bandes lumineuses. Jusqu'à aujourd'hui, je n'avais vu que des avions bourrés de sièges, mais celui-ci comporte un grand canapé en cuir tout au fond, deux lits sur les côtés, une salle de douche entièrement équipée et plusieurs fauteuils club à l'avant. Une flûte de champagne et un plateau de fruits frais sont posés sur la table basse entre les fauteuils. Je reste pétrifiée devant tout ce luxe.

George range mon sac à dos dans un placard au fond de l'avion. Puis il incline sa casquette dans ma direction et me sourit.

— Bon voyage, dit-il. Profitez du vol.

Avant que je puisse lui demander ce qu'il veut dire par là, il se détourne et descend l'escalier pour retourner à sa voiture.

Pendant qu'un des stewards verrouille la porte, l'autre m'invite à faire comme chez moi. Je marche jusqu'à l'un des fauteuils, m'assieds avec précaution sur le coussin moelleux puis examine les accoudoirs. Ces panneaux de verre peuvent-ils changer d'aspect, comme les vitres de la limousine pendant le trajet ? Je suis sur le point de poser la question quand un steward s'approche pour me remettre une paire de lunettes. Je les reconnais aussitôt : la dernière génération de lunettes de Warcross, celle qu'on trouve actuellement sur le marché, beaucoup plus puissantes que le vieux modèle de location dont je me sers d'habitude.

— Pour votre divertissement, me dit le steward avec un sourire. Et pour mieux savourer l'expérience du vol.

— Merci.

Je retourne les lunettes entre mes mains, admirant la monture en or massif. Mon doigt s'arrête sur un logo discret qui dit : « Alexander McQueen, pour Henka Games ». Il s'agit du modèle de luxe en série limitée. Papa en serait resté bouche bée.

Je suis sur le point de les chausser quand l'avion se met à rouler. Mes yeux se tournent malgré moi vers les flancs et le plafond de l'avion. Je vois le tarmac à travers les panneaux de verre, je peux même distinguer le train avant. Si je plisse les paupières, on dirait presque que les fauteuils flottent dans le vide. Le sol défile de plus en plus vite. Au-dessus de moi, il n'y a que le ciel bleu. J'ai la sensation d'être catapultée vers une mort certaine.

Puis l'avion s'arrache de la piste et mon corps s'enfonce dans le fauteuil. Le monde s'éloigne derrière les panneaux de verre. Nous voilà partis.

L'un des stewards me tapote gentiment l'épaule.

— Il n'y a aucune raison de vous inquiéter, mademoiselle, m'assure-t-il par-dessus le grondement du moteur. Cet avion est l'un des plus perfectionnés au monde. Il est supersonique. Nous arriverons à Tokyo dans moins de dix heures.

Il indique l'accoudoir d'un coup de menton. En suivant son regard, je vois mes doigts enfoncés dans le cuir. J'expire et m'efforce de me détendre.

— D'accord.

Alors que l'avion atteint son altitude de croisière, le monde extérieur disparaît dans une épaisse couche de nuages. La carlingue s'opacifie, ne laissant que deux bandes horizontales transparentes sur toute la longueur de l'avion.

Le steward me recommande de mettre mes lunettes. Je suis son conseil. Aussitôt, je remarque plusieurs différences avec mes anciennes lunettes. Celles-ci sont plus légères, plus agréables à porter. Leurs verres teintés assombrissent un peu le monde qui m'entoure, et quand je mets les oreillettes, une voix féminine en sort pour me lancer :

— Bonjour. (Les verres virent au noir et je ne vois plus rien.) Regardez sur votre gauche, s'il vous plaît.

Alors que je m'exécute, une sphère rouge se matérialise du côté gauche de mon champ de vision, flottant dans le noir. Un « ding » joyeux se fait entendre.

— Confirmé. Sur votre droite, à présent.

La sphère rouge disparaît. J'obéis et vois une sphère bleue flotter à ma droite. Ding.

— Confirmé. Vers le haut, s'il vous plaît.

La sphère bleue disparaît à son tour. Je lève les yeux vers une sphère jaune. Ding.

— Confirmé. Regardez droit devant vous.

Une sphère grise se détache sur le fond noir, suivie d'un cube, d'une pyramide et d'un cylindre. Une fois de plus, j'entends un « ding », suivi d'une brève sensation de picotement au niveau des tempes.

— Veuillez presser le pouce contre l'index de chaque main, s'il vous plaît.

J'obéis. Le système procède à une rapide série de tests de mouvements.

— Merci, déclare la voix. Calibrage terminé.

Ce nouveau modèle est tellement plus perfectionné que l'ancien ! Grâce à ce calibrage, mes lunettes devraient être en mesure de synchroniser tous mes réglages dans Warcross avec mes préférences et modifications habituelles. Je me demande vaguement si mes programmes pirates continueront de fonctionner.

Les verres s'éclaircissent et me laissent à nouveau voir l'intérieur de l'avion. Cette fois, un filtre de réalité virtuelle se superpose à ma vision, de sorte que le nom des stewards flotte au-dessus de leur tête. Un texte blanc transparent vient s'inscrire au centre de mon champ de vision.

**Bienvenue à bord du jet privé
d'Henka Games
+ 1 000 points. Score du jour : + 1 000
Niveau 24 | 1 580 Ŧ**

Puis le texte s'estompe et une fenêtre vidéo s'ouvre à la place, affichant un jeune homme assis à une longue table.

Il se tourne vers moi et me sourit. Je l'ai vu dans suffisamment d'interviews pour le reconnaître sans hésitation : Kenn Edon, le directeur artistique de Warcross, le plus proche confident d'Hideo. Il siège au comité officiel de Warcross, celui qui décide des équipes et des mondes qui apparaîtront chaque année dans le championnat. Il se renverse en arrière dans son fauteuil, passe la main dans ses cheveux blonds et s'exclame :

— Mademoiselle Chen !

Je réponds par un petit salut de la main.

Il jette un coup d'œil discret derrière lui.

— Elle est en ligne. Tu veux lui dire un mot ?

C'est à Hideo qu'il demande ça. Mon cœur s'emballe, pris de panique à l'idée qu'il me voit peut-être en ce moment même.

La voix reconnaissable entre mille d'Hideo répond à Kenn hors du champ de la caméra :

— Pas maintenant. Salue-la de ma part.

La panique cède la place à une pointe de déception. Je ne devrais pas être surprise, il est sûrement très occupé. Kenn se retourne vers moi avec une expression contrite.

— Excusez-le, dit-il. Vous allez peut-être penser qu'il manque un peu d'enthousiasme, mais je vous assure que ça n'a rien à voir avec vous. Il est en plein travail et, dans ces moments-là rien ne peut le distraire. Il tient à vous remercier d'avoir accepté de venir dans un délai aussi court.

On dirait que Kenn a l'habitude de s'excuser au nom de son patron. *Sur quoi Hideo est-il en train de travailler ?* Déjà, j'essaie d'imaginer le genre de réalité virtuelle qu'ils doivent avoir au siège de la compagnie. Kenn ne porte pas de lunettes, par exemple. Le fait que je puisse entendre la réponse d'Hideo sans qu'il ait besoin de se connecter ou de porter des lunettes lui aussi, ou que je puisse voir Kenn me parler en direct comme ça, laisse supposer un niveau de perfectionnement inédit.

— Croyez-moi, dis-je en parcourant du regard l'intérieur de l'avion, ça ne m'ennuie pas du tout.

Le sourire de Kenn s'agrandit.

— Je ne peux pas m'étendre sur les raisons de votre venue. Je laisse ce soin à Hideo. Il est impatient de vous rencontrer.

Une nouvelle sensation de chaleur s'empare de moi.

— Il m'a quand même chargé de vous expliquer deux ou trois choses, afin de vous préparer.

Je me penche en avant.

— Oui ?

— Nous avons une équipe prête à vous conduire à votre hôtel dès votre arrivée. Un certain nombre de vos fans risquent de vous attendre à l'aéroport. Mais ne vous inquiétez pas, votre sécurité est notre priorité.

Je cligne des paupières. J'ai vu la liste des articles parus ce matin et la foule de journalistes réunis au bas de notre immeuble. Mais à Tokyo ?

— Merci, dis-je enfin.

Kenn tambourine sur la table avec les doigts. Je l'entends.

— Une fois installée, vous aurez la nuit pour vous reposer. On vous conduira au siège d'Henka Games demain matin pour y rencontrer Hideo. Il vous dira tout ce que vous aurez besoin de savoir au sujet de la *draft*, la sélection des nouveaux joueurs.

Ce dernier mot de Kenn me fige sur place. L'idée paraît tellement dingue que je ne sais pas comment réagir.

— Attendez, dis-je. Une minute. Vous parlez de… la draft ?

— La sélection des joueurs pour le championnat officiel de Warcross, oui. (Il m'adresse un clin d'œil complice.) C'est bien de ça que je parle. Félicitations.

7

Chaque année, un mois avant le début officiel des jeux, se déroule la Wardraft, un événement suivi par presque tous ceux qui s'intéressent de près ou de loin à Warcross. C'est à cette occasion que les équipes officielles sélectionnent leurs joueurs pour la durée du championnat. Tout le monde s'attend naturellement à ce que les meilleurs joueurs soient reconduits chaque année. Asher ou Jena, par exemple. Mais il y a toujours quelques wild cards qui viennent se mêler à la draft, des amateurs repêchés par le comité pour le talent qu'ils ont démontré dans le jeu. Certaines parviennent à se hisser dans le cercle des incontournables.

Cette année, je ferai partie du lot.

C'est ridicule. Je suis une bonne joueuse, mais je n'ai jamais eu le temps, l'expérience ou le niveau nécessaire pour intégrer le haut du classement mondial. En fait, je serai la seule wild card cette année à ne pas être classée. Et la seule à me traîner un casier judiciaire.

J'essaie de dormir pendant le trajet. Mais même si les lits de l'avion sont plus douillets que tous ceux sur lesquels j'ai eu l'occasion de m'allonger, je n'arrête pas de me tourner et de me retourner sous les draps. Je finis par renoncer. Je sors mon téléphone, ouvre Sonic 2 et commence une nouvelle partie. La petite musique familière d'Emerald Hill Zone se fait entendre. À mesure que je progresse sur un chemin que je connais par cœur, je sens mes nerfs s'apaiser, les battements de mon cœur ralentir, et j'oublie la folle journée que je viens de passer pour m'inquiéter plutôt de l'instant précis où je devrai sauter pour attaquer un robot en 16 bits.

« *J'ai un travail à vous offrir.* » Voilà tout ce qu'Hideo m'a dit. Avant d'ajouter qu'il m'en dirait plus de vive voix. Je doute qu'il fasse ça pour tous les joueurs qui bénéficient d'une wild card.

Je repense à toutes les histoires qui circulent à son sujet. Très peu de gens l'ont vu autrement qu'en chemise impeccable et pantalon à pinces, ou en smoking. Ses sourires sont discrets et peu fréquents. L'un de ses employés a raconté dans une interview que, pour travailler chez Henka Games, il fallait être capable de lui présenter un dossier sans se décomposer sous ses yeux. J'ai vu des journalistes se mettre à bredouiller devant lui, à s'égarer dans leurs questions, pendant qu'il patientait poliment.

J'imagine à quoi notre entretien risque de ressembler. Il y a de bonnes chances qu'il m'accorde un bref regard et me renvoie illico à New York.

L'horloge lumineuse au-dessus de mon lit m'indique qu'il est quatre heures du matin au milieu du Pacifique. Je n'arriverai peut-être plus jamais à trouver le sommeil. Mes pensées se télescopent. Nous atterrirons à Tokyo d'ici quelques heures, après quoi on me conduira jusqu'à Hideo. *Je vais participer au championnat officiel de Warcross.* Cette idée tourne en boucle dans ma tête. Comment est-ce possible ? Hier soir, j'ai perturbé la cérémonie d'ouverture de Warcross dans une tentative désespérée de me faire de l'argent facile. Aujourd'hui, je vole vers Tokyo à bord d'un jet privé, en route pour un entretien qui pourrait bien changer ma vie à tout jamais. Je me demande bien ce qu'en penserait papa.

Papa.

J'accède à mon compte et j'ouvre un menu déroulant. Les titres de rubriques s'affichent dans mon champ de vision en caractères d'un blanc laiteux. Je lève la main pour en toucher un.

Souvenirs divers

Quand je le sélectionne, ce titre ouvre un deuxième menu déroulant pour me proposer de nombreuses options. Il me suffit d'en fixer une pendant plus d'une seconde et j'obtiens les premières images d'un souvenir sauvegardé. Il y a par exemple le souvenir de Keira et moi en train de pendre la crémaillère dans notre nouveau studio ; ou de moi en train d'agiter mon chèque après ma première chasse à l'homme. Viennent ensuite mes Favoris partagés, des souvenirs créés par d'autres pour être mis à la disposition de tous : comme se retrouver dans la peau de Frankie Dena lors de son tour de chant au Super Bowl, par exemple, ou dans celle d'un petit garçon noyé sous les léchouilles d'une meute de chiots – un souvenir partagé plus d'un milliard de fois.

Enfin, j'en arrive à mes souvenirs les plus anciens et les plus précieux, archivés dans une catégorie distincte de Favoris. Ce sont de vieilles vidéos tournées au moyen d'un téléphone avant la sortie du NeuroLink, et que j'ai téléchargées par la suite. Des vidéos de mon père. Je les fais défiler jusqu'à tomber sur celle que je cherche. C'est mon dixième anniversaire, et mon père me cache les yeux avec ses mains. Même si ce n'est qu'une vieille vidéo à la définition médiocre, mes lunettes l'amplifient comme sur un écran géant. J'éprouve la même excitation que ce jour-là, le même bonheur que quand mon père a ôté ses mains pour me dévoiler le tableau qu'il avait fait de nous deux en train de marcher dans un monde de coups de pinceau colorés qui ressemblait beaucoup à Central Park au crépuscule. Je saute de joie, attrape le tableau et monte sur une chaise pour le hisser très haut. Mon père sourit puis m'aide à descendre. Arrivé au bout de la vidéo, le programme enchaîne avec le souvenir suivant. Papa en manteau noir et écharpe rouge, qui me guide à travers les salles du musée d'Art moderne. Papa qui m'apprend à peindre. Papa et moi en train d'acheter des pivoines au marché aux fleurs sous une pluie battante. Papa et moi qui crions « Bonne année ! » du haut d'un toit au-dessus de Times Square.

Les souvenirs se succèdent, en boucle, jusqu'à ce que je sois incapable de dire s'ils ont recommencé depuis le début, et peu à peu je me sens glisser dans le sommeil, entourée de fantômes.

● ● ● ● ●

Dans mes rêves, je suis de retour au lycée et je revis les événements qui m'ont valu un casier judiciaire.

Annie Partridge était une fille de mon lycée, timide et empruntée ; quelqu'un de gentil, au regard doux, qui restait toujours à l'écart et prenait ses repas dans un coin de notre petite bibliothèque. C'est là que je la croisais parfois. Je ne dirais pas qu'on était amies, mais on avait des rapports amicaux ; on avait discuté à plusieurs reprises de notre passion commune pour Harry Potter, Warcross, League of Legends et les ordinateurs. D'autres fois, je la voyais ramasser ses livres sur le sol après que quelqu'un l'avait bousculée ; ou se faire coincer contre les casiers par une bande de garçons qui lui collaient du chewing-gum dans les cheveux ; ou encore sortir des toilettes des filles en pleurant, ses lunettes fendues.

Or, un jour, un garçon qui travaillait avec Annie sur un projet de groupe avait réussi à la photographier en train de prendre sa douche chez elle. Le lendemain matin, la photo d'Annie complètement nue était envoyée à tous les élèves du lycée, partagée sur les forums de devoirs et postée sur les réseaux sociaux. Ensuite étaient venues les moqueries. Les impressions de la photo, retouchées au marqueur noir. Les menaces de mort.

Une semaine plus tard, Annie changeait de lycée.

Le lendemain de son départ, j'avais réuni toutes les données que j'avais pu trouver sur tous les élèves (et les quelques professeurs) qui avaient partagé la photo. Le système informatique du lycée ? Aussi facile à craquer qu'un ordinateur dont le mot de passe serait « motdepasse ». De là, je n'avais eu aucun mal à pirater leurs téléphones. J'avais téléchargé l'intégralité de leurs infos personnelles : numéros de cartes de crédit de leurs parents, numéros de Sécurité sociale, numéros de téléphone, les e-mails et textos haineux qu'ils avaient envoyés à Annie et, bien sûr, le plus gênant, leurs photos privées. En soignant particulièrement l'élève qui avait pris la photo d'origine. Et j'avais mis tout ça en ligne, sous le titre *Les sales petits trolls sortent au grand jour*.

Imaginez le scandale le jour suivant. Élèves en larmes, parents furieux, assemblée générale du lycée, articles dans la presse locale… Et puis, la police. Mon renvoi. Ma convocation au tribunal.

Accès illégal à des systèmes informatiques ; publication intentionnelle de données privées ; mise en danger d'autrui. Quatre mois en maison de correction ; interdiction de toucher à un ordinateur pendant deux ans. Une tache indélébile sur mon casier judiciaire, malgré mon jeune âge, en raison de la nature de mon crime.

Peut-être que j'avais eu tort, et peut-être qu'un jour je repenserais à cette histoire en regrettant ma réaction. Aujourd'hui encore je ne saurais pas expliquer pourquoi j'étais montée au feu comme ça. Parfois, certains vous jettent par terre à la récré parce qu'ils trouvent que vous avez des yeux bizarres. Ils s'en prennent à vous parce qu'ils vous sentent vulnérable ; parce qu'ils n'aiment pas la couleur de votre peau ; ou qu'ils trouvent que vous portez un nom ridicule. Ils s'imaginent que vous ne ferez rien, que vous vous contenterez de baisser la tête et de vous cacher. Et parfois, pour vous protéger, pour échapper au problème, c'est ce que vous faites.

D'autres fois, vous vous retrouvez dans la position idéale, avec entre les mains l'arme parfaite pour rendre les coups. C'est ce que j'avais fait. J'avais cogné vite, fort et sans retenue. En m'appuyant sur le langage qui se murmure entre les circuits et les puces électroniques, un langage capable de mettre les gens à genoux.

Et je crois qu'en dépit des conséquences je le referais sans hésiter.

●●●●●

Quand on finit par atterrir, je suis complètement vannée. J'enfile mon T-shirt froissé, j'attrape le sac à dos qui contient mes maigres possessions et je suis l'un des stewards hors de l'avion. Mon regard se pose sur les inscriptions en japonais au-dessus de l'entrée du terminal. Je ne comprends pas un mot, évidemment, mais ce n'est pas un problème, car grâce à mes lunettes, ma vision virtuelle y superpose une traduction en anglais. « Bienvenue à l'aéroport Haneda ! » disent les panneaux. « Réception des bagages ». « Correspondances internationales ».

Un homme en costume noir m'attend au pied de l'escalier. Son nom flotte au-dessus de sa tête : Jiro Yamada. Il me sourit derrière ses verres fumés, s'incline devant moi, puis regarde par-dessus mon épaule comme s'il s'attendait à voir d'autres bagages. Quand il comprend que je n'ai que ça, il me débarrasse de mon sac et de mon skateboard puis me souhaite la bienvenue.

Il me faut une seconde pour m'apercevoir que Jiro s'adresse à moi en japonais ; et que je le comprends parfaitement, grâce aux sous-titres en anglais qui défilent sous son visage.

— Soyez la bienvenue, mademoiselle Chen, dit le texte. Nous avons réglé pour vous les formalités de douane. Venez.

Tout en le suivant jusqu'à une limousine, j'inspecte le tarmac. Aucun journaliste en vue. Je me détends un peu. Je monte dans la voiture – identique à celle qui m'a conduite à l'aéroport de New York – et nous roulons vers la sortie. Comme à New York, les vitres affichent un paysage paisible (une forêt fraîche et silencieuse, cette fois).

Voilà où m'attendait la foule. Aux abords du portail de sortie, une meute de journalistes se précipitent entre les bornes de paiement et braquent leurs appareils photo sur nous. Je les aperçois uniquement par le pare-brise avant. C'est suffisant pour que je me recroqueville sur la banquette.

Jiro baisse un peu sa vitre pour crier aux journalistes de dégager le passage. Quand ils finissent par l'écouter, la voiture bondit en avant et s'engage en faisant crisser ses pneus sur la bretelle d'accès à l'autoroute.

Je demande à Jiro :

— On pourrait voir le vrai paysage ? C'est la première fois que je viens à Tokyo.

Au lieu de Jiro, c'est la voiture qui répond :

— Bien sûr, mademoiselle Chen.

Bien sûr, mademoiselle Chen. Je ne sais pas si je m'y habituerai un jour. La forêt s'estompe et les vitres redeviennent transparentes. J'ôte mes lunettes et découvre la ville avec émerveillement.

J'ai vu Tokyo à la télé, en ligne et dans plusieurs niveaux de Warcross. J'ai tellement souhaité visiter cette ville un jour que je l'ai vue en rêve.

À présent, j'y suis en chair et en os. Et c'est encore mieux que tout ce que j'avais imaginé.

Des gratte-ciel qui disparaissent dans les nuages. Des voies rapides qui se chevauchent, noyées dans les feux rouges et or des véhicules. Des trains à grande vitesse qui filent sur des voies suspendues avant de disparaître sous terre. Des publicités sur des écrans hauts de quatre-vingts étages. Où que je me tourne, c'est un kaléidoscope de couleurs et de sons. Je ne sais plus où donner de la tête. À mesure qu'on s'enfonce dans le cœur de Tokyo, les rues deviennent de plus en plus peuplées, jusqu'à ce que la marée humaine qui recouvre les trottoirs fasse passer Times Square pour une place déserte. Je ne m'étais pas rendu compte que j'avais la bouche ouverte jusqu'à ce que je voie Jiro se tourner vers moi et rire doucement.

— Je beaucoup voir cette expression, me confie-t-il dans un anglais approximatif.

Je referme la bouche, embarrassée par mon comportement de provinciale.

— C'est le centre-ville ?

— Tokyo trop grand pour avoir un seul centre-ville, m'explique-t-il. Il y a plus que vingtaine d'arrondissements, tous différents. Ici, nous entrons dans Shibuya. (Il marque une pause et sourit.) Vous feriez bien remettre vos lunettes.

Je suis son conseil et lâche une exclamation de surprise.

Contrairement à New York, sans parler du reste de l'Amérique, Tokyo semble intégralement repensé pour la réalité virtuelle. Des enseignes lumineuses de couleurs vives flottent au-dessus de chaque gratte-ciel pour indiquer leurs noms. Des publicités animées couvrent des pans entiers de bâtiments. Des mannequins virtuels se tiennent devant les vitrines des boutiques de vêtements, pivotant sur eux-mêmes pour faire admirer leurs tenues. Je reconnais l'un d'eux : une fille aux cheveux bleus tout droit sortie du dernier *Final Fantasy*, qui m'accueille par mon prénom et me montre son sac à main Louis Vuitton. Un bouton « Acheter maintenant » flotte au-dessus du sac ; il n'y a plus qu'à cliquer dessus.

Le ciel est encombré d'engins virtuels et d'orbes colorés, certains affichant des informations, d'autres des publicités, d'autres encore qui semblent là uniquement pour faire joli. Un texte translucide s'affiche au centre de mon champ de vision pour nous indiquer le nombre de kilomètres qui nous séparent encore du centre de Shibuya, la température extérieure et la météo locale.

On voit dans les rues une foule de jeunes dans des costumes délirants : jupes géantes en dentelle, ombrelles fantaisie, bottines à talons de vingt-cinq centimètres, faux cils longs comme le bras, masques qui brillent dans le noir... Certains affichent même au-dessus de leur tête leur niveau dans Warcross, avec le détail des cœurs, étoiles et trophées remportés dans le jeu. D'autres sont accompagnés d'animaux virtuels qui trottinent à leur côté – caniches violets ou tigres argentés à la fourrure scintillante. Beaucoup portent des accessoires propres à leur avatar, oreilles de chat ou bois de cerf, ailes d'ange dans le dos, cheveux ou yeux de toutes les couleurs.

— Maintenant que la saison du championnat est officiellement lancée, m'explique Jiro en japonais sous-titré, il faut vous attendre à en croiser partout.

Il m'indique d'un coup de menton une jeune femme qui marche sur le trottoir, surmontée des mentions `Niveau 80` et ♥ `3 410 383`. Les gens lui sourient au passage, lui tapent dans la main et la félicitent. Un faucon apprivoisé virtuel décrit des cercles au-dessus de sa tête, une traîne de feu dans son sillage.

— Ici, ajoute Jiro, presque tout ce que vous faites peut vous rapporter des points dans le NeuroLink : aller à l'école ; travailler ; préparer le dîner ; et ainsi de suite. Votre niveau peut vous procurer toutes sortes d'avantages dans le monde réel. Ça va de la popularité au lycée à un meilleur service au restaurant, en passant par un traitement préférentiel lors des entretiens d'embauche.

Je hoche la tête avec stupéfaction. J'ai lu que plusieurs pays fonctionnaient de cette manière. Au même instant, une bulle transparente se matérialise devant mes yeux avec un « ding » joyeux :

Première visite à Tokyo !
+ 350 points. Score du jour : + 350
Vous passez au niveau supérieur !

Mon niveau grimpe de 24 à 25. Une bouffée d'excitation s'empare de moi.

Une demi-heure plus tard, la voiture s'engage dans une rue tranquille à flanc de colline et s'arrête devant un hôtel près du sommet. Le nom de l'établissement – Crystal Tower Hotel – et son adresse flottent au-dessus du toit. Je n'étais peut-être jamais venue à Tokyo, mais je n'ai pas besoin d'un guide touristique pour savoir que nous sommes dans un quartier chic, avec ses trottoirs immaculés bordés de cerisiers. L'hôtel lui-même compte au moins une vingtaine d'étages ; c'est un immeuble aux lignes élégantes, orné d'une immense carpe koï virtuelle.

Jiro tient mon sac tandis que je descends de voiture. Les portes en verre coulissantes s'ouvrent devant nous et deux portiers s'inclinent de part et d'autre de l'entrée. Je leur rends la politesse avec gaucherie.

— Bienvenue à Tokyo, mademoiselle Chen, déclare la réceptionniste en nous voyant nous approcher de son bureau.

Son nom s'affiche au-dessus d'elle : Sakura Morimoto, suivi de Réception et de Niveau 39. Elle s'incline devant moi.

— Bonjour, dis-je. Merci.

— M. Tanaka nous a demandé de vous réserver notre meilleure suite. Par ici, je vous prie, dit-elle avec un geste du bras en direction des ascenseurs.

Nous la suivons dans la cabine, où elle presse le bouton du dernier étage. Mon pouls recommence à s'emballer. Hideo s'est occupé personnellement de ma chambre. Je ne me souviens même plus à quand remonte ma dernière nuit dans un hôtel. Ça devait être la fois où papa avait réussi à décrocher une invitation pour la Fashion Week de New York, et où l'on nous avait payé une chambre dans un boui-boui parce que j'avais tapé dans l'œil d'une dénicheuse de mannequins. Rien, comparé à cet endroit.

Une fois au dernier étage, la réceptionniste nous conduit jusqu'à la seule porte du couloir. Elle me remet une clé magnétique.

— Je vous en prie, me dit-elle avec un sourire.

Puis elle déverrouille la porte et s'efface pour me laisser entrer.

Un penthouse. L'espace dans lequel on débouche est trois ou quatre fois plus grand que tous les appartements dans lesquels j'ai vécu. Une corbeille de fruits et des boulettes au thé vert m'attendent sur la table basse. La suite se compose d'une chambre et d'un grand salon avec une baie vitrée arrondie d'où l'on domine Tokyo. Grâce à mes nouvelles lunettes, je peux voir clignoter les noms virtuels des rues et des immeubles en contrebas. Des icônes diverses – cœurs, étoiles, pouces levés – s'agglutinent au-dessus de certains quartiers, marquant les boutiques, restaurants et autres établissements les mieux notés par le grand public. Je m'avance vers la baie vitrée jusqu'à cogner le verre avec la pointe de mes chaussures et je contemple la ville avec fascination. Le Tokyo virtuel de Warcross est une merveille, mais là, c'est bien réel, et ce sentiment de réalité me donne le vertige.

Une autre bulle transparente s'ouvre devant moi :

```
Enregistrée dans le penthouse
    du Crystal Tower Hotel
+ 150 points. Score du jour : + 500
      Niveau 25 | 2 080 Ŧ
```

— Ça dépasse tout ce que j'avais imaginé, dis-je dans un souffle.

La réceptionniste sourit, même si ma remarque doit lui paraître bien puérile.

— Merci, mademoiselle Chen, dit-elle avec une courbette. Si vous avez besoin de quoi que ce soit durant votre séjour, n'hésitez pas à nous le faire savoir, et nous veillerons à vous satisfaire.

Alors qu'elle sort en refermant la porte derrière elle, je jette un regard circulaire sur ma suite. Mon estomac en profite pour gargouiller et me rappeler que j'ai faim.

Je m'approche de la table basse, au-dessus de laquelle flotte une option appelée « service en chambre ». Je tape les mots virtuels et me voilà entourée de plats suspendus dans les airs. Il y en a des centaines : hamburgers dégoulinants de fromage fondu, spaghettis noyés dans la sauce et les boulettes, assortiments de sushis, bols de nouilles japonaises dans un bouillon fumant, poulet rôti accompagné de riz, beignets de porc cuits à la vapeur ou boulettes chinoises frites, ragoûts à la viande et aux légumes, mochis – gâteaux de riz gluant – fourrés à la pâte de haricots rouges... les plats se succèdent, les uns après les autres.

Prise de tournis, je finis par me décider pour du poulet rôti et des boulettes chinoises. En attendant ma commande, je passe dix minutes à tenter de comprendre le fonctionnement des toilettes et dix autres à éteindre et rallumer les lumières en agitant les mains devant moi. Puis mon dîner arrive enfin, meilleur qu'il n'en avait l'air. Je n'avais encore jamais rien dégusté d'aussi savoureux ; je ne me souviens même plus de la dernière fois où j'ai mangé autre chose que de la nourriture en boîte.

Quand je ne peux plus rien avaler, je me traîne jusqu'au lit et m'écroule dessus avec un soupir de contentement. Le matelas est tellement confortable que c'en est presque ridicule : j'ai l'impression de flotter sur un nuage ! Alors que celui sur lequel je dormais dans notre petit studio était un vieux machin défoncé aux ressorts grinçants récupéré sur le trottoir. Et me voilà, installée comme un pacha dans cet immense penthouse qu'Hideo en personne a réservé à mon intention.

Ma bonne humeur retombe un peu. Tout à coup j'ai la sensation de ne pas être à ma place. Une fille comme moi ne devrait pas froisser des draps aussi luxueux, savourer une nourriture aussi chère, dormir dans un appartement aussi vaste. Mon regard s'égare vers le coin de la pièce, cherchant deux matelas à même le sol et la silhouette de Keira pelotonnée sous sa couverture. Elle me regarderait avec des étoiles plein les yeux. « Non mais, tu arrives à croire un truc pareil ? » dirait-elle.

J'aimerais bien pouvoir lui répondre, à elle ou à n'importe qui d'autre. Mais elle n'est pas là. Il n'y a rien ni personne de familier ici, à part moi.

Demain matin, dix heures. Je m'aperçois subitement que je n'ai rien à me mettre, rien qui convienne pour un entretien d'embauche, en tout cas. Je vais pousser la porte des locaux d'Henka Games avec l'air de sortir du ruisseau. Voilà comment je me présenterai devant le jeune homme le plus célèbre au monde.

Et si Hideo se rendait compte qu'il a commis une grosse erreur ?

8

Un jean déchiré aux genoux. Mon vieux T-shirt fétiche avec le logo original de SEGA imprimé dessus. Les bottines fendillées que je porte tous les jours. Une grosse chemise rouge à carreaux, délavée à force de lessives.

Papa serait mort de honte.

Le lit avait beau être confortable, j'ai passé la nuit à me retourner dans mon sommeil. Je me suis réveillée à l'aube, les yeux dans le vague et l'esprit embrumé, ne sachant plus où j'étais. À présent, j'ai des cernes énormes et ma peau a connu des jours meilleurs.

J'ai repassé ma chemise comme j'ai pu, deux fois, mais le col continue à retomber comme une vieille chose flasque. Je roule les manches au-dessus des coudes, je lisse les pans de mon mieux et me tiens devant le miroir en faisant comme s'il s'agissait d'une veste. La seule chose dont je ne suis pas trop mécontente, ce sont mes cheveux, qui semblent disposés à coopérer. Ils sont épais, bien lisses, et leurs mèches arc-en-ciel brillent dans le soleil du matin. En revanche, je n'ai pas de maquillage pour estomper mes cernes, et ce n'est pas avec les treize dollars qui me restent que je vais descendre m'acheter une crème de jour et du fond de teint. Mon T-shirt et ma chemise en coton font désespérément vieux, usés, formant un contraste saisissant avec l'intérieur de ce penthouse ultramoderne. La semelle de ma bottine gauche se décolle. Je ne me souvenais pas que mon jean était déchiré à ce point.

Les studios de jeux ne sont pas réputés pour la sévérité de leur code vestimentaire, mais je suppose qu'ils attachent quand même un minimum d'importance à la manière dont on s'habille pour rencontrer le patron.

Surtout si c'est le grand patron de toute l'industrie.

Une petite sonnerie agréable résonne à travers la suite et un voyant s'allume à la tête de mon lit pour me signaler un appel entrant. J'appuie sur un bouton pour l'accepter. Un instant plus tard la voix de la réceptionniste me parvient par des haut-parleurs dissimulés dans la chambre.

— Bonjour, mademoiselle Chen. (Elle s'adresse à moi directement en anglais, sans traduction virtuelle.) Votre voiture vous attend en bas, quand vous serez prête.

— Je suis prête, dis-je automatiquement, même si je n'en crois pas un mot.

— Alors à tout de suite.

Jiro est dehors devant la même limousine qu'hier soir. Je m'attends qu'il fasse une remarque au sujet de ma tenue, ou au moins qu'il lève un sourcil circonspect. Au lieu de quoi, il m'accueille chaleureusement en me voyant arriver et m'aide à monter dans la voiture. On se met en route, avec sur les vitres un paysage factice de tournesols baignés de soleil. Le costume de Jiro est impeccable, d'un noir parfait, sur une chemise immaculée. Si c'est comme ça que s'habille le garde du corps d'Hideo, que devrais-je porter, moi ? Je n'arrête pas de tirer sur mes manches, comme si j'allais réussir à transformer mes frusques par magie à force de les lisser.

J'imagine la tête de papa s'il me voyait en ce moment. Il prendrait une inspiration entre ses dents et ferait la grimace. « Ça ne va pas être possible », dirait-il. Il me prendrait par la main pour me traîner immédiatement dans la boutique la plus proche, et au diable mon découvert.

Cette idée me fait tirer plus fort sur mes manches. Je la refoule.

La voiture finit par s'immobiliser devant un portail blanc. J'écoute avec curiosité le garde du corps s'adresser à ce qui ressemble à une borne automatisée. Du coin de l'œil, je remarque un petit logo sur le côté du portail. « Henka Games ». Puis la voiture s'avance, passe le portail et vient se ranger le long du trottoir devant la façade. Jiro fait le tour pour m'ouvrir la portière.

— Nous sommes arrivés, m'annonce-t-il avec un sourire et une courbette.

Il me fait franchir une grande porte coulissante en verre. Nous débouchons dans le hall d'accueil le plus imposant que j'aie jamais vu.

La lumière du jour descend à travers un plafond de verre et parvient jusqu'à nous dans un espace ouvert orné de plantes grimpantes. Plusieurs fontaines murmurent le long des murs. Des balcons arrondis s'ouvrent sur le pourtour du hall. Le logo d'Henka Games apparaît en incrustation discrète sur l'un des murs blancs. Les bannières colorées des équipes de Warcross engagées dans la compétition sont suspendues au plafond ; chacune affiche le symbole de la saison en cours. Je m'arrête un instant pour admirer le spectacle. Si je portais des lunettes NeuroLink, je parie que les bannières seraient animées.

— Par ici, me dit mon garde du corps en m'entraînant dans le hall.

On s'avance jusqu'à une série de cylindres en verre derrière lesquels attend une hôtésse souriante. Vêtue d'un tailleur élégant, elle porte une broche en or à l'image du symbole de la saison en cours ainsi que, sous le bras, une tablette à pince. Son sourire s'agrandit quand elle m'aperçoit, et son regard s'arrête brièvement sur mes habits. Elle ne fait pas de commentaires, mais je rougis.

— Bienvenue, mademoiselle Chen, dit-elle en inclinant la tête. (Jiro me confie à ses bons soins et me fait ses adieux.) M. Tanaka est impatient de vous rencontrer.

Je lui retourne sa courbette. *Il ne le sera plus quand il m'aura vue de près.* Je bredouille :

— Moi aussi.

— Je dois vous demander de vous plier à certaines règles, continue-t-elle. Tout d'abord, pas de photo pendant l'entretien. Ensuite, vous devrez vous engager par écrit à ne rien dévoiler publiquement de tout ce qu'on vous dira ici.

Elle me tend le formulaire sur sa tablette à pince.

Pas de photos ; pas de confession dans la presse. Rien d'étonnant.

— D'accord, dis-je, avant de lire le document jusqu'au bout et de le parapher tout en bas.

— Enfin, je dois insister pour que vous ne posiez à M. Tanaka aucune question sur sa famille ou ses affaires privées. C'est une règle qui s'applique à tout le monde au sein de la compagnie, et à laquelle M. Tanaka tient tout particulièrement.

Je l'observe avec curiosité. Cette troisième règle est moins banale que les deux premières, mais j'acquiesce, bien sûr.

— Pas de questions sur sa famille. C'est compris.

Les portes de l'ascenseur s'ouvrent devant nous. L'hôtesse me fait passer à l'intérieur, puis croise les bras devant elle pendant que la cabine transparente s'élève. Je découvre l'immensité des studios qui nous entourent, en m'attardant sur les bannières géantes au moment où nous passons devant. Ce bâtiment est une merveille d'architecture. Papa aurait été impressionné.

L'ascenseur s'arrête au dernier étage. Nous croisons quelques employés en jean et T-shirt Warcross, ce qui me rassure un peu. L'un d'entre eux me jette un coup d'œil au passage et semble me reconnaître ; il hésite à m'adresser la parole, puis rougit et s'abstient. Je comprends que tout le monde ici doit avoir suivi la cérémonie d'ouverture et m'avoir vue débarquer en pleine partie. Alors même que je me fais cette réflexion, je remarque plusieurs autres employés qui lèvent le nez de leur bureau pour nous regarder avec curiosité.

Au bout du couloir, nous parvenons dans un vestibule qui donne sur une grande porte coulissante en verre. À travers les battants transparents je distingue la pièce qui s'ouvre au-delà, ornée de tableaux de Warcross et meublée d'une grande table de réunion. Mes jambes commencent à se dérober sous moi ; un frisson de peur me remonte dans le dos. Maintenant que je suis sur le point de rencontrer mon hôte, je suis prise d'une envie soudaine de me trouver très loin d'ici.

— Attendez-moi une minute, s'il vous plaît, me demande l'hôtesse devant la porte.

Elle touche délicatement un interrupteur mural. Les deux battants s'écartent pour la laisser passer. D'où je suis, je la vois s'incliner bien bas et dire quelques phrases en japonais. Tout ce que je comprends, c'est « Tanaka-sama » et « Chen-san ».

Une voix discrète lui répond depuis l'autre bout de la pièce.

L'hôtesse revient et me fait signe d'entrer.

— Venez, dit-elle. (Elle s'incline devant moi.) Bonne entrevue.

Puis elle m'abandonne et s'en va par où nous sommes venues.

Je débouche dans une grande pièce offrant un point de vue imprenable sur Tokyo. Au fond, plusieurs personnes se prélassent dans des fauteuils autour de la table de réunion : deux femmes, l'une en tailleur et l'autre en jean, blazer et T-shirt Warcross ; et un jeune homme blond installé entre les deux, qui fait de grands gestes avec les mains. Je reconnais Kenn, avec lequel j'ai discuté à bord du jet. Les deux femmes se disputent avec lui à propos de l'un des mondes retenus pour le championnat.

Mon regard se porte sur la dernière personne présente dans la pièce.

Il est assis sur un canapé gris à côté de la table, les coudes en appui sur les genoux. Les trois autres se tournent vers lui, attendant manifestement qu'il arbitre le débat. Il porte une chemise blanche sur mesure aux manches remontées, négligemment ouverte de deux boutons, un pantalon noir à coupe étroite et des chaussures bordeaux. Les seuls accessoires qui rappellent le jeu dans sa tenue sont deux gourmettes en argent qui scintillent au soleil, reproductions de logo Warcross. Ses yeux très sombres sont soulignés par de longs cils. Ses cheveux épais sont d'un noir de jais, à l'exception notable d'une unique mèche blanche sur le côté.

Hideo Tanaka, en chair et en os.

Après des années à l'admirer de loin, je ne sais pas trop à quoi je m'attendais. Ça me fait drôle de le découvrir en vrai, et pas sur un écran ou dans les pages d'un magazine ; comme si je le voyais pour la première fois.

Il lève les yeux vers moi.

— Mademoiselle Chen, dit-il en se levant d'un mouvement souple.

Il s'approche, s'incline brièvement et me tend la main. Il est grand, sérieux, se déplace avec grâce. Le seul détail qui cloche chez lui, ce sont ses phalanges : meurtries, écorchées, comme après une bagarre. Je reste un moment à les fixer, puis me reprends et lui tends la main à mon tour. Je me sens comme un éléphant dans un magasin de porcelaine. Même si mes habits ne détonnent pas autant que je l'avais craint, je me sens pouilleuse, mal fagotée comparée à lui.

— Bonjour, monsieur Tanaka, dis-je faute de mieux.

— Hideo, je vous en prie. (Encore cette pointe d'accent britannique. Il me serre la main, puis se tourne vers les autres.) La productrice de nos championnats, Mlle Leanna Samuels.

Il me lâche la main pour indiquer la jeune femme en tailleur. Celle-ci me sourit et remonte ses lunettes.

— Ravie de vous rencontrer, mademoiselle Chen.

Hideo indique d'un coup de menton la femme en T-shirt et blazer.

— Mon bras droit, Mlle Mari Nakamura, directrice de l'exploitation.

Je la reconnais à présent : je l'ai souvent vue annoncer des événements relatifs à Warcross. Elle incline la tête.

— Enchantée, mademoiselle Chen, dit-elle avec un sourire.

Je lui retourne sa courbette du mieux que je peux.

— Et vous avez déjà fait la connaissance de notre directeur artistique, achève Hideo avec un nouveau coup de menton en direction de Kenn. Nous étions à Oxford ensemble.

— Pas en personne, s'exclame Kenn. (Il se lève d'un bond, s'approche en deux foulées et me serre la main avec énergie. Contrairement à celle d'Hideo, son expression est assez chaleureuse pour chauffer toute la pièce en hiver.) Bienvenue à Tokyo. On peut dire que vous avez fait forte impression chez nous.

Il jette un coup d'œil à Hideo, et son sourire s'agrandit.

— Ce n'est pas tous les jours qu'il envoie chercher quelqu'un à l'autre bout du monde pour un entretien d'embauche.

Hideo hausse les sourcils à l'intention de son ami.

— C'est pourtant bien ce que j'ai fait pour toi.

Kenn s'esclaffe.

— Ça remonte à des années ! Comme je le disais : ce n'est pas tous les jours.

Il me sourit encore.

— Merci, finis-je par dire.

J'ai la tête qui tourne. Je viens de saluer quatre créateurs légendaires en l'espace de dix secondes.

La directrice de l'exploitation, Mari, se tourne vers Hideo et lui demande quelque chose en japonais.

— Continuez sans moi, répond-il en anglais. (Son regard revient se poser sur moi. Je me rends compte qu'il n'a pas souri une seule fois depuis mon entrée. Peut-être me juge-t-il vraiment trop mal habillée pour lui.) Mlle Chen et moi allons avoir une petite discussion.

Une petite discussion. Rien que lui et moi. Je sens la chaleur me monter aux joues. Hideo ne semble pas s'en apercevoir, par chance, et me fait signe de le suivre hors de la pièce. Derrière nous, les autres reprennent leur discussion. Kenn est le seul à lever la tête vers moi quand je leur adresse un dernier regard.

— Il est intimidant, mais il ne le fait pas exprès ! me lance-t-il d'un ton joyeux tandis que la porte se referme.

— Alors, commence Hideo en reprenant avec moi le couloir qui mène à l'atrium. C'est votre premier séjour au Japon, n'est-ce pas ?

Je hoche la tête.

— J'aime beaucoup.

Pourquoi tout ce que je dis paraît-il aussi stupide, tout à coup ?

De plus en plus d'employés ralentissent pour nous regarder passer.

— Merci d'avoir fait tout ce chemin pour venir, dit-il.

— Merci à vous, dis-je. J'ai suivi votre carrière depuis le début, depuis votre tout premier succès. C'est un grand honneur.

Hideo acquiesce sans grand intérêt. Je suppose qu'il doit en avoir par-dessus la tête qu'on lui répète ça sans arrêt.

— Pardon d'avoir bouleversé votre emploi du temps. J'espère au moins que le voyage s'est bien passé.

Est-il sérieux ?

— C'est le moins qu'on puisse dire, dis-je. Merci, monsieur Tanaka – enfin, Hideo. Pour avoir remboursé mes dettes. Vous n'étiez pas obligé de faire ça.

Hideo agite la main avec nonchalance.

— Ne me remerciez pas. Considérez ça comme une avance. Franchement, je suis étonné que vous ayez eu des dettes. Vos talents ont sûrement déjà dû attirer l'attention de plusieurs grandes compagnies.

Une pointe d'agacement me chatouille devant la désinvolture avec laquelle Hideo parle de mes dettes. J'imagine que six mille dollars – une montagne inaccessible, pour moi – ne représentent rien du tout quand on est milliardaire.

— J'ai deux ou trois petites choses sur mon casier, dis-je en m'efforçant de masquer mon irritation. Mon casier judiciaire, vous voyez ? Rien de sérieux, mais on m'a quand même interdit d'approcher un ordinateur pendant deux ans.

Je décide de passer sous silence la mort de mon père et mon séjour en foyer.

À ma grande surprise, Hideo ne cherche pas à en savoir plus.

— J'ai embauché suffisamment de hackeurs pour en reconnaître un bon quand j'en vois un. Quelqu'un aurait bien fini par vous remarquer. (Il m'adresse un regard en coin.) Enfin, vous êtes là maintenant.

Le couloir fait un coude et Hideo s'arrête devant une autre porte en verre. Nous passons dans un bureau désert. Décoré de baies vitrées, avec dans un coin une fresque chatoyante, qui brasse plusieurs niveaux du jeu sous une forme stylisée, et dans un autre des canapés moelleux. La porte coulisse derrière nous. Nous voilà seuls.

Hideo se tourne vers moi.

— Je sais que vous avez vu votre nom partout sur Internet, dit-il. Mais savez-vous pourquoi vous êtes ici ?

Par erreur ? Je réponds plutôt :

— Pendant le vol, M. Edon a parlé de me faire intégrer la Wardraft.

Hideo hoche la tête.

— C'est ce qui est prévu, à moins que vous ne refusiez.

— Ça veut dire que vous souhaitez me voir participer au championnat de Warcross cette année ?

— Oui.

J'inspire profondément. L'entendre de la bouche d'Hideo lui-même, du créateur de Warcross, rend la chose plus réelle.

— Pourquoi ? dis-je. D'accord, je suis plutôt une bonne joueuse, mais je ne suis pas classée ni rien du tout. Vous faites ça pour améliorer vos chiffres d'audience ? C'est un truc de marketing ?

— Avez-vous la moindre idée de ce que vous avez fait en débarquant comme ça lors de la cérémonie d'ouverture ?

— J'ai ruiné le plus grand match de l'année ?

— Vous avez pénétré un système de défense que personne ou presque n'avait réussi à mettre en défaut.

— Désolée. Je n'avais encore jamais exploité cette faille de sécurité.

— Je croyais que vous aviez dit qu'il s'agissait d'un accident.

Il m'adresse un regard pénétrant. Il fait allusion aux excuses embarrassées que j'ai tenté de formuler lors de notre entretien téléphonique. Je reformule ma phrase :

— Je n'étais encore jamais tombée accidentellement sur cette faille de sécurité.

— Je ne vous dis pas ça parce que je suis en colère, précise-t-il. J'apprécierais bien sûr que vous évitiez de recommencer. Je vous dis ça parce que j'ai besoin de votre aide.

Je tique sur un détail dans ce qu'il a dit juste avant.

— Vous avez dit que personne ou presque n'avait encore mis votre système en défaut. Qui d'autre a réussi ?

113

Hideo s'approche de l'un des canapés, s'assied et se laisse aller en arrière. Il me fait signe de prendre place en face de lui.

— C'est précisément pour ça que j'aurais besoin de vous.

Je comprends aussitôt.

— Vous essayez d'attraper quelqu'un. Et la meilleure façon pour vous d'y parvenir, c'est de me faire intégrer les jeux de cette année.

Hideo incline la tête vers moi.

— Il paraît que vous êtes chasseuse de primes.

— C'est vrai, dis-je. J'attrape surtout des joueurs de Warcross qui ont de grosses dettes de jeu et d'autres petits délinquants que la police n'a pas le temps d'arrêter.

— Vous devez donc être familière de la face cachée du web qui s'est développée depuis la mise sur le marché de mes premières lunettes.

J'acquiesce de la tête.

— Bien sûr.

Internet a toujours eu une face cachée, une part du monde en ligne que quasiment personne ne voit, qu'aucun moteur de recherche ne montre jamais. À laquelle il est impossible d'accéder sans de solides connaissances. Le dark web : là où se retrouvent les hackeurs, où se vend la drogue, le sexe, où l'on peut engager des assassins. Il n'a fait que prospérer avec la popularité de Warcross et des lunettes NeuroLink. Il existe désormais en réalité virtuelle, sauf qu'on l'appelle le Dark World, le « Monde Obscur », un milieu virtuel dangereux où je m'aventure souvent quand je suis sur la piste d'un criminel.

— Et vous savez comment y entrer ? demande Hideo en me regardant bien en face.

Je me hérisse devant sa condescendance.

— Si ce n'était pas le cas, je ne vous serais pas d'une grande utilité pour attraper un hackeur, vous ne croyez pas ?

Hideo ne relève pas.

— Vous faites partie des chasseurs de primes que je compte embaucher pour ce travail. (Il se penche vers la table basse qui nous sépare et prend une petite boîte noire posée au-dessus d'une pile de magazines de jeux. Il me la tend.) C'est pour vous. Les autres en recevront eux aussi.

Les autres chasseurs de primes. Comme pour mes chasses précédentes, je serai mise en concurrence. J'hésite, puis j'accepte la boîte. Elle est légère comme une plume. Je jette un coup d'œil à Hideo avant de l'ouvrir. Elle contient un petit récipient en plastique avec deux compartiments arrondis. Je dévisse le couvercle de l'un d'eux.

— Des lentilles de contact, dis-je en fixant un disque transparent qui flotte dans un liquide.

— Une bêta-version. Elles seront disponibles pour le grand public à la fin de la semaine.

Je lève les yeux vers lui avec excitation.

— La prochaine génération de lunettes NeuroLink ?

Ses lèvres ébauchent un mince sourire, le premier que je lui vois.

— C'est ça.

Je baisse les yeux de nouveau. Le petit disque ressemble à n'importe quelle lentille de contact, sauf que sur le pourtour on peut lire les mots *Henka Games* répétés en minuscules lettres translucides. Juste ce qu'il faut pour la distinguer d'une lentille ordinaire. Quand je bouge un peu la main, elle scintille à la lumière, ce qui suggère la présence à sa surface d'une fine pellicule de circuits microscopiques.

Pendant une seconde, j'oublie mon irritation vis-à-vis d'Hideo et je redeviens la petite fille dans son foyer d'accueil, collée à la radio, qui entendait parler pour la première fois de cette invention révolutionnaire.

— Je... dis-je d'une voix chargée de fascination. Comment avez-vous fait ça ? Je veux dire, comment fonctionnent-elles ? On ne peut pas les brancher sur une prise de courant.

— Le corps humain produit au moins cent watts d'électricité par jour, répond Hideo. Un smartphone ordinaire n'a besoin que de sept watts pour se recharger entièrement. Ces lentilles n'en demandent même pas un.

Je lui jette un regard soupçonneux.

— Vous êtes en train de me dire qu'elles sont alimentées par l'électricité du corps humain ?

Il hoche la tête.

— Elles déposent au contact de l'œil un film inoffensif d'un atome d'épaisseur. Ce film sert de conducteur entre le corps et les lentilles.

— Utiliser le corps humain comme un chargeur, dis-je. (C'est une idée qui revient souvent au cinéma, mais là, je suis en train d'en contempler la concrétisation au creux de ma main.) Je croyais que c'était seulement de la science-fiction.

— Tout commence par être de la science-fiction avant de devenir une réalité scientifique, déclare Hideo.

Il y a une intensité particulière dans son regard, une lumière qui illumine toute son expression. Je me souviens d'avoir perçu la même lumière la première fois que je l'ai vu à la télé, et je la reconnais à présent. *Voilà* l'Hideo qui m'a toujours fascinée.

Il m'indique la porte à l'autre bout du bureau.

— Essayez-les.

J'emporte les lentilles et me dirige vers la porte, qui s'ouvre sur une salle de bains privée. Je me lave les mains et sors l'une des lentilles. Après une dizaine de tentatives infructueuses, je réussis enfin à les mettre, non sans cligner furieusement des paupières. Elles sont d'un froid glacial. Une bulle de texte s'affiche devant mes yeux :

Visite au siège d'Henka Games !
+ 2 500 points. Score du jour : + 2 500
Vous passez au niveau supérieur !
Niveau 26 | 4 580 Ŧ

En retournant m'asseoir sur le canapé, je jette un coup d'œil circulaire à la pièce. Au premier regard, on dirait que rien n'a changé. Puis je vois bouger la fresque derrière Hideo, comme une chose vivante ; les couleurs changent et se mêlent de manière spectaculaire.

Je continue de regarder partout. Je remarque de plus en plus de détails. Plusieurs couches de réalité virtuelle, libérées des contraintes des lunettes. La démo d'une vieille version de Warcross se déroule sur un autre mur de la pièce, du sol au plafond. D'ailleurs, il n'y a plus de plafond : je peux admirer à la place un ciel bleu-noir sur lequel scintille la Voie lactée. Les planètes – Mars, Jupiter, Saturne – sont magnifiées et brillent dans la nuit comme des orbes de couleur. Partout dans la pièce, les objets sont surmontés d'étiquettes. **Ficus** figure au-dessus d'une plante en pot, avec les mots **Eau | +1**, suggérant que je pourrais gagner un point en l'arrosant. Nos sièges sont logiquement des **Canapés**, et on peut lire **Hideo Tanaka | Niveau ∞** au-dessus d'Hideo. Je suppose que **Emika Chen | Niveau 26** flotte au-dessus de ma tête.

Quelques mots translucides apparaissent dans mon champ de vision.

Jouer à Warcross

Hideo vient s'asseoir à côté de moi. Je remarque alors que lui aussi porte des lentilles – grâce aux miennes, je peux distinguer une fine pellicule scintillante sur ses iris.

— Faites une partie avec moi, suggère-t-il. (Un bouton de démarrage apparaît entre nous.) Et je vous montrerai qui je recherche.

Je prends une grande inspiration et fixe le bouton pendant quelques secondes. Les lentilles détectent mon regard, et tout ce qui nous entoure – le bureau, les canapés, les murs – s'assombrit avant de se dissoudre.

Quand le monde réapparaît, nous sommes debout tous les deux au milieu d'un immense espace blanc et stérile, entre des murs blancs qui s'étendent à l'infini. Je reconnais l'un des premiers mondes de Warcross : le niveau Paintbrush. Si vous allongez le bras et passez la main sur le mur, des traînées de peinture arc-en-ciel apparaissent à la surface. Je crispe légèrement les orteils et m'imagine en train d'avancer. À ce double signal mon avatar se met en marche. Je laisse traîner une main le long d'un mur pour voir les couleurs naître sous mes doigts.

Hideo nous entraîne dans un coin du monde, où il finit par s'arrêter. Je détends les orteils et m'arrête moi aussi. Il se tourne vers moi.

— C'est le premier monde où nous avons remarqué que quelque chose clochait, m'explique-t-il.

Il passe la main sur le mur, laissant des traces d'or et de vert. Puis il appuie les doigts sur la surface, et *pousse*.

Le mur s'ouvre, obéissant à son contact.

Derrière le mur s'étend tout un univers de lignes sombres et de traînées de lumière, articulées en motifs complexes. *Le code qui fait tourner ce monde.* Ça m'offre un aperçu de l'interface de programmation du jeu. Hideo s'enfonce à l'intérieur du mur, me fait signe de le rejoindre. Après une brève hésitation, je quitte les murs blancs barbouillés de couleurs pour m'enfoncer à mon tour dans le fouillis inextricable des lignes sombres.

À l'intérieur, les filets de lumière nous baignent dans une lueur bleutée. Un frisson d'excitation me parcourt ; j'examine les colonnes de caractères, analysant et absorbant tout ce que je peux. Hideo continue encore un peu puis s'arrête devant un segment de code.

Mon instinct prend le relais et je détends le regard pour embrasser dans son ensemble tout le code que j'ai devant moi. Je repère le problème immédiatement. C'est subtil – quelqu'un qui n'aurait pas l'habitude d'analyser la structure du NeuroLink pourrait facilement passer à côté –, mais c'est bien là : un bout de code déformé, des lignes un peu plus emmêlées que leurs voisines, une section qui ne semble pas à sa place au milieu de ce chaos organisé.

Hideo hoche la tête d'un air approbateur en constatant que je l'ai remarqué. Il se rapproche encore du segment déformé.

— Que pouvez-vous m'en dire ?

Il ne veut pas seulement me montrer ce qui s'est passé. Il teste aussi mes compétences.

— Ç'a été reprogrammé, dis-je aussitôt en examinant le code. Pour détourner certaines données.

Hideo acquiesce puis tend la main vers la partie abîmée et la tapote délicatement. Les lignes clignotent et se replacent en bon ordre, comme elles sont censées être.

— Nous l'avons réparé. Je vous ai montré l'aspect qu'il avait quand nous l'avons découvert. Celui qui a fait ça n'a laissé aucune trace et il est encore plus discret aujourd'hui. Nous l'appelons Zéro, car c'est le code par défaut dans le fichier d'accès. C'est le seul signe indicateur de son passage. (Il me dévisage.) Je suis impressionné que vous l'ayez remarqué.

S'imagine-t-il que je suis Zéro ? Je lui retourne son regard. M'aurait-il fait venir jusqu'ici, m'aurait-il posé toutes ces questions – « *C'est votre premier séjour au Japon ?* » « *Avez-vous la moindre idée de ce que vous avez fait ?* » – dans le seul but de découvrir si je suis bien le suspect qu'il recherche ?

Je me renfrogne.

— Si vous voulez savoir si je suis Zéro ou pas, vous pourriez tout simplement me poser la question.

Hideo m'adresse un regard sceptique.

— Parce que vous l'admettriez, si c'était vous ?

— Disons que j'apprécierais votre franchise. Ce serait mieux que de vous voir tourner autour du pot comme ça.

Les yeux d'Hideo semblent capables de voir jusqu'au fond de mon âme.

— Vous avez piraté le match de la cérémonie d'ouverture. Faut-il que je m'excuse de vous soupçonner ?

J'ouvre la bouche puis la referme. Je finis par concéder :

— D'accord. En tout cas, ce n'est pas moi qui ai fait ça.

Il détourne calmement les yeux.

— Je sais. Je ne vous ai pas conduite ici pour vous arracher des aveux.

Je fulmine en silence.

Le monde bascule soudain autour de nous. Nous voilà projetés hors du code et du niveau Paintbrush. On se tient à présent sur une île flottante, entourée d'une centaine d'autres similaires, au-dessus d'un lagon magnifique. C'est le monde dont ils se sont servis lors de la cérémonie d'ouverture.

Hideo agite un peu les doigts et le monde défile rapidement sous nos pieds. Je me sens toute petite. De toute évidence son compte lui donne accès à une version du monde beaucoup plus évoluée que la mienne, qu'il peut contrôler d'une manière qui me serait impossible. C'est une sensation étrange, de se retrouver dans le jeu avec son créateur et de voir celui-ci le manipuler comme un dieu. Hideo nous arrête devant les falaises. Il tend la main et pousse. Une fois de plus, nous nous enfonçons parmi les lignes et les lumières.

Cette fois, la partie emmêlée est beaucoup plus difficile à trouver. Je regarde dans le vague et laisse émerger mon subconscient à la recherche d'une rupture dans le schéma. Il me faut plusieurs minutes pour tout inspecter, mais en fin de compte j'arrive à localiser le segment de code corrompu.

— Là, dis-je en pointant le doigt. Encore la même histoire. Je ne sais pas ce que cherche votre Zéro, mais il a trafiqué ce niveau pour lui transmettre des données à propos de tous ceux qui suivent le jeu. (Un frisson me saisit à cette idée. J'examine le code de plus près.) Attendez, il y a encore autre chose, là. Il a presque court-circuité le niveau, non ? Cette partie du code… il s'est rendu compte qu'il y avait une faiblesse à cet endroit.

Voyant qu'Hideo ne réagit pas, je lève les yeux du code et le vois en train de m'étudier.

121

— Quoi ? dis-je.

— Comment avez-vous trouvé ça ?

— Trouvé quoi ? Le bout de code trafiqué ? (Je hausse les épaules.) Je l'ai vu, c'est tout.

— Vous ne vous rendez pas compte, dit-il en enfonçant les mains dans ses poches. Mes meilleurs ingénieurs ont mis une semaine à localiser l'origine du problème.

— Il vous faudrait peut-être de meilleurs ingénieurs.

On dirait que j'ai du mal à retenir mes répliques en présence d'Hideo. Peut-être à cause de sa froideur, qui me tape sur les nerfs. Il me dévisage d'un air songeur.

— Et comment feriez-vous pour réparer ça ?

Je reporte mon attention sur le code.

— Mon père m'a appris à regarder les choses dans leur globalité, murmuré-je en passant la main sur le texte. Il n'est pas nécessaire de tout décomposer dans les moindres détails. Il suffit de voir le tableau d'ensemble pour trouver le maillon faible.

J'attrape le code abîmé, j'en détache un gros bloc et je l'efface. Puis je le remplace par une ligne unique, sobre et efficace. Le reste s'emboîte autour de soi-même.

— Là, dis-je en posant les mains sur les hanches. C'est mieux.

Quand je me retourne vers Hideo, je le vois en train d'analyser ma réparation sans dire un mot. Peut-être ai-je passé le test.

— Pas mal, concède-t-il au bout d'un moment.

Pas mal ? Je me renfrogne encore plus.

— Pourquoi s'intéresser à ce genre de données, dis-je, et vouloir perturber le déroulement du jeu ?

— C'est la question que je me pose.

— Vous avez peur que votre hackeur vienne saboter le championnat.

— J'ai peur qu'il ne fasse bien pire. Je refuse de plier devant la menace et de suspendre le jeu, mais je ne veux pas non plus transiger avec la sécurité de nos spectateurs.

Hideo tourne la tête. Le monde bascule à nouveau, et nous voilà de retour dans son bureau. La brutalité du changement me fait sursauter. Il va me falloir un peu de temps pour m'habituer à ces lentilles.

— Vu votre célébrité nouvelle, m'explique-t-il, j'ai jugé préférable de vous cacher au grand jour en vous faisant intégrer l'une des équipes. Comme ça, vous pourrez approcher les autres joueurs au plus près.

— Et pourquoi ça ?

— La nature de l'attaque m'amène à penser que Zéro pourrait être l'un d'entre eux.

L'un des joueurs professionnels. Leurs noms se bousculent dans ma tête.

— Quelle prime offrez-vous, au juste ? À moi et aux autres chasseurs ?

— Chacun d'entre vous verra un virement en attente s'afficher sur son compte en banque. (Hideo se penche en avant, les coudes sur les genoux. Il me lance un regard appuyé.) Si vous décidez de refuser mon offre, si l'affaire vous paraît trop grosse pour vous, je vous ferai reconduire à New York sur un vol privé. Vous n'aurez qu'à considérer cet épisode comme des vacances avant de reprendre le cours de votre vie normale. Je vous verserai un dédommagement, quoi qu'il en soit, pour avoir décelé une faille de sécurité majeure dans le jeu. Prenez le temps d'y réfléchir.

« *Je vous verserai un dédommagement.* » J'ai l'impression qu'il parle d'une aumône, qu'il m'offre une porte de sortie honorable au cas où je ne me sentirais pas à la hauteur du défi. J'imagine retourner à New York par avion, revenir vers ma vie d'avant pendant que d'autres chasseurs de primes se chargeront de courir après Zéro. Un frisson d'excitation me parcourt à l'idée de cette traque, sans doute la plus grosse enquête que j'aurai jamais l'occasion de résoudre.

— C'est tout réfléchi, dis-je. Je marche.

Hideo hoche la tête.

— Vous allez recevoir très bientôt les instructions pour la Wardraft, ainsi qu'une invitation à la soirée inaugurale. En attendant, préparez la liste de tout ce qui pourrait vous aider dans vos recherches. Codes d'accès, comptes de jeu, etc. (Il se lève.) Donnez-moi votre main.

Je le dévisage avec méfiance et lui tends ma main. Il la prend et la retourne paume vers le haut.

Il place sa propre main à quelques centimètres au-dessus de la mienne, jusqu'à ce qu'un rectangle noir du format d'une carte de crédit apparaisse sur ma peau. Puis il presse délicatement un doigt contre ma peau pour y tracer sa signature. La sensation de sa peau contre la mienne me coupe le souffle. La carte de crédit virtuelle émet un flash bleu, validant sa signature, avant de disparaître.

— C'est pour vous permettre de régler tous vos frais pendant votre séjour, m'explique-t-il. Pas de limites, pas de questions. Servez-vous de votre paume chaque fois que vous aurez un achat à faire et le paiement s'effectuera sur cette carte. Pour une annulation, apposez votre propre signature au creux de votre paume. (Son regard ne lâche pas le mien.) Et tâchez de rester discrète. Je préférerais éviter que cette affaire ne s'ébruite.

Que n'aurais-je pas donné pour une carte de ce genre dans mes périodes de galère ! Je retire ma main. J'ai encore la sensation de sa signature qui me brûle la paume.

— Bien sûr, dis-je.

Hideo me tend la main. Il a repris son air sérieux.

— À notre prochain entretien, donc. Je suis impatient, dit-il, sans que rien dans le ton de sa voix donne à penser que c'est vrai.

Je m'arrête brièvement sur ses phalanges meurtries avant de lui serrer la main.

La suite se déroule dans un brouillard cotonneux. Hideo retourne à sa réunion sans un regard en arrière. On me raccompagne à l'accueil, où je dois encore signer plusieurs formulaires avant d'être ramenée à ma voiture. Une fois assise sur la banquette arrière, je lâche un long soupir. Je n'avais pas conscience de retenir mon souffle. J'ai le cœur qui bat à cent à l'heure, les mains qui tremblent à la suite de notre entretien. C'est seulement alors que la limousine m'emporte loin des studios que je fouille dans ma poche, sors mon téléphone et me connecte à mon compte en banque. Ce matin, je possédais en tout et pour tout treize dollars. Avec quelle somme exactement Hideo a-t-il choisi de m'appâter ?

Mon compte finit par s'afficher. Je le fixe avec ébahissement.

VIREMENT EN ATTENTE : 10 000 000,00 $

9

J e recharge la page à plusieurs reprises avant d'accepter la réalité de ce que je vois. Le montant demeure identique. Dix millions.

Une prime de dix millions de dollars.

Hideo est cinglé.

La prime la plus élevée que j'ai jamais vu passer était de cinq cent mille dollars. Celle-ci explose le record. Il doit y avoir des choses qu'Hideo ne me dit pas ; je ne peux pas croire qu'il offre autant simplement pour mettre la main sur un hackeur qui essaie de perturber les jeux. Même s'il s'agit d'un championnat du monde.

Et si ce travail était plus dangereux que je ne le pense ?

Je secoue la tête. Pour Hideo, Warcross représente l'œuvre de sa vie. Sa passion principale. Je repense à l'intensité que j'ai vue briller dans son regard quand il m'a montré ses lentilles de contact. C'est vrai que je possède des compétences particulières qui font de moi quelqu'un d'unique : je sais traquer les criminels, je maîtrise le piratage, j'ai une grande connaissance de Warcross et de son fonctionnement interne. Peut-être n'est-il pas si facile de trouver d'autres personnes susceptibles comme moi de convenir pour ce travail.

Je repense à notre entretien. L'Hideo parfait que j'avais cru reconstituer à partir d'un faisceau de documentaires et d'articles ne ressemble pas beaucoup à celui que je viens de rencontrer : condescendant, froid, sans un sourire, tout le contraire du héros de légende que je m'étais imaginé. *« Il est intimidant, mais il ne le fait pas exprès »*, a insisté Kenn. N'empêche que ses barrières sont si bien en place qu'elles rendent sa politesse presque insultante et entretiennent le flou sur ses intentions. Peut-être qu'il est tellement riche qu'il n'éprouve plus le besoin de faire des efforts envers qui que ce soit.

Ou peut-être qu'il ne m'aime pas beaucoup, tout simplement. Je me hérisse à cette idée. Parfait. Je ne l'aime pas tant que ça, moi non plus.

De toute façon, je n'ai pas besoin d'apprécier un client pour faire mon travail. Je n'ai pas une affection délirante pour la police et ça ne m'a jamais dérangée. Tout ce que j'ai à faire, c'est mener mon enquête, le tenir informé de mes progrès et attraper ce Zéro avant qu'un autre ne le fasse. Et toucher ma prime.

Dix millions de dollars. Je revois mon père, assis à son bureau alors qu'il me croyait couchée depuis longtemps, la tête entre les mains, en train de fixer la pile des factures à payer. Je le revois fixer l'écran d'un œil terne, placer un nouveau pari avec de l'argent qu'il n'avait pas dans l'espoir qu'enfin, cette fois, il allait décrocher le pactole.

Dix millions de dollars. C'est moi qui pourrais bien décrocher le pactole. Je n'aurais plus jamais à me soucier d'argent. Je serais tranquille jusqu'à la fin de ma vie. Cette prime pourrait tout changer. Pour toujours.

Alors que nous arrivons à mon hôtel, un « ding » me signale que j'ai reçu un message. Ça vient de Kenn.

> Mademoiselle Chen, j'ignore ce que vous lui avez dit tout à l'heure, mais en tout cas... bien joué.

> Bien joué ? Comment ça ?

> Vous devez savoir qu'Hideo n'a jamais embauché quelqu'un aussi vite. C'est une première.

> Vraiment ? J'ai plutôt eu l'impression de l'agacer.

> Tout le monde a toujours cette impression avec lui. Ne vous en faites pas pour ça. Un cadeau vous attend dans votre chambre. Hideo l'a fait envoyer à votre hôtel à l'instant où vous avez quitté son bureau.

Après la façon dont s'est déroulé notre entretien, je trouve ça difficile à croire.

> Merci.

> Bienvenue dans l'équipe.

Le temps que Jiro me dépose et que je monte jusqu'à ma suite, le cadeau, dans une boîte somptueuse en cuir noir, m'attend déjà sur le bureau. Une enveloppe brillante estampillée du logo Warcross doré à l'or fin est posée à côté. Je fixe le tout un long moment, puis j'ouvre la boîte.

Elle renferme un skateboard électrique noir et blanc flambant neuf, une série limitée, aux lignes légères et élégantes. Je le soupèse avec incrédulité puis le pose par terre et saute dessus. Il réagit comme dans un rêve.

Le garde du corps d'Hideo a dû lui parler de mon vieux skateboard défoncé. Cette planche vaut facilement quinze mille dollars. J'ai plusieurs fois bavé dessus dans des catalogues, en imaginant les sensations qu'elle devait procurer.

Je lis la carte incluse dans la boîte.

Pour vous. Je vous reverrai à la Wardraft.
H. T.

Tout à l'heure, il me faisait subir un interrogatoire. Voilà qu'il m'envoie des cadeaux. Je tourne mon regard vers l'enveloppe qui accompagne la boîte. Il y a deux jours encore, je me tenais devant mon appartement et contemplais la mort dans l'âme un avis d'expulsion sur papier jaune. J'attrape l'enveloppe, je la déchire et j'en sors un carton d'invitation noir imprimé en lettres d'or.

Mlle Emika Chen
est officiellement invitée à participer
à la Wardraft en tant que wild card
le 3 mars.

Je regarde la Wardraft chaque année. Elle se déroule toujours au Tokyo Dome la semaine qui suit la cérémonie d'ouverture, devant un stade rempli de cinquante mille fans en délire. Tous les regards sont braqués sur les wild cards assises au premier rang, au bord de l'arène central. L'une après l'autre, les seize équipes engagées dans la compétition choisissent une wild card.

Les fans de Warcross connaissent déjà la plupart des wild cards parce qu'elles sont généralement sélectionnées parmi les meilleurs joueurs amateurs, ceux qu'on retrouve en permanence au sommet des classements et qui ont des millions de followers. L'année dernière, la première choisie était Ana Carolina Santos, qui représentait le Brésil. L'année d'avant, c'était un Polonais, Penn Wachowski, qui appartient désormais à l'équipe des Stormchasers. Et il y a trois ans, c'était le Sud-Coréen Ki-woon « Kento » Park, devenu membre de l'équipe Andromeda.

Mais j'ai l'habitude de suivre cette folie de chez moi, à travers mes lunettes. Cette fois-ci, c'est moi qui serai assise au premier rang du Tokyo Dome.

Mes mains commencent à trembler quand la voiture s'approche du stade. J'ai l'œil rivé au décor qui m'entoure. Si Times Square pouvait donner l'impression de succomber à la folie Warcross, ce n'est rien à côté de Tokyo. À travers mes lentilles de contact, le centre de Shibuya est envahi d'écrans suspendus qui font défiler le portrait de chaque wild card et repassent des extraits des drafts précédentes. Des milliers de fans hystériques grouillent dans les rues. Le véhicule franchit un barrage de police pour s'engager dans un secteur fermé au reste de la circulation. En nous voyant passer, les gens sur le trottoir saluent la voiture avec de grands gestes, le visage illuminé par l'excitation. Ils ne peuvent pas me voir derrière les vitres fumées, mais ils savent que c'est le chemin qu'empruntent les joueurs pour se rendre au stade.

Mon portrait apparaît au-dessus de moi, occupant toute une face d'un gratte-ciel. C'est une vieille photo qui date de ma dernière année de lycée, celle où je me suis fait renvoyer. J'affiche un air sérieux, les cheveux raides et teints d'une douzaine de couleurs différentes, le teint si pâle qu'il paraît presque cendreux. Des gros titres s'étalent autour de mon visage :

DERNIÈRE MINUTE :
Emika Chen intègre la Wardraft

———

Une invitée imprévue devient une star parmi les wild cards !
Tous les détails dans notre numéro de cette semaine

———

L'action Henka Games s'envole après la nomination d'Emika Chen

Voir mon visage s'étaler sur quatre-vingts étages me rend malade. Je m'oblige à détourner le regard du chaos qui m'entoure et je coince mes deux mains entre mes genoux.

Pense aux dix millions, me dis-je à plusieurs reprises. À l'extérieur, j'aperçois sur un autre écran géant le portrait de DJ Ren, coiffé de ses écouteurs et penché sur sa table de mixage. Soudain, je me rends compte que les autres chasseurs de primes, quels qu'ils soient, assisteront à coup sûr à la Wardraft eux aussi. Ne serait-ce que pour se renseigner sur moi. Sont-ils des wild cards, eux aussi ?

Quand la limousine s'arrête devant les cordons de sécurité qui encadrent l'entrée secondaire du Tokyo Dome, j'ai presque réussi à calmer mes appréhensions. Comme dans un rêve, je vois des hommes en costume m'ouvrir la portière, m'aider à descendre de voiture et me guider sur un tapis rouge jusque dans les entrailles sombres et climatisées du stade. On me fait passer par un couloir étroit dont le plafond se relève progressivement. Les voix de cinquante mille spectateurs grondent tout près. Quand je débouche au milieu des gradins, le vacarme devient assourdissant.

Le stade baigne dans une lumière bleutée. Des dizaines de projecteurs colorés balaient le ciel. Les rangées de sièges croulent sous les spectateurs. Certains agitent des pancartes à l'image de leurs wild cards préférées ; tous sont venus voir leurs idoles en chair et en os. Grâce à mes lentilles de contact, je peux voir d'immenses écrans holographiques s'échelonner sur le pourtour de l'arène. Chacun d'eux passe des images des différentes wild cards lors des parties qui les ont rendues célèbres. Les joueurs bondissent en 3D hors des écrans et, chaque fois qu'ils réussissent un coup spectaculaire, la foule rugit à pleins poumons.

Une bulle s'affiche au centre de mon champ de vision. Mon niveau augmente de deux points.

Participation officielle à la Wardraft !
Félicitations !
+ 20 000 points. Score du jour : + 20 000
Vous augmentez de deux niveaux !
Quelle progression !
Niveau 28 | 24 580 ₮
Vous gagnez un coffre au trésor !

Les gradins sont à moitié remplis. Alors qu'on me conduit jusqu'à ma place, j'examine la foule qui m'entoure et j'essaie d'identifier les wild cards d'après leurs avatars. Je reconnais quelques visages. Abeni Lea, qui représente le Kenya. Elle est classée parmi les cinquante meilleurs joueurs du monde. Il y a aussi Ivo Erikkson, de Suède. Et Hazan Demir, une fille qui vient de Turquie. Ma gorge se serre, et je suis tentée de leur demander un autographe.

Allez, au boulot! me dis-je. J'effectue discrètement un petit signe de balayage avec deux doigts pour activer mon bouclier, puis me penche sur le système de sécurité du stade. Hideo m'a fourni une ID spéciale pour court-circuiter le dispositif et accéder aux informations de base que possède Henka Games à propos de chaque joueur, mais l'utilisation de cette ID lui permettrait aussi de suivre plus facilement mes moindres faits et gestes ; ce qui me rendrait vulnérable à un piratage de la part de Zéro ou d'un chasseur de primes concurrent. J'ai donc préféré modifier mon accès pour rester hors réseau. Je travaillerai dans de meilleures conditions. Et si ça déplaît à Hideo, il n'aura qu'à me le dire plus tard.

Bientôt, des chiffres et des lettres apparaissent un peu partout dans le stade, soulignant les endroits où le code génère des fragments de réalité virtuelle. Les plans du stade se dessinent en surimpression par-dessus l'ensemble. À cela s'ajoutent les données personnelles de la plupart des spectateurs qui s'affichent au-dessus d'eux en minuscules caractères bleus ; en si grand nombre qu'elles se brouillent et forment des traînées indistinctes.

J'arrive enfin à mon siège. Derrière nous, le stade pousse des hurlements de joie en voyant sur les écrans géants un montage des meilleurs moments de l'équipe des Phoenix Riders la saison dernière.

— *Hallo.*

Un petit coup de coude dans les côtes me fait me tourner vers ma voisine. Elle a des cheveux blond-roux, vaguement ramenés en queue-de-cheval, et un teint pâle semé de taches de rousseur. Elle m'adresse un sourire malicieux. Des sous-titres anglais apparaissent devant moi quand elle me dit :

— Tu es bien Emika ? (Elle détaille tour à tour mes cheveux arc-en-ciel, puis mon bras tatoué.) Celle qui a débarqué dans la cérémonie d'ouverture ?

Je fais oui de la tête.

— Salut.

La fille hoche la tête en retour.

— Je m'appelle Ziggy Frost. Je viens de Bamberg, en Allemagne.

J'écarquille les yeux.

— Mais oui ! Tu es l'une des meilleures Voleuses du circuit. J'ai suivi je ne sais combien de tes parties.

Je devine qu'elle parcourt la traduction allemande de mes paroles qui doit s'étaler sous ses yeux. Son visage s'illumine. Elle se penche en avant et bouscule un garçon assis devant nous.

— Yuebin ! s'exclame-t-elle. Regarde, j'ai une fan.

Le garçon pousse un grognement agacé puis se retourne sur son siège. Une légère odeur de cigarette flotte autour de lui.

— Tant mieux pour toi, marmonne-t-il en chinois sous-titré. (Son regard s'arrête sur moi.) Hé ! tu ne serais pas la fille du bug de la cérémonie d'ouverture ?

Est-ce comme ça que je resterai dans l'histoire ? La fille du bug ?

— Salut, dis-je en lui tendant la main. Emika Chen.

— Ah ! l'Américaine, répond-il en me serrant la main. Tu parles mandarin ?

Je secoue la tête. Mon père connaissait en tout et pour tout cinq mots de chinois, dont quatre jurons.

Il hausse les épaules.

— Bah, tant pis. Je m'appelle Yuebin, je viens de Beijing.

Je souris.

— Le meilleur Guerrier du classement ?

Son sourire s'agrandit.

— C'est ça. (Il se lève à demi pour allonger un petit coup de poing dans le bras de Ziggy.) Tu vois ? Il n'y a pas que toi qui as une fan.

Puis il se rassied en se tournant vers moi.

— Alors comme ça tu es une wild card, maintenant ? Je veux dire, félicitations, c'est super. Mais je ne me souviens pas de t'avoir vue dans les classements de cette année.

— Parce qu'elle a été inscrite à la dernière minute, intervient Ziggy. C'est Hideo lui-même qui a donné le feu vert à sa nomination.

Yuebin siffle doucement.

— Tu as dû drôlement l'impressionner.

C'est donc vrai qu'il y a des rumeurs à mon sujet. Ce n'est pas comme ça que je voudrais être connue dans Warcross ; comme la fille qui s'est invitée par erreur, à cause d'un bug, et qu'on a ensuite intégrée à la Wardraft par pur favoritisme. Et si Yuebin avait des soupçons sur les vraies raisons de ma présence ?

Ne sois pas ridicule. À leurs yeux, tu es ici pour jouer à Warcross et c'est tout. Je souris à Ziggy et hausse les épaules.

— On s'en fiche, de toute manière. Je serai sûrement la dernière à être choisie.

Ziggy rit de bon cœur et me donne une bourrade amicale.

— C'est quoi déjà, le dicton ? « Il ne faut jamais dire jamais » ? Et puis, tu te souviens de ce joueur il y a quelques années — Leeroy je-ne-sais-plus-comment — qui s'est fait drafter dans les Stormchasers, alors qu'il n'arrêtait pas de charger bille en tête et de bousiller toute la stratégie de son équipe ? Mon Dieu ! ce qu'il était mauvais. (Trop tard, elle se rend compte qu'elle vient encore de m'insulter sans le vouloir.) Je ne veux pas dire que tu es aussi mauvaise que Leeroy ! Juste qu'on ne sait jamais. Je veux dire... enfin, tu vois ce que je veux dire.

Yuebin lui jette un regard sévère avant de me sourire.

— N'en veux pas à Ziggy, me conseille-t-il. Elle ne dit jamais ce qu'il faudrait au moment où il faudrait.

— C'est toi qui n'es jamais celui qu'il faudrait au moment où il faudrait ! rétorque Ziggy avec indignation.

Pendant qu'ils m'oublient pour se disputer entre eux, j'en profite pour parcourir discrètement les données que j'ai sur eux. Leurs noms complets, leurs adresses, leurs déplacements à l'étranger, tout ce qui pourrait m'aider à relever un détail suspect dans leur comportement. Je télécharge le tout et le sauvegarde pour l'examiner plus tard à tête reposée. Mais au premier abord, je ne vois rien de bizarre dans leurs profils. Aucun bouclier d'aucune sorte pour protéger leurs données. Yuebin a même un virus qui ralentit sa connexion.

D'un autre côté, ça fait peut-être partie de leur couverture. Difficile à dire sans une analyse approfondie de l'ensemble de leurs infos, e-mails personnels, messages privés, souvenirs sauvegardés, autant d'éléments cryptés auxquels Henka Games n'a pas accès. Il me faudrait un point d'accès, une faille comme celle qui m'a permis de voler le bonus pendant le match d'ouverture. J'ai besoin d'une autre brèche dans le schéma.

L'éclairage principal du stade s'estompe et les faisceaux des projecteurs changent de couleur. Tous les sièges sont occupés désormais. La clameur du public s'intensifie. Je regarde les premiers rangs, au bord de l'arène centrale, et j'essaie de repérer d'autres wild cards en me basant sur les joueurs célèbres que je connais. Ziggy et Yuebin cessent enfin de se disputer et se redressent sur leurs sièges.

— Mesdames et messieurs !

Les lumières convergent soudain vers le centre de l'arène, où s'avance un présentateur portant un T-shirt frappé du logo Warcross.

— Fans de Warcross du monde entier ! continue-t-il d'une voix tonnante. Bienvenue à la Wardraft ! Nous allons ajouter quelques wild cards pour renforcer vos équipes favorites !

Le public pousse un rugissement d'approbation. J'ai le cœur qui bat si fort que je me sens toute faible.

— Permettez-moi de vous présenter une personne de la plus haute importance ! dit-il en pointant le doigt.

Les projecteurs se braquent dans la direction qu'il indique et illuminent une tribune spéciale dont les sièges sont protégés sous un cube en verre. Une enseigne virtuelle au-dessus du cube proclame `Tribune officielle`, signifiant que ces places sont réservées aux cadres d'Henka Games. À l'intérieur, un jeune homme assiste au spectacle, une main dans la poche, l'autre tenant un verre.

Deux gardes du corps se tiennent derrière lui. Tous les hologrammes affichent son visage.

— L'homme qui a rendu tout ceci possible : Hideo Tanaka !

Le stade explose. C'est un délire d'acclamations, suivi de « Wo-oh-ohoh-oh ! » scandés si bruyamment que l'arène se met à trembler. Hideo lève son verre pour porter un toast à la foule, comme si ce genre de folie était parfaitement normal, avant de se rasseoir. Je m'oblige à détourner les yeux.

— Il y a seize équipes de Warcross, continue le présentateur. Chacune a droit à cinq joueurs officiels. Les vétérans ont déjà été choisis, mais pour l'instant chaque équipe compte au moins une place libre ; et nous avons quarante wild cards pour les combler. D'ici la fin de la draft, les quarante feront toutes parties d'une équipe. (Il fait un grand geste en direction des premiers rangs.) Voyons rapidement qui elles sont !

Les projecteurs pivotent pour se focaliser sur une première wild card, et la musique qui résonnait dans le stade s'efface au profit d'un nouvel air. Le joueur en question est un garçon aux cheveux châtains qui cligne des yeux dans la lumière.

— Rob Gennings, représentant le Canada, niveau 82, qui joue Guerrier. Il est actuellement soixante-sixième au classement mondial.

Des clameurs retentissent à travers le stade. Parmi la foule, je vois certains spectateurs agiter avec enthousiasme des pancartes au nom de Rob.

Grâce à ma vision virtuelle, je parcours rapidement les données personnelles de Rob Gennings. *Nom complet :*

Robert Allen Gennings. Premier de sa promotion au lycée. Dernier vol : Vancouver-Tokyo, sur Japan Airlines.

— Ensuite, nous avons Alexa Romanovsky, représentant la Russie, une Voleuse niveau 90 célèbre pour la vivacité de ses attaques.

Nouvelle salve d'acclamations. Les haut-parleurs diffusent une chanson qu'elle a choisie elle-même. J'examine les infos que j'ai sur elle. *Nom complet : Alexandra Romanovsky. Lieu de naissance : Saint-Pétersbourg. Ex-athlète aux Jeux paralympiques.* Après sa disqualification à la suite d'une bagarre avec une coéquipière, elle s'est rabattue sur Warcross. Elle se redresse fièrement sur son siège et salue la foule d'un hochement de tête.

Le présentateur enchaîne les présentations sans perdre de temps. Les projecteurs se déplacent autour de l'arène, la musique change à chaque nouveau participant. Tous ces joueurs sont célèbres et très bien classés. Alors que je suis seulement niveau 28, puisque je me connecte le plus souvent depuis un compte pirate anonyme et que mes activités ou mes victoires ne sont jamais enregistrées.

— Thomas Renoir, de France, plus connu sous son nom de scène de DJ Ren…

Ce nom est salué par des acclamations assourdissantes. Je cherche le joueur des yeux – mais les projecteurs n'éclairent qu'un siège vide. La musique qu'il a choisie pour sa présentation est l'une de ses propres compositions : *Deep Blue Apocalypse*, une chanson aux basses dévastatrices et au beat addictif. C'est clairement la plus populaire des wild cards.

— … est en train de préparer en ce moment la première grande soirée du championnat. Mais rassurez-vous, il sera là très bientôt !

Les présentations se succèdent. Deux autres wild cards sont habillées en gris et blanc. Des fans de la Demon Brigade, qui espèrent sans doute taper dans l'œil de leur équipe fétiche. D'autres portent des T-shirts à l'image de leurs joueurs préférés. D'autres encore ont l'air nerveuses, mal à l'aise ; des joueurs moins bien classés, qui seront probablement draftés en dernier. Je parcours rapidement leurs données, je les télécharge et les classe en dossiers. *Surveille bien les plus nerveux. Le hackeur est peut-être l'un d'eux…*

— Emika Chen, niveau 28, nous arrive des États-Unis d'Amérique ! crie le présentateur.

Je sursaute tandis que les projecteurs se braquent sur moi, et soudain je me retrouve en pleine lumière. Une immense clameur s'élève au-dessus du stade.

— Elle joue Architecte. Peut-être vous souvenez-vous l'avoir vue lors du match de la cérémonie d'ouverture, alors que personne ne s'y attendait ! En fait, elle a acquis une telle popularité que ce sont les spectateurs qui ont réclamé sa nomination en tant que wild card !

Je salue d'un geste hésitant. Les acclamations s'intensifient. *Sois naturelle.* J'agrandis mon sourire, tâchant de montrer un peu mes dents, mais si j'en crois ce que je vois sur les écrans géants je donne plutôt l'impression de souffrir d'une intoxication alimentaire. Je me demande si je pourrais disparaître sous mon siège sans trop attirer l'attention.

Une fois que le présentateur en a terminé avec le portrait des wild cards, les projecteurs se tournent vers les équipes officielles. Des cris hystériques retentissent à travers le stade tandis que le présentateur les énumère une à une. Je les dévisage avec fascination. Il y a d'abord la Demon Brigade, reconnaissable à ses tenues gris et blanc. À l'autre bout on trouve les Phoenix Riders, conduits par Asher Wing, avec leurs blousons à capuche rouge vif. Ils se mettent à hurler comme des loups quand le présentateur annonce leur nom. Viennent ensuite l'équipe Andromeda, en vert et or, et les Winter Dragons, dans un bleu glacial. Puis les Storm-chasers, en noir et jaune ; les Titans (violet), les Cloud Knights (saphir et argent)... Tout en continuant à télé-charger les informations, je ne peux m'empêcher de détailler ces équipes sous le feu des projecteurs. Je n'en reviens pas d'être au même endroit que tous ces gens.

Le présentateur en termine enfin. Le stade s'apaise un peu tandis qu'un assistant lui apporte une enveloppe cachetée.

— Cette année, l'équipe qui choisira la première wild card est...

Il s'interrompt le temps de déchirer l'enveloppe de la manière la plus théâtrale possible. Son micro capte le son et l'amplifie, au point qu'on croirait presque que c'est le dôme entier qui se déchire. Il en sort une carte argentée, la lève bien haut et sourit. Les hologrammes montrent un gros plan de la carte.

— L'équipe des Phoenix Riders !

Dans la tribune des équipes officielles, les Phoenix Riders se remettent à hurler. Assis au milieu, Asher Wing nous examine avec attention, moi et les autres wild cards. J'ai le cœur qui cogne si fort qu'il va finir par me casser une côte.

Le présentateur patiente quelques instants pendant que les Phoenix Riders s'entretiennent à voix basse. Le silence paraît durer une éternité. Je me surprends à me pencher sur mon siège, impatiente de savoir qui ils vont choisir. Finale-ment, Asher Wing fait un petit signe de la main pour trans-mettre un nom au présentateur.

Ce dernier découvre le nom qui s'étale devant lui, cligne des paupières d'un air surpris puis fait un signe à son tour. Le nom apparaît en lettres géantes au-dessus de sa tête, pivotant lentement. Tous les hologrammes l'affichent simultanément.

C'est le mien.

10

— Emika Chen !

Des exclamations de stupeur résonnent partout dans l'arène. Les gens assis autour de moi m'applaudissent, quelqu'un me secoue par les épaules, un autre me crie des commentaires enthousiastes en pleine figure. Je reste sous le choc. Je sais qu'Hideo comptait me cacher en pleine lumière, mais je ne pensais pas qu'il ferait de moi le premier choix de la draft. Il doit sûrement s'agir d'une erreur.

— Non, ce n'est pas une erreur ! crie le présentateur, comme s'il lisait dans ma tête. (Il pivote sur lui-même, les bras tendus.) On dirait bien que la première joueuse à sortir de la draft cette année sera une wild card pratiquement inconnue, non classée (Il prononce chaque mot très lentement, en détachant chaque syllabe avec soin.), qui n'en a pas moins fait une très forte impression lors de son apparition inopinée dans le match de la cérémonie d'ouverture !

Il continue à déblatérer, à suggérer qu'Asher Wing, le capitaine des Phoenix Riders – bien connu pour ses choix non conventionnels en matière de draft –, a peut-être perçu chez moi quelque chose qui aurait échappé à tous les autres.

Je me retrouve à regarder bêtement en direction des Phoenix Riders. Asher, les yeux rivés sur moi, affiche un sourire satisfait. C'est l'un des capitaines les plus intuitifs du circuit ; il choisit toujours des coéquipiers sur lesquels il sait pouvoir compter, généralement des joueurs expérimentés, au classement élevé. Il ne m'aurait pas choisie uniquement pour faire le spectacle. Si ? À moins qu'Hideo ne lui ait forcé la main…

Et si Asher était Zéro ?

Je lève les yeux vers la tribune officielle, de laquelle Hideo regarde droit vers moi. Peut-être a-t-il ordonné aux Phoenix Riders de me choisir la première. Pour soigner ses chiffres d'audience, ou peut-être pour détourner les soupçons de Zéro, ou même des autres chasseurs de primes. Quelles que soient ses raisons, je me promets de les lui demander à la première occasion.

Quelqu'un me secoue si fort par les épaules que j'ai l'impression d'entendre mon cerveau clapoter dans ma boîte crânienne. C'est Ziggy.

— Tu te rends compte ? C'est énorme ! me hurle-t-elle au visage. Ça veut dire que tu vas être traquée partout par les journalistes pendant des mois, et te retrouver en une de tous les magazines. *Heilige Scheiße !* (Elle crie ces derniers mots avec une telle véhémence que je n'ai pas besoin de traduction.) Toujours les mêmes qui ont de la chance !

Je parviens malgré tout à lui adresser un mince sourire puis me renfonce dans mon siège pour tâcher de suivre le reste de la draft. Le cerveau en ébullition, je vois le présentateur recevoir une série de cartes et les lire une à une à voix haute. La Demon Brigade choisit Ziggy, tandis que les Phoenix Riders raflent DJ Ren. Les Titans obtiennent Alexa Romanovsky. Le show se poursuit, mais j'ai l'impression d'être encore sous le feu des projecteurs ; les flashs qui crépitent dans le public me donnent le tournis, et je me demande combien de personnes ont leurs lunettes braquées sur mon profil en ce moment, à s'efforcer de déterrer tout ce qu'elles peuvent à mon sujet.

— Hé, fait Yuebin en me donnant un coup de coude. Regarde là-haut.

Il hoche la tête en direction de la tribune officielle. Je suis son regard, m'attendant à voir Hideo.

Sauf qu'Hideo est parti. Il ne reste en tribune que des hauts responsables d'Henka Games qui discutent entre eux. Les gardes du corps d'Hideo ont disparu eux aussi.

— On dirait qu'il était là uniquement pour voir dans quelle équipe tu te retrouverais, murmure Yuebin, tout en applaudissant machinalement le choix d'une nouvelle wild card.

Juste pour s'assurer que j'étais bien draftée, conformément à ce qu'il voulait. Mon cœur se serre un peu ; son départ me cause une étrange sensation de déception. Je suis sur le point de baisser la tête quand quelque chose retient mon attention. Un mouvement saisi du coin de l'œil, sous le plafond.

Je me fige.

Là, dans l'écheveau de poutrelles qui soutiennent le toit, une silhouette virtuelle se tient accroupie.

On n'en distingue pas les détails, mais elle observe avec intérêt le déroulement de la draft. Aucun nom ne flotte au-dessus de sa tête. Tout dans sa posture semble indiquer qu'elle est sur le qui-vive.

Comme si elle n'était pas censée se trouver là.

Un frisson me parcourt l'échine, mon sang se glace. En même temps, mes instincts de chasseuse de primes s'enclenchent. *Une capture d'écran, prends une capture d'écran.* Je cligne des paupières, et au même instant la silhouette disparaît.

— Hé, dis-je en me tournant vers Ziggy en train d'applaudir une wild card draftée par les Stormchasers.

— Quoi ? répond Ziggy sans me regarder.

— Tu as vu ça ?

— Quoi donc ?

Mais il est trop tard à présent. La silhouette est partie. J'inspecte le toit encore et encore ; peut-être est-ce simplement la lumière des projecteurs qui m'a momentanément éblouie. En tout cas, mon mystérieux observateur n'est plus visible. Il n'y a rien au milieu des poutrelles métalliques.

Il n'était pas vraiment là. Ce n'était qu'une simulation, un élément de la réalité virtuelle. Et j'étais la seule à pouvoir le voir à cause de mon hack. Soit ça, soit je viens d'avoir une hallucination.

Ziggy fronce les sourcils et plisse les yeux vers le plafond.

— Voir quoi ? demande-t-elle en haussant les épaules.

— Je… (Je m'interromps, ne sachant pas comment continuer sans passer pour une folle. Je lâche un petit rire forcé.) Rien, laisse tomber.

Ziggy a déjà reporté son attention sur la draft. Moi, je garde les yeux en l'air, comme si ça pouvait faire réapparaître la silhouette. Ai-je réussi à la saisir ? Pendant que la foule applaudit une autre wild card, j'ouvre ma capture d'écran sur un petit panneau secret.

Eh oui, la silhouette est bien là. Je n'ai pas halluciné.

●●●●●

Le reste de la draft passe comme un tourbillon. Quand elle s'achève enfin et que le stade commence à se vider, des vigiles s'avancent pour reconduire les wild cards et les équipes professionnelles par des sorties réservées. J'accompagne le mouvement en silence. Les gens se retournent sur moi et plusieurs wild cards s'approchent pour me féliciter. Je leur souris en retour, faute de savoir quoi leur dire. Au fond de moi, je n'arrête pas de repenser à la silhouette.

Peut-être s'agissait-il d'un de mes collègues chasseurs de primes ? Ou alors… de Zéro. Ma cible.

— Mademoiselle Chen ? dit l'un des vigiles en me faisant signe de le suivre. Par ici, s'il vous plaît.

J'obéis machinalement. Derrière moi, Ziggy et Yuebin me saluent de la main avant de rejoindre le vigile qui regroupe les membres de la Demon Brigade et des Stormchasers.

— À plus ! On se verra dans le jeu ! me lance Yuebin.

Je lui retourne son salut.

On m'escorte jusqu'à une belle voiture noire parmi la douzaine qui nous attendent en file indienne devant une issue privée. Une meute de fans a réussi à localiser la sortie. Dès qu'ils nous voient, ils agitent leurs pancartes, se mettent à hurler et nous tendent des stylos et des livrets. Derrière moi, Asher Wing émerge du stade entre deux costauds. Dans la réalité virtuelle, son avatar se tient debout ; dans la vraie vie, il est paralysé à partir de la taille et se déplace dans ce qui doit être le fauteuil roulant le plus cher du monde. D'où je suis, je peux détailler tranquillement les pièces en or massif et le cuir gravé à ses initiales.

Je le regarde un moment, hésitant à m'approcher pour me présenter dans les règles, mais j'y renonce en le voyant sourire à une admiratrice rouge comme une pivoine et faire reculer son fauteuil entre ses fans pour quelques photos. La foule manque de l'avaler avant d'être repoussée par ses gardes du corps. Quant à moi, j'embarque dans ma voiture et l'occasion s'envole. Je me rattraperai plus tard, à la première réunion de l'équipe.

Les voitures s'ébranlent une à une et partent toutes dans la même direction. Je sais où nous allons ; j'ai vu l'endroit une dizaine de fois à la télé. Au cœur de Tokyo, dans le quartier chic de Mejiro, où la production réunit les équipes de Warcross dans une résidence somptueuse pendant toute la durée du championnat. Le trajet n'est pas long. Au portail, nous sommes assaillis par une nuée de journalistes et de fans qui se pressent sur les trottoirs, sans parler des drones qui volent au-dessus de notre tête en filmant. Quelques drones s'approchent un peu trop ; quand ils tentent de survoler le portail, ils se heurtent à une barrière invisible qui les désactive et les fait s'écraser au sol.

— Pas d'appareils photo, pas de drones, répète le portier d'un ton blasé.

Nous pénétrons dans la résidence. Plusieurs bâtiments se dressent au cœur d'une pelouse verdoyante et arborée. Mes lentilles de contact recouvrent les bâtiments d'un filtre virtuel aux couleurs de leurs équipes respectives. Les nom et symbole de chaque équipe flottent au-dessus des entrées, accompagnés d'un « Bienvenue ! » joyeux qui s'affiche en différentes langues. Des drones de livraison vont et viennent au-dessus des bâtiments, apportant des paquets.

La voiture s'immobilise au fond d'une allée. Ma portière s'ouvre toute seule ; quelqu'un m'attend dehors.

Je me retrouve face au visage souriant d'Asher. Je n'avais pas remarqué que sa voiture roulait juste devant la mienne.

Au-dessus de lui je lis son nom, son niveau et la mention **Capitaine des Phoenix Riders**.

— Salut, dit-il en me tendant la main.

Derrière lui, les autres joueurs sont déjà en train de se diriger par petits groupes vers leurs différents bâtiments.

— Je suis Asher, de Los Angeles. Appelle-moi Ash.

Je lui serre la main.

— Oui, je sais, dis-je en m'efforçant d'oublier que je regarde ses exploits dans Warcross depuis des années. Je suis une grande fan des films de ton frère. Je ne pensais pas avoir l'occasion de te rencontrer un jour.

Son expression se refroidit imperceptiblement à la mention de son frère, mais il se reprend vite et lâche un petit rire.

— Désolé, s'excuse-t-il. Je voulais venir te saluer avant qu'on ne monte dans les voitures, mais tu sais ce que c'est : les fans d'abord…

Je souris.

— Eh bien, merci de m'avoir choisie.

— Oh ! je ne l'ai pas fait pour toi, dit Asher en secouant la tête. Les Phoenix Riders en ont vu de dures ces dernières années. Il nous faut du sang frais. Je veux ce qu'il y a de mieux pour mon équipe, il n'y a rien de généreux là-dedans.

Il fait pivoter son fauteuil roulant et me fait signe de le suivre.

— Voilà l'endroit où tu vas habiter pendant les prochains mois, m'indique-t-il en m'entraînant dans l'allée.

Je lève la tête et découvre un bâtiment magnifique, décoré de volutes virtuelles rouges, or et blanches.

— Il paraît qu'Hideo a personnellement approuvé ta nomination. Après le numéro que tu nous as fait lors de la cérémonie d'ouverture, je trouve ça très intéressant.

Je souris encore, avec moins d'assurance cette fois.

— J'imagine qu'il a voulu soigner ses indices d'audience, dis-je.

— J'imagine que oui.

Attention. La curiosité d'Asher s'entend dans sa voix. Ainsi donc, Hideo ne l'a pas forcé à me prendre. Mais peut-être a-t-il pensé que mon intégration surprise dans la draft suffirait à retenir l'intérêt de tous les capitaines. En tout cas, Asher n'a pas l'air de se douter des vraies intentions d'Hideo, et c'est très bien comme ça. Moins les gens sauront pourquoi j'ai été embauchée, plus j'aurai de chances d'attraper notre homme.

— Ce n'est pas mauvais non plus pour ta propre audience, lui fais-je observer, histoire de changer de sujet. Il n'y en a plus que pour les Phoenix Riders dans les discussions en ligne. La Demon Brigade doit faire la gueule.

Au nom de son équipe rivale, Asher s'enfonce en arrière dans son fauteuil et tapote son accoudoir. Il m'adresse un sourire carnassier.

— La Demon Brigade a toujours une bonne raison de faire la gueule. Tant mieux si c'est à cause de nous, cette fois.

Nous arrivons devant notre bâtiment. Asher roule jusqu'au sommet de la rampe d'accès, déclenche l'ouverture automatique des portes en verre peintes aux couleurs de l'équipe, puis fait pivoter son fauteuil avec grâce pour me laisser passer.

— Les wild cards d'abord.

Je franchis le seuil et débouche dans un hall immense, haut de trois étages. *Le rêve*. Le soleil se déverse dans cet atrium par un plafond de verre en forme de pyramide, inondant l'endroit de lumière. Directement sous la pyramide, une piscine turquoise dessine un carré parfait. L'eau est chauffée, il n'y a plus qu'à piquer une tête. Le coin living-room est meublé de canapés de couleurs franches – rouge, or et blanc – et de tapis blancs moelleux. Les murs entiers sont des écrans géants, du sol au plafond. Tout en feignant d'admirer le décor, je fais un tour d'horizon discret à la recherche de caméras. Il faudra bien que je trouve un moyen de m'infiltrer dans le système si je veux pouvoir consulter les comptes personnels de tous les participants.

Je sens une poussée timide sur mon mollet. Je baisse les yeux et vois un petit robot trapu, pas plus haut que mon genou, qui lève la tête vers moi. Il a des yeux bleu ciel en forme de demi-lunes, un corps jaune vif et un ventre rebondi fermé par une trappe vitrée derrière laquelle se trouvent plusieurs cannettes au frais. À présent qu'il a retenu mon attention, le robot avance le ventre, ouvre sa vitre et me présente ses boissons.

— Il s'appelle Wikki, m'apprend Asher. C'est le robot de l'équipe. Vas-y, prends-lui un soda.

Ne sachant pas quoi faire d'autre, je prends une cannette au hasard.

— Il continue à me regarder, dis-je à voix basse à Asher.

— C'est pour voir si tu aimes ce que tu as choisi.

Je goûte une gorgée de soda. Il est délicieux : pétillant, aromatisé à la fraise, il me chatouille agréablement le gosier. Je pousse un grognement de satisfaction. Wikki en prend bonne note, et au-dessus de sa tête s'affichent les informations virtuelles suivantes :

Emika Chen | Soda à la fraise | + 1

— Il va enregistrer tes préférences en matière de nourriture et de boisson tout au long de ton séjour, m'explique Asher.

Un robot qui consigne les goûts de chacun. Je souris à Asher, mais pas pour ce qu'il croit. *Voilà mon billet d'entrée.* Mentalement, je note pour plus tard de trouver un moyen de m'introduire dans le système de Wikki.

Wikki offre un soda à Asher également, puis referme son ventre et s'approche d'un autre garçon assis sur un canapé. Le garçon a les mains tendues devant lui, comme s'il étreignait un volant, et de temps en temps il les bascule d'un côté ou de l'autre. Au mur, une piste serpente entre des collines rose bonbon semées de champignons géants. Il l'avale à toute vitesse, laissant plusieurs autres joueurs sur place.

— Mario Kart : NeuroLink Edition, comme tu vois, dit Asher. C'est une tradition chez nous.

— Comment ça ?

— On y joue environ une heure tous les soirs pendant l'entraînement, pour améliorer nos réflexes. Ça donne souvent des parties endiablées. (Il frappe bruyamment dans ses mains et élève la voix afin qu'elle porte dans toute la pièce.) Oh, les Riders ! Vous êtes là ?

Le garçon est le premier à entendre Asher. Il met le jeu en pause, retire ses oreillettes et se tourne vers son capitaine. Avec son teint mat et ses boucles brunes, je le reconnais aussitôt : le fameux Roshan Ahmadi, qui représente la Grande-Bretagne.

— Devinez qui j'amène avec moi ? demande Asher en indiquant mes cheveux.

— Tu es tellement subtil, Ash, réplique Roshan avec un accent britannique qui sonne plus naturel que celui d'Hideo. (Il hoche la tête à mon intention.) Salut, Emika. Je m'appelle Roshan.

— Il sera encore notre Bouclier cette année, dit Asher. Et c'est aussi le numéro un mondial à Mario Kart, au cas où tu te poserais la question.

— Salut. Très honorée de te rencontrer.

Roshan paraît apprécier le compliment. Il me sourit brièvement.

— Moi aussi, trésor.

— Tout le monde a déjà choisi sa chambre, dit Asher en indiquant un couloir qui part de l'atrium. Roshan a pris celle qui a les plus grandes fenêtres. J'ai pris celle du fond, qui bénéficie de certains aménagements spécialement conçus pour moi. Le privilège du capitaine. Ren est installé de l'autre côté du couloir. Quant à toi…

— Hé ! fait une voix depuis l'un des étages supérieurs.

Je lève les yeux et découvre une fille accoudée au balcon, en train de mâcher son chewing-gum. Ses cheveux splendides forment une masse de boucles noires autour de son visage rond, et elle porte un maillot de sport qui contraste singulièrement avec sa peau brune. En y regardant de plus près, ce n'est pas un maillot de sport, c'est un T-shirt trop grand pour elle sur lequel est inscrit en gros caractères « QUIDDITCH – PHASES QUALIFICATIVES ».

Je l'apprécie tout de suite.

— Je te présente Hamilton Jiménez, déclare Asher, assez fort pour qu'elle puisse l'entendre. Ou simplement Hammie. C'est notre Voleuse. (Il lui adresse un clin d'œil.) Et mon bras droit.

Elle lui adresse un sourire malicieux.

— On se sent d'humeur sentimentale aujourd'hui, capitaine ?

— Je te préviens tout de suite, dit-il en se tournant vers moi, ne la laisse pas t'embarquer dans une partie d'échecs.

— Tu détestes ça uniquement parce que tu as horreur de perdre, commente Hammie avant de souffler une bulle énorme, qu'elle se remet à mastiquer. (Elle baisse les yeux vers moi.) Ta chambre est là-haut. Au premier. J'ai pris la plus grande, vu que tu es une wild card et pas moi. J'espère que ça ne t'ennuie pas.

J'attends que le quatrième joueur se montre, mais on n'entend pas d'autres bruits dans le bâtiment. Je m'étonne :

— Où est DJ Ren ?

— Tu le verras plus tard, répond Asher. Il est en pleine préparation pour la fête de ce soir. Je lui ai donné quartier libre, mais ce sera la seule fois. D'autant plus que je compte sur lui pour être notre nouveau Guerrier. Et je veux que tu retiennes bien ça, toi aussi, Emi : on n'est pas ici en vacances, on est ici pour gagner.

— Bien sûr, dis-je.

— Bon. (Il hoche la tête.) J'espère que tu es une aussi bonne Architecte que je le pense.

Venant de lui, ce compliment me remplit d'excitation et d'appréhension. Le boulot d'un Architecte consiste à manipuler l'univers du jeu en faveur de son équipe. Face à un obstacle, un mur par exemple, ce serait à moi de le faire écrouler pour nous permettre de passer. Face à des rochers flottants, je pourrais les agglomérer pour former une plate-forme. C'est un poste très important au sein de l'équipe. L'année dernière, les Phoenix Riders ont perdu leur Architecte parce qu'il avait parié des millions sur des parties de Warcross. Toute l'équipe a été sanctionnée, lourdement ; reléguée au bas du classement et privée de ses deux meilleurs joueurs.

— Je ferai de mon mieux.

— Demain, continue Asher en m'entraînant vers l'ascenseur, on vous briefera sur le déroulement du championnat, Ren et toi. Je vous montrerai une partie officielle. Même si… (Il marque une pause et se tourne vers moi pour me jauger d'un œil calculateur.)… tu en connais sans doute un rayon sur la question.

Je lève les mains.

— C'était un accident, dis-je avec l'impression d'avoir répété ça cent fois. Je ne savais pas ce que je faisais.

— Tu le savais très bien, rétorque Asher. En fait, tu es une bien meilleure joueuse qu'on ne pourrait le croire vu ton niveau. Pas vrai ? (Il indique les chiffres au-dessus de ma tête.) Quand ton nom est devenu viral, je me suis penché sur ton compte Warcross. J'ai étudié les quelques parties que tu as mises en ligne. Tu es bien trop forte pour une simple Architecte de niveau 28. Ça saute aux yeux.

Qu'est ce qui te fait croire ça ? Je joue contre d'autres débutants, c'est tout.

— Tu crois que je ne sais pas faire la différence ?

Il a *vraiment* étudié mes parties. Je ne mets en ligne que celles que je joue de mon compte Warcross officiel. Mais c'est surtout avec mon compte crypté que je joue, de manière anonyme. Toutes les heures de jeu que j'ai pu engranger ne m'ont pas fait augmenter de niveau. Seulement, je n'ai aucune intention d'avouer ça à Asher.

— Je n'ai pas assez de temps ni d'argent pour jouer aussi souvent que je le voudrais, dis-je. C'est juste que j'apprends vite.

Asher ne semble pas convaincu, mais il laisse glisser.

— Les autres équipes vont toutes te sous-estimer. Elles vont croire que je suis désespéré, que je t'ai choisie pour faire reparler des Riders. Mais toi et moi, on connaît la vérité, pas vrai ? Je n'irais pas perdre mon temps avec des joueurs sans potentiel. Tu es notre arme secrète, et je tiens à ce que ça reste comme ça jusqu'à notre première partie.

On dirait que je suis l'arme secrète de beaucoup de monde.

Lorsque nous parvenons au premier étage, Asher fait pivoter son fauteuil face à moi, renverse la tête en arrière et échange un coup d'œil avec Hammie. Elle lui adresse un hochement de tête.

— Hammie va te montrer le reste, dit Asher. On décolle pour la fête dans quelques heures. (Il repart en direction de l'ascenseur.) Tous les joueurs seront là. Si c'est la première fois que tu assistes à une fête de ce genre, j'aime autant te prévenir que ça décoiffe.

Hammie prend aussitôt le relais. Elle fait à peu près la même taille que moi, mais sa façon de relever le menton la fait paraître plus grande. Elle m'entraîne et s'arrête devant la première porte.

— Voici ta chambre, déclare-t-elle.

Je m'attends à voir la porte s'ouvrir comme une porte ordinaire, mais elle coulisse dans le mur. La chambre est immense, plus spacieuse encore que mon penthouse à l'hôtel. Une paroi de verre donne sur mon propre patio privé, à moitié occupé par une piscine à débordement à l'eau translucide. Les autres murs sont décorés de couleurs virtuelles, or et ivoire, que je peux apprécier grâce à mes lentilles. Quand je les touche, les couleurs ondulent sous mes doigts et font courir des ondes à travers la chambre. En même temps, trois boutons minuscules apparaissent juste au-dessus de ma main, au ras du mur. L'un dit « Arrêt », l'autre « Changement de thème », le troisième

« Personnalisation ». Je décide d'éteindre les couleurs pour l'instant et appuie sur le premier bouton. Les murs deviennent blancs. Je regarde autour de moi. Le lit est gigantesque, recouvert de coussins et de couvertures et les tapis valent largement ceux que j'ai vus en bas. Un espace de travail domine le reste de la pièce : deux fauteuils, un grand bureau.

Hammie sourit en voyant la tête que je fais.

— Et encore, je t'ai laissé la plus petite chambre, dit-elle.

Je me tourne vers le coin bureau.

— C'est complètement dingue.

— Tout est aligné sur le jeu, dans ce bâtiment, m'explique-t-elle. Comme le reste de Tokyo. Tu gagnes trois tickets chaque fois que tu personnalises tes murs, et un ticket pour changer le thème. La chambre est préprogrammée sur ton compte Warcross. Quand tu es connectée, le bâtiment sait automatiquement que c'est toi qui rentres.

— Comment ça marche ? dis-je.

Elle s'avance et m'indique d'un coup de menton un bouton « Marche » qui flotte au-dessus de mon bureau. Elle n'essaie pas d'y toucher.

— Tu es la seule à pouvoir allumer ton espace de travail, dit-elle. Appuie là-dessus.

Je touche le bouton. Aussitôt, le bureau passe-partout se pare des couleurs de notre équipe et affiche un message de bienvenue à mon nom en caractères blancs. Une seconde plus tard, un écran holographique s'en élève. Un écran d'ordinateur presque normal, sauf qu'il flotte dans les airs. Ces ordinateurs de bureau commencent tout juste à gagner le marché américain et sont beaucoup trop chers pour moi, évidemment.

Hammie s'amuse de mon expression.

— Fais glisser ton écran vers le mur, suggère-t-elle.

Je touche l'écran avec deux doigts et fais le geste de le projeter vers le mur d'en face. L'image réagit en traversant la pièce pour s'étaler sur la totalité du mur, en haute résolution.

— C'est au salon d'en bas qu'on travaille le mieux, bien sûr, ajoute Hammie. Mais il y a ce même dispositif dans toutes les chambres. Pratique, pour convoquer une réunion d'équipe à tout moment.

Si le même système se retrouve au rez-de-chaussée, ça veut dire que les ordinateurs des chambres sont vulnérables. Si je réussis à m'introduire dans le système du bâtiment, je pourrai accéder à celui de chaque chambre, quel que soit son occupant. Je souris à mon mur transformé en écran géant.

— Merci.

— Je commençais à croire qu'il n'y aurait jamais aucun Américain comme choix numéro un, dit Hammie en se recoiffant. C'est bien de t'avoir dans l'équipe. Je vais peut-être lâcher un peu Asher et me moquer plutôt de toi, pour changer.

Elle m'adresse un clin d'œil et tourne les talons sans attendre ma réaction.

Je reste où je suis jusqu'à ce qu'elle soit sortie de ma chambre et que la porte se soit refermée derrière elle. Puis, les poings sur les hanches, j'admire mon nouvel environnement. Ma chambre à moi. Dans la maison officielle des Phoenix Riders. On a déposé sur mon lit le sac qui contient mes maigres affaires personnelles. J'en sors ma décoration de Noël et le tableau de papa, les pose délicatement sur l'étagère. Ces petits objets ont l'air minuscules, trop simples pour une chambre aussi luxueuse. J'imagine papa debout à côté de moi.

« Eh bien, Emi, dirait-il en remontant ses lunettes sur son nez. Tu m'en bouches un coin. »

L'évocation de mon père m'incite à tourner la tête en direction de l'armoire. Sur une légère pression du doigt, la porte coulissante s'ouvre et dévoile un espace aussi vaste que le studio que je partageais avec Keira.

Nom de Dieu.

L'armoire est remplie de vêtements en tout genre, rien que des fringues de marque. Je m'avance entre les rayons, incrédule, passant la main sur les cintres. Il y a des chemisiers, des jeans, des robes, des manteaux, des chaussures, des sacs à main, des pochettes, des ceintures, des bijoux… valant chacun plusieurs milliers de dollars au bas mot. Ma main s'arrête au casier à chaussures, où je choisis une paire d'escarpins ravissants, blanc, rouge et vert, qui sentent le cuir neuf et dont les talons sont ornés de clous en or. Comme tout ce qu'on trouve dans l'armoire, ils portent encore une étiquette, accompagnée d'une petite carte.

GUCCI
Sponsor officiel
du VIIIe championnat de Warcross

Des cadeaux de sponsors. Pas étonnant que les joueurs professionnels donnent toujours l'impression de sortir d'un défilé. Je retire mes vieilles bottines, les range dans un coin et enfile mes nouvelles chaussures. Elles me vont comme un gant.

Une heure passe, durant laquelle j'essaie avec frénésie tout le contenu de mon armoire. Il y a même une étagère entière dévolue à des masques, un accessoire que j'ai aperçu fréquemment dans les rues de Tokyo. J'en mets plusieurs, ramenant l'élastique sur les oreilles de manière que les masques me couvrent le nez et la bouche. Ça pourrait être pratique pour me déplacer en ville incognito.

Après avoir fini, je reste plantée là, au milieu de tous ces vêtements hors de prix, pantelante, mal à l'aise. Chacun de ces habits coûte plus que l'ensemble des dettes qu'Hideo a effacées pour moi.

Hideo.

Je secoue la tête, remets tout en place et sors de l'armoire. J'aurais le loisir d'admirer ça plus tard. Dans l'immédiat, j'ai du travail. Hideo s'est assuré que je sois draftée dans une équipe, à moi maintenant de faire en sorte que mon équipe remporte le plus de manches possible. Parce que plus les Phoenix Riders iront loin dans la compétition, plus j'aurai de temps devant moi pour enquêter sur les joueurs.

Pour l'instant, les autres chasseurs sont probablement sur la piste de Zéro, voire en train de faire leur premier rapport à Hideo pendant que je m'extasie devant ma garde-robe. Ils étaient sans doute présents à la Wardraft, eux aussi. Ont-ils remarqué la silhouette sombre cachée dans les poutrelles du plafond ? Il se peut qu'un autre que moi soit en train de récolter les dix millions de dollars ; j'ai peut-être déjà un pied dans l'avion pour New York. Et je suis là, à perdre mon temps en essayages.

Je décide de me bouger les fesses.

Pour commencer, j'active mes boucliers et bascule sur mon compte anonyme. Puis je m'assieds au bord du lit et j'ouvre la capture d'écran que j'ai prise dans le stade. Il s'agit d'une capture en 3D, que l'on peut faire pivoter à partir de son point d'origine. En plus, elle a enregistré toutes les données et le code à l'œuvre dans le stade au moment de la capture.

Je plisse les yeux sur la silhouette aux contours flous. Zoomer dessus ne fait que la brouiller davantage. Je vois le code qui fait tourner les simulations virtuelles partout dans le stade, mais il n'y a aucun code, aucune donnée attachée à cette silhouette. J'entre quelques commandes pour masquer les visuels de la capture et ne plus voir que des lignes de code. À l'emplacement de la silhouette, je ne distingue plus qu'un grésillement de neige.

Je me renverse en arrière et je réfléchis. Le gars a fait ce qu'il fallait pour se cacher, n'empêche que je l'ai vu. Il ne s'y attendait sans doute pas. Si c'est bien Zéro, il devrait prendre plus de précautions. Mais le Tokyo Dome comporte son propre réseau de connexions pour la Wardraft. Le plus facile pour s'introduire là-haut, c'était sans doute d'être physiquement présent dans le stade, d'avoir déjà franchi le premier cordon de sécurité. Un membre du public, donc. Ou un joueur, comme Hideo le soupçonne. Ou alors une wild card.

Je me redresse, fais réapparaître les visuels puis zoome dessus pour analyser le code qui génère la silhouette. Des lignes de code épurées s'affichent. Je les parcours en me mordillant machinalement l'intérieur de la joue.

Enfin, je relève un détail qui me fait tiquer. Une ligne. Même pas : deux lettres et un zéro, noyés dans le code. Un indice.

WCO

La plupart du temps, dans le code de Warcross, les joueurs sont désignés par leur identité sous la forme *WPN*. *WP* correspond à Warcross Player. *N* est un nombre généré de manière aléatoire. Donc, si je consultais le code de mon propre avatar, je me verrais probablement désignée par WP39302824, ou quelque chose comme ça.

Le seul moment où certains joueurs de Warcross utilisent une identité différente, c'est pendant la Wardraft. À cette occasion, les wild cards ne sont plus désignées par leur *WP* habituel mais par un *WC*. Mon identité à la Wardraft était WC40, puisque j'avais été nommée la dernière.

WC0. Quel que soit celui qui se cache derrière la silhouette, il avait été admis physiquement dans l'enceinte du Tokyo Dome. Une wild card à la Wardraft. Les soupçons d'Hideo se confirment.

Je me ronge un ongle tout en réfléchissant. J'aurais besoin d'une autre occasion où toutes les wild cards soient réunies au même endroit afin de pouvoir étudier leurs infos.

La fête de ce soir. Les joueurs seront là en force. C'est ma chance.

J'ouvre un menu virtuel et presse le bouton d'appel de Wikki.

Une minute plus tard, le petit robot s'amène en roulant dans ma chambre, ses yeux en demi-lunes levés vers moi. Je lui fais signe d'approcher, puis le fais pivoter pour étudier le panneau à l'arrière de sa tête. En même temps, j'examine ses réglages.

— Tu es vraiment trop mignon, toi, dis-je dans un murmure tout en retirant prudemment le panneau.

Un labyrinthe de circuits apparaît à l'intérieur.

— Wikki, coupe tous tes enregistrements.

Le robot s'exécute et cesse de recueillir des infos. En fouillant dans sa tête, je me rends compte qu'il n'a pas été fabriqué par Henka Games mais par une autre compagnie, aux exigences moins strictes. Malgré toutes les précautions qui nous entourent, personne n'a pensé à vérifier la sécurité de ce petit robot simplement chargé de nous servir de la nourriture et des boissons, et d'enregistrer nos habitudes de consommation.

Une heure plus tard, je suis parvenue à percer ses défenses. Il stocke beaucoup plus d'informations que je ne le pensais. Il est préréglé non seulement pour les Phoenix Riders, mais aussi pour toutes les autres équipes, ce qui veut dire qu'il a des options de connexion vers les comptes NeuroLink de tous les joueurs. Je souris. *Partout dans le monde, on est tous reliés les uns aux autres d'une manière ou d'une autre.*

Je crée un script pour neutraliser la sécurité de Wikki. Grâce à lui, j'accède aux comptes de mes coéquipiers. Je récupère leurs e-mails, leurs messages, leurs souvenirs. Ensuite, je modifie mon script pour infiltrer les comptes des joueurs des autres équipes.

Il va mettre un moment à tout télécharger, mais au moins le processus est lancé.

Je remets en place le panneau de Wikki, m'assure de n'avoir laissé aucune trace de mon intervention, puis redémarre le robot. Il se rallume en clignant des yeux, réglages revenus à la normale. Je lui tapote la tête et j'accepte un autre soda à la fraise.

— Merci, Wikki, dis-je en lui adressant un clin d'œil.

Il enregistre ma préférence, puis roule hors de ma chambre.

J'ouvre ma cannette et bois une gorgée de soda. D'ici demain, je devrais avoir tout ce qu'il me faut.

11

Le soleil se couche quand nous arrivons au cœur de Shibuya. Les enseignes au néon de Tokyo sont déjà allumées et plongent la ville dans un arc-en-ciel scintillant. Des vigiles se déploient autour de notre limousine pour nous escorter à l'intérieur du night-club. La rue a été fermée à la circulation, pour ne laisser passer que nos voitures, et on a déroulé un tapis rouge sur le trottoir.

Nous portons tous nos lentilles. Elles nous donnent à voir des étincelles argent et or de chaque côté des portes en verre, tandis qu'un logo Warcross flotte au-dessus de l'immeuble. Le trottoir est un kaléidoscope de couleurs vives. Le nom de la boîte, Sound Museum Vision, surplombe l'entrée en lettres lumineuses et gigantesques. J'entends d'ici la musique qui gronde à l'intérieur : les basses lancinantes d'un morceau de DJ Ren.

Les seules personnes admises dans la boîte ce soir sont les joueurs officiels de Warcross, les employés d'Henka Games et une poignée de fans sélectionnés par tirage au sort. Ces derniers font la queue à l'extérieur, impatients que les vigiles les laissent entrer. Quand ils voient arriver notre équipe, ils poussent des hurlements hystériques.

Nous portons tous les quatre des masques noirs assortis. Hammie ouvre la marche, avec ses longues boucles brunes qui flottent librement, une robe jaune et blanche et des chaussures noires à talons hauts. Asher la suit, dans un costume rouge éclatant, tandis que Roshan est habillé en noir de la tête aux pieds.

Je tripote avec nervosité l'ourlet de ma robe. J'ai choisi une petite robe légère, en mousseline de soie blanche qui fait un joli contraste avec mes tatouages et mes cheveux arc-en-ciel, or elle remonte beaucoup plus haut que je ne m'y attendais. C'est ma première soirée dans une boîte de nuit aussi chic et, en passant devant les fans, je me demande si je n'aurais pas dû opter pour une autre tenue. Hideo sera présent, après tout. Je n'ai aucune envie de me sentir mal à l'aise devant lui.

Des cris derrière nous dans la foule attirent mon regard. Bien sûr, c'est Hideo qui arrive, escorté par une armée de gardes du corps. Ils le laissent un peu respirer, ce soir ; en y regardant de plus près, je m'aperçois qu'Hideo s'est agenouillé pour signer une affichette que lui tend une petite fille. Elle lui dit quelque chose avec excitation. Je suis trop loin pour entendre ce qu'elle lui raconte, mais Hideo rit aux éclats. Son rire me surprend ; il est franc, sincère, aux antipodes du comportement distant qu'il avait adopté lors de notre entretien. Je m'attarde un moment sur le tapis rouge. Puis je suis mon équipe à l'intérieur.

La boîte est en sous-sol. À la sortie de l'ascenseur, la musique devient brusquement assourdissante ; le grondement des basses fait trembler le sol, je le ressens jusque dans les os. Hammie se glisse près de moi, retire son masque et le range dans son sac à main. Je l'imite.

— Le Sound Museum Vision possède la meilleure sono de toute la ville ! me crie-t-elle. Du sur-mesure. Ils ont complètement refait l'intérieur il y a quelques années, la piste est deux fois plus grande qu'avant.

Au bas de l'escalier, un deuxième groupe de vigiles nous laisse passer. Je débouche dans une caverne parcourue de flashs, au milieu du fracas de basses qui fait vibrer ma poitrine.

Sans les lentilles, je serais déjà impressionnée. Le plafond doit être à douze mètres du sol, et des faisceaux de lumière bleu électrique, vert et or zèbrent l'obscurité en nous aveuglant de couleurs. Une marée humaine ondule sur la piste, les bras en l'air, les têtes s'agitant dans tous les sens. Une légère fumée flotte à travers la salle, qu'elle plonge dans un brouillard surréaliste. Des écrans géants s'alignent sur les murs et à l'arrière-plan de la scène, du sol jusqu'au plafond, donnant à voir une présentation animée de chacune des équipes de Warcross.

Mais avec les lentilles, l'endroit devient magique. Le plafond prend des allures de ciel étoilé, strié de bandes rouges et vertes qui rappellent les aurores boréales. Certaines étoiles se rapprochent pour nous inonder d'étincelles, et l'on se retrouve alors sous une pluie de poussière d'étoiles. Chaque fois que la basse résonne, le sol s'embrase en une symphonie de couleurs. Les joueurs officiels brillent dans le noir, soulignés au néon, littéralement auréolés de leur nom, du nom de leur équipe et de leur niveau. La foule se presse autour d'eux. Tout le monde cherche à capter leur attention sur le dance floor.

Zéro est peut-être là en ce moment. Les autres chasseurs de primes aussi.

Je lève les yeux vers la scène. Un groupe joue au fond de la salle, aussi grande qu'une salle de concert. La tête d'un dragon bleu jaillit de l'écran géant derrière les musiciens. On dirait qu'il crache du feu. L'effet est si spectaculaire qu'on jurerait presque que la créature est réelle : elle ondule et secoue la tête au rythme de la musique, tandis que des grognements caverneux s'échappent de la sono.

Debout dans la gueule du dragon se dresse une chanteuse aux cheveux courts et décolorés, vêtue de bleu électrique. Frankie Dena ! Elle interprète le refrain d'une de ses collaborations avec DJ Ren :

— *Hé ! Ninja / Gangsta / Dragon Lady / Hé ! dis-moi d'où tu viens, non, d'où tu viens vraiment, baby / Hé ! Et si / tu arrêtais un peu les conneries / Ouais !*

Les danseurs agitent les bras en rythme.

Puis Frankie Dena nous aperçoit et s'interrompt.

— Les Phoenix Riders sont dans la place ! rugit-elle.

Les projecteurs stroboscopiques se braquent sur nous, et tout à coup nous voilà nimbés de rouge. Des clameurs s'élèvent, assez fortes pour faire trembler le sol. Frankie sourit et pointe du doigt une silhouette au-dessus de l'écran géant.

— Montre un peu d'amour à ton équipe, Ren !

Le personnage en question, protégé derrière une cage dorée, lève un court instant la tête. Il porte tout l'attirail classique du DJ : costume noir sur mesure, lunettes dorées, masque d'or et casque dernier cri orné de petites ailes dorées, tel un Hermès habillé chez le couturier du même nom. La musique bascule en l'espace d'une mesure ; des violons et des violoncelles électriques envahissent la salle, soutenus par des percussions fracassantes. Simultanément, des flammes jaillissent d'un peu partout, tandis que la tête

167

de dragon à l'écran se transforme en phénix rouge et or. Je sens quelque chose bouger sous moi et lâche une exclamation de surprise. Quand je baisse les yeux, je vois le sol s'effriter par endroits, dévoilant un flot de lave en fusion. Les danseurs poussent des exclamations ravies ; chacun d'eux se retrouve sur un îlot de pierre entouré de lave.

DJ Ren, concentré sur ses platines, lève un bras bien haut tandis que le tempo s'accélère jusqu'à devenir presque insoutenable. Puis il abat sur nous une basse dévastatrice. La salle tremble, et la foule en délire saute en secouant les bras et les jambes. La musique me donne le vertige.

Je ferme les yeux et me laisse porter un moment. Je m'imagine dans les rues de New York sur ma planche électrique, les cheveux au vent. Debout au sommet d'un gratte-ciel, bras écartés. Ou bien volant à travers le ciel de Warcross, en route vers les étoiles. Je suis libre.

Asher a déjà la tête ailleurs, son attention focalisée sur les joueurs de la Demon Brigade, qui viennent d'arriver ; Frankie les annonce au micro et DJ Ren modifie son écran pour remplacer le phénix par une horde de cavaliers-squelettes encapuchonnés qui chargent la foule, l'épée au poing.

— Va discuter un peu avec les Demons, ce soir, me crie Asher à l'oreille. Tu es la petite nouvelle, ils vont tout faire pour t'intimider ; essayer de te déstabiliser avant ta première partie.

— Ils ne me font pas peur.

— J'espère bien, dit Asher en m'adressant un clin d'œil. Mais joue la comédie, fais en sorte qu'ils te sous-estiment. Je veux qu'ils te voient comme une petite chose craintive, qu'ils se disent que j'ai commis une grosse boulette en te choisissant ; qu'ils se sentent en confiance. Ce sera d'autant plus savoureux de les massacrer ensuite dans le jeu.

Roshan jette un regard en coin à son capitaine.

— Ce n'est pas un peu tôt pour envoyer notre wild card en première ligne ? objecte-t-il.

— Ne t'en fais pas pour elle, réplique Asher avec un grand sourire. Il y a « première ligne » écrit en gros sur son front.

Je lui souris en retour. En espérant que tout ne s'écrit pas aussi clairement sur mon front : je ne voudrais pas qu'il y lise les vraies raisons de ma présence. Puis je tourne mon attention vers les Demons, regroupés au pied de la scène. Ça me paraît l'occasion idéale pour recueillir des infos sur eux.

— À vos ordres, capitaine ! dis-je.

Alors qu'on se fraye un chemin à travers la forêt de coudes et d'épaules, Roshan me tend un verre.

— Tu en auras besoin, me dit-il. Ash aime bien asticoter un peu nos concurrents avant le début du championnat. Mais si tu n'as pas envie de parler aux Demons, tu n'es pas obligée.

Où que je me tourne, j'aperçois des joueurs officiels que je reconnais. Eux aussi me remarquent, me reconnaissent, poursuivent leurs discussions sans me quitter des yeux. Que se disent-ils ? Que savent-ils ? Y a-t-il des chasseurs de primes parmi eux ? Pour quelqu'un comme moi, habituée à rester dans l'ombre, toute cette attention a de quoi me perturber. Pourtant, je me force à leur sourire à tous.

— Allons-y, dis-je à Roshan. Les gens vont parler de moi de toute façon. Autant m'habituer à la confrontation.

Roshan se penche vers moi et d'un coup de menton m'indique deux joueurs de la Demon Brigade, Max Martin et Tremaine Blackbourne, qui discutent dans un coin.

— Eh bien, si on doit se retrouver face aux Demons, me confie-t-il à l'oreille, il faudra t'occuper de ces deux-là. Max est leur Guerrier, Tremaine leur Architecte. Et tu peux être sûre que Tremaine s'attaquera directement à toi vu que tu as été choisie la première. Amène-toi.

Il pose sa main dans mon dos et m'entraîne à travers la foule.

À côté de Max, Tremaine paraît très maigre, tout pâle, presque fantomatique dans son costume noir et blanc. Roshan et lui échangent un regard glacial. Puis il me dévisage d'un air sceptique.

— Hé ! fais-je en affichant un grand sourire naïf. Tu es Tremaine Blackbourne, c'est ça ? (En même temps, je pianote discrètement contre ma cuisse pour commencer à télécharger des infos sur Max et lui.) C'est drôlement excitant de se retrouver ici, au milieu de toutes les équipes, pas vrai ?

— Elle est tout excitée de se trouver là, confie Tremaine à Max sans me quitter des yeux. J'imagine que je le serais aussi, à sa place, si j'avais triché pour intégrer la draft.

Il faudrait d'abord que tu sois assez malin pour ça, suis-je tentée de riposter, mais je respire profondément et ravale ma réplique.

Voyant mon expression tendue, Tremaine esquisse un mince sourire.

— Regardez-moi un peu ce petit chaton. Elle est si sensible qu'elle a besoin d'un Bouclier pour lui servir d'escorte. (À voir comment il évite le regard de Roshan, je comprends que c'est lui qui retient toute son attention.) Qu'est-ce qui a bien pu prendre à Ash, de la choisir en premier ?

Max m'examine de la tête aux pieds.

— Il a peut-être voulu prendre quelqu'un qui corresponde au pedigree de son équipe. Tu ne crois pas,

Ahmadi ? demande-t-il à Roshan. (Les deux Demons ont beau me toiser, ils ne m'ont pas encore adressé une seule fois la parole. Je sens la main de Roshan se crisper sur mon bras.) On n'est même pas admis dans un grand restaurant, avec un niveau 28. Elle a l'air de sortir d'une friperie.

Je fais semblant de trébucher et j'écrase le pied de Max avec mon talon. Il pousse un cri de douleur.

— Oh, mon Dieu ! Je suis *désolée* ! dis-je en bredouillant. C'est impossible de marcher avec ces hauts talons d'occasion.

Roshan me regarde d'un air surpris. Un petit sourire lui creuse le coin des lèvres.

— Écoutez, j'ai l'impression qu'on est partis du mauvais pied… sans jeu de mots, dis-je à Max qui me fusille du regard. On pourrait peut-être recommencer à zéro, vous savez, entre joueurs qui se respectent ?

Et je leur tends la main.

Tremaine est le premier à pouffer de rire.

— Waouh ! s'exclame-t-il par-dessus la musique. Pour une wild card, elle ne manque pas de culot. (Il ignore ostensiblement ma main tendue.) Écoute, princesse Peach, ce n'est pas comme ça que ça marche en championnat.

Je lui adresse un regard innocent.

— Ah bon ? Alors comment ça marche ?

Il lève un doigt.

— D'abord, je joue contre toi. (Il lève un deuxième doigt.) Ensuite, je te bats. Et après seulement, si tu demandes gentiment, je te signe un autographe. Ça me paraît plutôt généreux, qu'est-ce que tu en dis ?

Les fans ricanent autour de nous et, malgré la musique de DJ Ren, je peux les entendre s'esclaffer. Je dois faire appel à tout mon self-control pour ne pas effacer d'un coup de poing le petit sourire supérieur de Tremaine. Je me suis battue je ne sais combien de fois pour moins que ça.

Au lieu de quoi, je parcours rapidement les infos que mon script est allé piocher dans les comptes des deux Demons. Je n'y trouve rien de suspect. Celles de Max Martin sont étonnamment succinctes. Aucun pare-feu spécial. Rien d'intéressant.

Roshan vient à mon secours avant que les Demons ne puissent en rajouter une couche.

— Économise ta salive, dit-il froidement, le regard rivé sur Tremaine. Ce n'est pas ça qui t'aidera dans l'arène.

Tremaine me toise avec dédain. J'en suis ravie, ça confirme qu'ils vont me sous-estimer.

— Décidément, on a une grande gueule chez les derniers du classement, lâche-t-il. (Il jette un coup d'œil à Roshan.) Retourne auprès de tes Riders.

Puis il s'éloigne. Et Max lui emboîte le pas.

— Leur chat s'est fait écraser ce matin, ou quoi ? dis-je à Roshan, le regard rivé entre les omoplates de Tremaine.

— Ça fait partie de leur stratégie habituelle. Ils cherchent à mettre en boule leurs adversaires. Parfois, ça marche. Quand on répète une insulte assez longtemps, les gens finissent par y croire.

Des images de championnats antérieurs me reviennent en mémoire, et soudain je me rappelle avoir souvent vu Tremaine et Roshan ensemble, en train de rire tous les deux.

— Dis donc, fais-je observer, Tremaine est un ancien Phoenix Rider, non ? Vous n'étiez pas amis, avant ?

Le visage de Roshan s'assombrit.

— On peut dire ça.

— Que s'est-il passé ?

— Tremaine veut gagner. Toujours, répond-il. Ce n'est pas plus compliqué que ça. Alors, quand la Demon Brigade a commencé à truster le haut du classement, il a quitté les Riders. (Il hausse les épaules.) C'est aussi bien comme ça. Leur mentalité lui convient mieux, de toute manière.

Et là, je me souviens que Roshan et Tremaine étaient tous les deux des wild cards la même année. Roshan avait été le premier choix. Je serais tentée de l'interroger à ce sujet, mais son expression me donne à penser qu'il a plutôt envie de parler d'autre chose. Peut-être étaient-ils plus qu'amis. Donc, je laisse tomber.

Hammie nous fait de grands gestes de l'autre côté du dance floor. Elle pointe un groupe de gens réunis autour de quelqu'un. Je m'aperçois qu'il s'agit d'Hideo, les manches de sa chemise roulées au-dessus des coudes, son blazer négligemment jeté sur son épaule. Kenn l'accompagne, gratifiant fans et joueurs de son grand sourire chaleureux. Hideo se montre plus réservé, toujours aussi sérieux, et salue poliment de son côté.

Hammie se fraye un chemin jusqu'à nous et nous prend tous les deux par le bras.

— Allons lui faire coucou.

Nous nous retrouvons coincés derrière un groupe de Cloud Knights et d'Andromeda, tandis que devant nous Max et Tremaine serrent la main d'Hideo. Tremaine lui glisse quelques mots ; Hideo l'écoute patiemment en hochant la tête, toujours sans sourire.

Je tire sur ma robe trop courte et me maudis de l'avoir choisie.

C'est alors que le regard d'Hideo se pose sur moi. Je retiens mon souffle. Hideo salue Tremaine, puis il se dirige vers nous. Soudain il est là et Roshan s'avance à sa rencontre.

Hammie me donne une tape sur le poignet.

— Arrête ça, m'ordonne-t-elle avec un regard appuyé sur ma robe. Tu es très bien.

— Je ne fais rien, dis-je pour ma défense.

Lorsque Hideo arrive devant moi, mes mains se figent le long de mon corps.

— Mademoiselle Chen, dit-il. (Ses yeux s'attardent sur mon visage.) Félicitations.

Est-ce à vous que je dois d'avoir été choisie la première ? ai-je envie de lui demander. Au lieu de quoi je lui souris et lui serre poliment la main.

— Croyez-moi, j'ai été la première étonnée.

Derrière lui, Tremaine et Max nous fixent d'un air mauvais. Si Tremaine avait des poignards à la place des yeux, je serais en train de me vider de mon sang.

— La draft réserve toujours quelques surprises, reconnaît Hideo.

— Êtes-vous en train de me dire que vous ne vous attendiez pas à ce que je sois choisie si rapidement ?

Un sourire flotte sur les lèvres d'Hideo.

— Ce fut le cas ? Je n'ai pas fait attention. (Il se penche plus près.) Vous êtes ravissante, ce soir, continue-t-il tout bas, de manière que je sois la seule à l'entendre.

Puis il nous salue de la tête et s'éloigne avec son entourage, ses gardes du corps et son cortège de fans en délire.

— Nom de Dieu ! me souffle Hammie à l'oreille, le regard rivé sur Hideo. Il est encore plus beau en vrai qu'aux infos.

Roshan m'étudie, incrédule.

— Il ne viendrait pas de te *charrier* pour avoir été choisie la première ?

— J'ai l'impression qu'il ne m'apprécie pas beaucoup.

— C'est un truc à te retrouver en une des tabloïds, tu veux dire, rétorque Hammie. Tu en es consciente, non ? Hideo ne parle jamais comme ça à ses joueurs. Il reste toujours business, business.

Elle me donne un coup de coude assez appuyé pour m'arracher un grognement.

— Pas de quoi en faire une affaire.

Hammie s'esclaffe. Ses boucles rebondissent.

— Je m'en fiche, dit-elle. La façon dont Tremaine fulminait à l'arrière-plan... Ça va me donner la pêche pour tout le championnat !

Tandis que plusieurs fans se pressent autour d'elle et de Roshan pour leur réclamer des autographes, je cherche Hideo du regard. Ainsi, il m'a observée pendant la War-draft. Je le revois dans sa tribune privée à l'annonce de mon nom comme premier choix. *Il ne parle jamais comme ça à ses joueurs.* Comment leur parle-t-il, alors ? N'a-t-il pas échangé quelques mots avec tous ceux qu'il a croisés ce soir ? Je le repère dans la foule une dernière fois avant que ses gardes du corps ne l'entraînent dans un couloir.

Un nom apparaît dans mon champ de vision et je lève la tête malgré moi. Sans m'en rendre compte, je me suis approchée tout près de l'espace où DJ Ren s'affaire derrière sa montagne d'instruments, à balancer un tempo rapide, tandis que les ailes dorées de son casque scintillent sous les flashs stroboscopiques. J'avais presque oublié qu'il fait partie des joueurs officiels, lui aussi. À présent, je me trouve suffisamment près de lui pour récupérer ses données.

Je me connecte discrètement à son compte et j'en affiche le contenu.

Surprise. Ses données privées sont abritées derrière une tonne de défenses ; pas seulement une, mais des dizaines. Tout ce que je télécharge à partir de son compte me parvient crypté. Visiblement, Ren ne plaisante pas avec la sécurité et il sait se protéger bien mieux que la plupart des joueurs. Presque trop. Je le dévisage. *La silhouette que j'ai aperçue au Tokyo Dome était l'une des wild cards.*

Et seule une wild card n'était pas assise avec les autres pendant la Wardraft.

12

L e lendemain matin, j'entends la voix d'Asher nous
appeler depuis l'atrium alors que je sors de ma
chambre en bâillant, les cheveux en pagaille. Je
tombe nez à nez avec Hammie. Elle grommelle d'une voix
pâteuse :

— Réunion en bas.

— Qu'y a-t-il ?

— Ça va être l'annonce de la répartition des équipes,
m'explique-t-elle avant de s'éloigner en titubant vers sa
salle de bains.

La répartition des équipes. Nous allons apprendre qui
seront nos prochains adversaires. La nouvelle me donne un
coup de fouet. Je me brosse les dents, me passe de l'eau sur
le visage et mets une nouvelle paire de lentilles Warcross.
Puis je descends dans l'atrium. Asher discute avec Roshan.
Il a des cernes noirs sous les yeux, mais pour le reste il a l'air
pleinement réveillé. Je baisse les yeux sur la table basse. Le
magazine au sommet de la pile affiche une photo d'Hideo
lors d'un banquet, assis à côté d'une blonde énamourée qui
lui murmure des mots doux à l'oreille. « La princesse Adèle
aurait-elle trouvé son prince ? » clame le titre.

Hammie nous rejoint un instant plus tard, bientôt suivie de DJ Ren. C'est lui qui semble avoir le plus mal dormi, avec ses cheveux châtains qui rebiquent dans tous les sens et ses yeux cachés derrière des lunettes de soleil blanches. Il a toujours son casque doré sur la tête, un écouteur en place et l'autre légèrement repoussé en arrière pour lui permettre de suivre la conversation. Il s'assied sur le canapé le plus éloigné du mien, se renverse en arrière et nous adresse un vague salut de la main. *Le seul qui n'était pas à sa place pendant la Wardraft.* Peut-être parce qu'il se planquait ailleurs, perché dans les poutres sous forme virtuelle, pour espionner tout le monde ?

Peut-être que c'est vraiment lui, Zéro ?

Non. Zéro se dissimulerait mieux que ça. Et je doute qu'il soit du genre à porter des lunettes de soleil à l'intérieur.

Hammie allonge le bras et claque des doigts sous le nez de Ren.

— Hé ! la rock-star, dit-elle. On n'est plus en boîte, là.

Ren repousse sa main d'une tape.

— Je suis sensible à la lumière le matin, explique-t-il en français sous-titré par mes lentilles.

Roshan hausse les sourcils d'un air dubitatif. Hammie lève les yeux au ciel.

— Oui, moi aussi je suis allergique aux matins, wild card, réplique-t-elle.

Pendant qu'Hammie continue à bougonner, j'examine discrètement les données de mes coéquipiers. On dirait que Roshan a envoyé plusieurs e-mails la nuit dernière, tandis que le compte de tickets d'Hammie a enregistré une baisse significative depuis hier soir, preuve qu'elle a effectué de gros achats. Je me tourne vers Ren. Comme hier, ses données sont bien protégées. Je lance un programme pour contourner ses défenses.

Roshan soupire.

— Ash, dis-lui d'enlever son casque, demande-t-il à sa manière patiente.

Asher croise les bras.

— Vire-moi tout ça, wild card. Je ne suis pas d'humeur, ce matin.

Ren se fait encore désirer un moment. Puis finit par abaisser son casque sur son cou et retirer ses lunettes de soleil. Ses yeux sont d'un marron très clair, presque dorés.

Une fois que tout le monde est prêt, Ash ordonne :

— Wikki, allume la télé.

Notre petit robot clignote dans un coin, et aussitôt une émission en direct s'affiche sur l'un des murs de l'atrium. On y voit Hideo debout derrière un pupitre, qui essuie un feu roulant de flashs.

— La répartition des équipes est sortie, explique Asher, confirmant ce qu'Hammie m'a dit. Et c'est nous qui allons ouvrir le championnat.

Décidément, Hideo semble pressé de me voir à l'œuvre.

— On affronte qui ? je demande.

Asher ouvre deux images virtuelles pour nous montrer. L'emblème de notre équipe – le phénix rouge et or – flotte en l'air à côté d'une image noir et argent représentant des squelettes encapuchonnés montés sur des chevaux. Au-dessus des deux blasons, on peut lire :

Round 1
PHOENIX RIDERS vs DEMON BRIGADE

Hammie pousse un cri de joie. Asher applaudit.

— On a perdu contre eux l'année dernière, explique-t-il en se tournant vers Ren et moi, et ensuite on s'est fait sanctionner au classement. Tout le monde va s'attendre à ce qu'on se fasse massacrer. Mais on va leur montrer qu'ils se trompent, pas vrai ? (Il se fend de son sourire carnassier.) Maintenant, ne reste plus qu'à deviner à quoi va ressembler le premier niveau.

— Chaque fois que le comité nous aligne contre les Demons, intervient Hammie, c'est toujours dans un niveau qui joue sur la vitesse. Comme le monde Eight-Bits, il y a deux ans. (Elle pousse Asher du coude.) Tu te souviens du monde Eight-Bits ?

Asher grogne.

— Tu parles ! Avec tous ses escaliers…

— Ou bien l'espace, ajoute Hammie. Ils sont très forts pour gérer l'espace en 3D. Donc si notre niveau nécessite d'évoluer dans les airs, ils risquent d'être avantagés. Sauf qu'on s'entraîne pour la vitesse. Alors que les Demons misent plutôt sur la force et la défense.

— En fait, ils s'entraînent tous pour la défense ; pas uniquement le Guerrier et le Bouclier, termine Asher. Regardez les parties où ils font leur plongeon 8 coordonné, surtout en double armement, et vous verrez à quelle vitesse ils changent de rôles.

— Le monde Dragonfire, par exemple, confirme Hammie. (Tout le monde hoche la tête sauf moi.) Rappelez-vous leur plongeon 8 en formation des falaises. Je ne peux pas les supporter, mais il faut reconnaître que c'était du beau boulot.

Je ne comprends pas un mot de ce qu'ils racontent.

Tous sont d'accord avec Hammie, et ils se mettent l'un après l'autre à évoquer d'autres mondes de haut niveau. D'autres manœuvres aux noms invraisemblables dont je n'ai jamais entendu parler. Je reste muette dans mon coin, tâchant d'absorber le plus d'éléments possible. Il n'empêche que, pour la première fois depuis la Wardraft, j'ai le sentiment de ne pas être à ma place dans ce championnat. Ren est peut-être une wild card, mais au moins c'est un joueur expérimenté ; il a déverrouillé et joué dans tous ces mondes. Alors que je n'ai jamais mis le pied dans aucun d'eux. Je suis là pour la chasse, bien sûr, mais aussi pour le jeu. Or, pour l'instant, j'ai surtout l'impression d'être en route vers une humiliation certaine. Merci, Hideo.

— Ça ne veut pas dire qu'ils n'ont pas de points faibles, reprend Asher en se tournant vers moi. Les Demons sont compétents partout mais ne brillent nulle part. Fais ton boulot d'Architecte comme tu sais le faire, Emi, et tout ira bien. On te mettra vite au parfum, tu verras.

Je lui souris, heureuse de le voir m'intégrer à la discussion.

— Tu as des conseils spécifiques sur la manière de jouer face aux Demons ?

— Plein ! Ils vont te cibler d'entrée. Quel que soit le niveau, tu as plutôt intérêt à te replier vite fait dans un endroit hors d'atteinte.

Je repense au sourire mauvais de Tremaine, aux insultes de Max, ainsi qu'à l'avertissement de Roshan.

— Je ferai ça, dis-je.

Asher se tourne vers Ren.

— Je n'ai jamais vu un Guerrier aussi rapide que toi, mais Max Martin possède une attaque d'une puissance incroyable. Tu auras de quoi t'occuper.

Ren le salue en se touchant la tempe avec deux doigts.

— Compris, capitaine.

Face à moi, Roshan est le seul que la répartition des équipes ne semble pas combler de joie. Asher l'observe du coin de l'œil avant de hocher la tête.

— Et toi, demande-t-il, tu as des conseils pour Emi sur la façon d'aborder Tremaine ?

— Ash… prévient Hammie.

Roshan jette un regard noir à notre capitaine.

— C'était un de tes Riders avant de devenir un Demon. Dis-lui toi-même.

Asher se contente de hausser les épaules.

— Ce n'est pas ma faute si tu es sorti avec lui, dit-il. Tu le connais mieux que n'importe qui ici. Alors laisse tes griefs personnels en dehors de tout ça et donne un coup de main à notre wild card, tu veux bien ?

Roshan fixe Asher un long moment. Puis il soupire et se tourne vers moi.

— Tremaine est un Architecte qui peut jouer à tous les postes. C'est le meilleur chez les Demons pour ce qui est de changer de rôle, et il fait un très bon Voleur ou Guerrier. Alors parfois, dans le jeu, ses coéquipiers lui jettent leurs armes ou leurs bonus pour qu'il s'en serve ; même si, en théorie, il reste leur Architecte. Quand tu te bats contre lui, n'oublie jamais qu'il peut prendre plusieurs visages et qu'il peut te sortir à tout moment un coup parfaitement inattendu. Je te montrerai à l'entraînement.

Cette réponse semble satisfaire Asher et, quand Roshan se renfonce dans le canapé et croise les bras, il le laisse tranquille.

— Et les autres matchs, ça donne quoi ? demande Ren.

Asher fait défiler l'image vers la gauche. Notre emblème et celui de nos adversaires sont remplacés par deux autres.

WINTER DRAGON vs TITANS.

Il fait défiler la suite. ROYAL BASTARDS vs STORM-CHASERS. CASTLE RAIDERS vs WINDWALKERS. GYRFALCONS vs PHANTOMS. CLOUD KNIGHTS vs SORCERERS. ZOMBIE VIKINGS vs SHARP-SHOOTERS. Et il continue jusqu'à la huitième rencontre : ANDROMEDA vs BLOODHOUNDS.

Mon attention revient à l'écran sur lequel Hideo, toujours debout derrière son pupitre, flanqué de Kenn d'un côté et de Mari de l'autre, répond à une succession de questions. Je demande à Ash :

— On pourrait écouter ce qu'il dit ?

Il remet le son de la télé. Les bruits de la conférence de presse résonnent à travers l'atrium. Hideo se tourne vers un journaliste qui lui crie une question par-dessus le brouhaha :

— Monsieur Tanaka, c'est bien aujourd'hui la sortie officielle de vos dernières lunettes, excusez-moi, lentilles Warcross ?

Hideo hoche la tête.

— Oui. Elles sont livrées partout dans le monde à l'heure où je vous parle.

— Monsieur Tanaka, intervient un autre journaliste, nous avons déjà des images de files d'attente interminables et on parle de cargaisons entières volées dans les camions. N'avez-vous pas peur, en distribuant ces lentilles gratuitement, qu'Henka Games subisse un gros manque à gagner ?

Hideo le dévisage avec froideur.

— Les avantages de la réalité alternative méritent d'être offerts à tous. Le gros de nos profits provient du jeu lui-même, pas du matériel.

Les journalistes recommencent à crier tous à la fois. Hideo tourne la tête pour prendre une autre question.

— Monsieur Tanaka, lui demande-t-on, voulez-vous nous expliquer les raisons de votre intérêt pour Emika Chen ?

Tous mes coéquipiers se tournent vers moi, tandis que je rougis jusqu'aux oreilles. Je me racle la gorge, toussote. À l'écran, cependant, Hideo reste imperturbable.

— Pouvez-vous préciser la question ? répond-il.

Le journaliste, trop heureux d'obtenir une réaction, continue sans se faire prier :

— Une wild card non classée ? dit-il. Premier choix de la draft ? Et les Phoenix Riders, son équipe, qui vont jouer le premier match de la saison ?

Je sens les regards de mes coéquipiers peser sur moi. Seul Asher lâche un grognement agacé et marmonne :

— *Son* équipe ? C'est moi, le capitaine !

L'expression d'Hideo demeure parfaitement calme, presque indifférente. *Rien de nouveau,* me dis-je avec fermeté. *Les journalistes scrutent ses moindres interactions avec une fille.* Certains le voient même proche de la princesse de Norvège, à en croire la une du magazine sur notre table basse. La seule réaction visible, en fait, ne vient pas d'Hideo mais de Kenn, que je vois esquisser un sourire.

— Je n'ai aucun contrôle sur la draft, répond Hideo. Et l'ordre des rencontres a été choisi par un comité il y a des mois.

Puis il se tourne vers un autre journaliste.

Hammie siffle doucement.

— Tu as vu ça, Emi ? Maintenant, tu peux être sûre que les tabloïds de la semaine prochaine vont faire leur couverture sur Hideo et toi.

Je frissonne à cette idée. On n'en est qu'au premier jour d'entraînement et mes rôles de wild card et de chasseuse de primes entrent déjà en conflit. Ce sera un miracle si je ne me trahis pas avant la fin de la semaine.

Finalement, Hideo abandonne son pupitre et la conférence de presse s'achève. Asher demande à Wikki d'éteindre la télé. Puis il se tourne vers nous.

— Bon, dit-il, il nous reste un mois pour mettre nos deux wild cards au niveau.

Je vérifie le logiciel que j'ai chargé de craquer les défenses de Ren. Il y est presque.

— Tout le monde a ses lentilles ? demande Asher. (Nous hochons la tête à l'unisson.) Alors allons-y, les Riders ! L'entraînement commence tout de suite.

13

sher se penche en avant, puis touche un bouton sur l'écran qui flotte devant lui. Un menu War-cross s'affiche devant mes yeux. *Si Asher peut nous montrer la même chose à tous, ça veut dire qu'on est en réseau pendant l'entraînement.* Il sera peut-être plus facile pour moi d'accéder aux données personnelles de Ren. À leurs données à tous.

Pendant que je réfléchis à ça, Asher clique sur l'option `Terrain d'entraînement`. Tout devient noir. Je cligne des paupières plusieurs fois. Alors un nouveau monde se matérialise autour de moi.

C'est un monde de Warcross que je n'avais encore jamais vu. Il doit être réservé aux équipes professionnelles. Il est tout blanc, comme s'il était à moitié en chantier, en attente d'un coup de peinture et de textures. Nous sommes sur un trottoir blanc, le long d'une route blanche où passent des voitures blanches, entourés de gratte-ciel blancs. Au bout de la rue j'aperçois une jungle blanche, des troncs et des feuilles ivoire, et une herbe blanche qui pousse aux abords de la ville. La seule touche de couleur vient du ciel, d'un bleu éclatant.

Pendant un instant, je m'autorise à oublier la chasse. Je me retrouve quand même dans un niveau que peu de gens auront jamais l'occasion de voir, en compagnie de certains joueurs les plus célèbres du monde.

— Bienvenue au terrain d'entraînement, me dit Asher à côté de moi.

Comme nous autres, il porte à présent une combinaison rouge standard qui offre un contraste saisissant avec le monde alentour. C'est fou comme ça nous rend repérables.

— C'est une simulation minimaliste de tous les mondes disponibles, réunis en un seul. (Il indique d'un coup de menton la direction de la jungle.) Il y a des forêts par là, au-delà des immeubles. Quelques rues plus loin à l'est, la ville s'arrête et l'océan commence. À l'ouest, des escaliers mènent au ciel. Et il suffit de soulever une plaque d'égouts pour accéder à tout un réseau de grottes. On peut trouver ici la plupart des obstacles qu'on risque de rencontrer dans les niveaux de cette année.

J'examine nos tenues d'un peu plus près. Elles se ressemblent toutes, pourtant elles comportent de légères différences. Celle de Ren, le Guerrier, est lourdement blindée, renforcée de plaques plus épaisses que les nôtres. Ses brassards sont hérissés de pointes. Celle d'Hammie la Voleuse est truffée de poches et de recoins où dissimuler des objets. Celle d'Asher le fait ressembler au capitaine qu'il est, tandis que Roshan, notre Bouclier, possède des brassards élargis et une ceinture bardée de potions et d'élixirs afin de nous protéger.

Et puis il y a la mienne, mon armure d'Architecte. Je porte une ceinture de chantier équipée d'une myriade d'outils que je connais sur le bout des doigts. Marteau. Tournevis. Une boîte de clous. Deux rouleaux de gros scotch.

Une mini tronçonneuse. Un rouleau de corde. J'en ai aussi qui dépassent de mes bottes, bâtons de dynamite, outils de serrurier, sans oublier un assortiment de couteaux attachés autour de ma cuisse droite.

— Hammie, dit Asher, avec moi. (Il hoche la tête dans ma direction.) Emika, Ren et Roshan, vous formerez la deuxième équipe. Roshan sera votre capitaine.

Il pianote dans le vide, et une pierre précieuse scintillante apparaît au-dessus de la tête de Roshan.

— Rappelez-vous : le but est toujours de vous emparer de la pierre précieuse. Tous les moyens sont bons. Ça permet de travailler nos faiblesses.

Il jette un coup d'œil à nos deux équipes, puis se propulse dans les airs.

Des bonus apparaissent çà et là, sous forme de pierres aux couleurs électriques qui tranchent sur la blancheur du décor. Certains brillent derrière les vitrines des magasins. D'autres flottent au-dessus des lampadaires, ou au sommet des gratte-ciel.

J'examine rapidement les bonus à portée de vue, notant ceux qui seront faciles à récupérer et ceux qui seront plus difficiles. J'ai l'habitude d'affronter des débutants ou de m'entraîner seule dans des mondes accessibles à tous. Je me demande ce que ça va donner avec une équipe officielle qui observe mes moindres mouvements.

— Les bonus en championnat sont différents de ceux qu'on rencontre dans les parties habituelles, nous explique Asher, à Ren et moi. Chaque année, le comité de Warcross en élit une douzaine de nouveaux, exclusifs à la compétition, qui sont retirés du jeu à la fin de la saison. Aujourd'hui je veux qu'on s'entraîne à les récupérer.

Il appuie sur un autre bouton invisible. Les bonus disparaissent à l'exception d'un seul, perché au bord d'une passerelle entre deux immeubles. Il ressemble à une boule de fourrure bleue striée d'or et d'argent, qui émet un léger bourdonnement.

— En particulier, je veux qu'on s'entraîne à récupérer celui-là, précise Asher.

— C'est quoi, son pouvoir ? demande Ren.

— Métamorphose, répond Asher. Il permet de transformer un objet en autre chose.

Tandis que Ren hoche la tête, son attention focalisée sur le bonus, je l'observe en pianotant discrètement sur ma cuisse. Une barre de progression apparaît au coin de mon champ de vision pour marquer le travail de mon script. Au bout de quelques minutes, les principales données que j'ai réussi à recueillir sont sa photo ainsi que son nom complet, Thomas Renoir. Je fronce les sourcils. Mon script me permet d'accéder à ses infos publiques et à quelques-uns de ses messages, mais tout le reste est protégé par un mur de défense comme je n'en ai encore jamais rencontré.

— Emi, dit Asher en m'arrachant à mes réflexions, à toi de jouer.

Je me redresse un peu.

— Ce bonus est plutôt destiné aux Architectes, vu qu'ils sont sans doute les mieux placés pour en profiter. Je veux que tu ailles le chercher pour ton capitaine temporaire, Roshan. Tu affronteras Hamilton, ajoute-t-il en se tournant vers sa coéquipière, qui fera le maximum pour me le rapporter en premier.

Roshan s'approche d'Hammie et lui murmure quelque chose à l'oreille. J'imagine qu'il lui suggère certains des trucs habituels de Tremaine qu'il a évoqués tout à l'heure.

Hammie l'écoute en hochant la tête, avec de petits coups d'œil dans ma direction. Quand Roshan a fini, elle me sourit d'un air narquois. J'essaie de lui renvoyer nonchalamment son sourire.

Une minuterie écarlate apparaît au-dessus du bonus. Asher se tapote le poignet.

— Les Phoenix Riders sont connus pour leur vitesse, ajoute-t-il. Donc toutes nos séances d'entraînement auront un compte à rebours, même celles qui peuvent avoir l'air banales ou sans importance. Enregistré, wild card ?

Je hoche la tête.

— Enregistré.

— Vous avez cinq minutes. (Il lève la tête.) Allez-y !

L'adrénaline me donne un coup de fouet. Je ne réfléchis pas ; j'agis. Hammie fait la même chose. Elle se précipite droit vers l'immeuble ; je choisis de traverser la rue. Pendant qu'Hammie s'élève le long du mur, escaladant les briques l'une après l'autre, je sprinte jusqu'à un grand lampadaire sur le trottoir d'en face. Je sors un bâton de dynamite de ma botte. Je le pose au pied du lampadaire, de telle manière que l'explosion le fasse tomber dans la bonne direction. J'allume la mèche et je me recule de plusieurs pas pour échapper au souffle.

Boum !

Le sol tremble sous l'explosion. Le lampadaire bascule et vient s'encastrer en biais dans le mur de l'immeuble.

— Bien joué ! me crie Roshan.

Ce n'est pas le moment de me retourner vers mes coéquipiers. Mon énergie est toute focalisée sur ce que j'ai à faire. Je bondis sur le lampadaire, inspire un grand coup et m'élance vers le haut du bâtiment. Quand j'atteins le mur de l'immeuble, j'ai pris quatre mètres d'avance sur Hammie. Deux étages plus haut, le bonus flotte sur la passerelle.

Si j'arrive à accrocher ma corde à l'un des projecteurs de la passerelle, je n'aurai plus qu'à me hisser là-haut à la force des bras.

Soudain, je sens une traction brusque à la taille. Déséquilibrée, je manque de me casser la figure. Je baisse la tête.

Ma corde a disparu. En contrebas, Hammie la serre dans son poing, un grand sourire aux lèvres. *Comment a-t-elle réussi à me la prendre ? Comment savait-elle que j'allais m'en servir ?*

— Tu n'es pas la seule à avoir des outils, wild card ! me lance-t-elle.

Elle me montre son pistolet incapacitant, dont les arêtes scintillent dans la lumière, puis jette ma corde autour du coin en saillie de l'étage supérieur. Elle se hisse au-dessus de moi.

Je me retourne face au mur et commence à grimper en m'accrochant aux briques. On progresse toutes les deux à un rythme frénétique.

Hammie est plus rapide que moi. Elle me dépasse, et bientôt c'est moi qui ai plus d'un mètre de retard. J'essaie d'accélérer l'allure.

Quand soudain, j'aperçois une sphère jaune vif juste à portée de main.

Un bonus de Pointe de Vitesse. Je l'attrape, le presse au creux de mon poing.

Je me retrouve auréolée de lumière jaune. Tout ralentit autour de moi, Hammie incluse. Je me remets à grimper, deux fois plus vite qu'auparavant.

Je dépasse Hammie et bondis sur la passerelle à l'instant précis où mon bonus s'épuise ; le monde retrouve sa vitesse normale.

La minuterie continue son décompte au-dessus du bonus de Métamorphose. Il ne reste plus que trente secondes.

Au lieu de me précipiter vers le bonus, je sacrifie quelques secondes pour tendre un piège à Hammie. Je décroche le marteau passé dans ma ceinture et fracasse les prises pour les mains et les pieds que je trouve le long de la passerelle. Hammie ne pourra pas s'en servir pour me suivre. Après quoi, je me retourne et reprends ma progression. Le bonus est tout près maintenant.

Mais Hammie a encore disparu.

Je cligne des paupières. *Hein ?*

— Ici, me lance une voix venue d'en haut.

Je lève les yeux et la découvre qui vole au-dessus de moi, comme si elle savait exactement ce que je ferais pour la ralentir. Elle aussi a mis la main sur un bonus : Ailes (vol temporaire), à en juger par la lumière orangée qui l'entoure. Elle me sourit, puis plonge sur le bonus de Métamorphose.

Je lâche le bord de la passerelle et me jette sur elle. Mes bras se referment autour de ses jambes. Je la déséquilibre avant qu'elle puisse atteindre le bonus. Elle pousse un cri de surprise, et de colère. Alors que son bonus de vol fonctionne toujours, elle se tortille furieusement pour essayer de se débarrasser de moi. Puis, à ma stupéfaction, elle se met à me frapper à coups de poing.

J'esquive le premier coup de justesse. Le deuxième me cueille au menton et me fait glisser un peu. À ma grande surprise, encore une fois, elle ne me lâche pas pour autant. C'est ce qu'une Voleuse normale aurait fait, mais Hammie resserre sa prise et continue à m'affronter dans les airs.

— Surveille ses mains ! me crie Roshan.

Je vois quelque chose scintiller dans le poing d'Hammie. C'est une dague. *Une dague ?* Les Voleurs ne sont pas censés avoir de dagues. Je suppose que c'est un coup de Roshan. C'est probablement comme ça que joue Tremaine, en basculant d'un rôle à l'autre. Roshan a dû lui glisser cette arme afin de tester ma réaction dans une situation similaire.

Hammie frappe à une vitesse époustouflante.

La plupart des joueurs ne pourraient pas éviter cette attaque. Mais j'ai peaufiné mes réflexes de chasseuse de primes dans la rue. Alors, quand je vois la lame virtuelle d'Hammie fondre sur moi, je réagis d'instinct : je la lâche, la repousse, me laisse tomber pour me raccrocher à ses chevilles à la toute dernière seconde.

Elle écarquille les yeux. Puis son bonus de vol s'épuise.

Je me sers de l'élan acquis dans ma chute pour me balancer vers le haut. Je la vois dégringoler dans le vide. J'ai juste assez d'élan. J'allonge le bras le plus loin possible et frôle le bonus de Métamorphose du bout des doigts. Il se retrouve dans ma main. Un frisson me chatouille le bras. Je pousse un cri de triomphe.

Puis je tombe comme une pierre à mon tour. J'atterris lourdement sur le dos ; mon avatar est sonné pendant plusieurs secondes. Je reste étendue là, hors d'haleine, riant intérieurement. Dès que mon avatar a récupéré, je roule sur le ventre et consulte mon inventaire, impatiente d'y vérifier la présence de mon bonus gagné de haute lutte.

Il n'y est pas.

Hammie s'avance vers moi comme je m'assieds en grognant. Elle tient à la main le bonus de Métamorphose et me sourit.

— Je te l'ai pris à l'instant où tu as touché le sol.

— Mais comment… ?

Elle a fait si vite que je ne l'ai même pas sentie me l'arracher des mains. Je me tourne vers Asher et les autres qui nous rejoignent.

— Mais… J'ai gagné l'exercice, non ? Je l'ai attrapé la première.

— Tu as beaucoup de qualités, Emi, me complimente Asher pendant qu'Hammie me tend la main pour me relever. Tu es pleine de ressources. Tu ne joues pas du tout comme un Architecte amateur. Tu réfléchis vite, tu es adroite… Tu es bien plus douée qu'on ne pourrait le croire vu ton niveau. Exactement ce que je pensais.

Il hoche la tête en direction d'Hammie.

— Seulement, tu as aussi quelques défauts classiques de wild card. Un : tu souffres de la vision en tunnel. Hammie est une Voleuse de classe mondiale, elle est sans doute plus rapide et plus agile que tous les Voleurs que tu as pu affronter. J'ai été obligé de t'aider en réactivant les autres bonus.

Je me tourne vers Hammie.

— Comment savais-tu d'avance ce que j'allais faire ?

Elle se tapote la tempe.

— Ne me laisse pas t'embarquer dans une partie d'échecs, répond-elle, citant l'avertissement d'Asher lors de notre première rencontre.

— Hammie peut prévoir chacun de tes déplacements avec une dizaine de coups d'avance, m'explique Asher. Comme un grand maître aux échecs, elle évalue les différentes possibilités que tu as et, en analysant ton langage corporel, détermine celle que tu as le plus de chances de choisir. Et ce sans s'arrêter ni ralentir. Je t'avais prévenue.

— En revanche, je ne m'attendais pas à ce que tu te jettes sur moi comme ça, avoue Hammie. C'est ce qu'il y a de chouette quand on affronte une wild card. On ne sait jamais sur quel genre de joueur on va tomber.

Une dizaine de coups d'avance. Elle avait prévu chacun de mes gestes dès le début, peut-être à la seconde où elle m'a vu courir vers le lampadaire. Je soupire.

— D'accord. Et à part ça, Asher, quels sont mes autres défauts classiques ?

— Tu n'as pas écouté mes instructions.

— J'ai récupéré le bonus.

— Tu devais le récupérer *pour moi*, dit Roshan. Ton capitaine. L'exercice ne s'arrêtait pas au moment où tu avais mis la main sur le bonus. Il s'agissait aussi de me le rapporter. Tu ne joues plus en solitaire, Emika, tu ne peux pas agir comme si tu étais la seule à vouloir gagner.

Sur ce, Hammie s'approche d'Asher et lui jette le bonus. Il l'attrape au vol sans même tourner la tête.

— Beau travail, dit-il.

Elle sourit, radieuse.

— Merci, capitaine.

Je suis bien contente d'être dans le jeu : les autres ne peuvent pas me voir rougir. Hackeurs et chasseurs de primes ne sont pas vraiment réputés pour leur aptitude au travail en équipe. Et j'ai toujours eu du mal à suivre les instructions.

— Désolée, dis-je.

Roshan secoue la tête.

— Ce n'est rien, trésor. Les Voleurs ne sont pas censés avoir de dagues, c'est un truc de Guerriers. Pourtant, c'est à ce genre de chose qu'il faut t'attendre avec Tremaine, et tu t'en es bien sortie. Je n'avais jamais vu quelqu'un réagir aussi vite à une attaque surprise. C'est excellent, pour un premier exercice, surtout venant d'une wild card.

— Oui, confirme Hammie, pas mal du tout. Tu t'es bien défendue, Emi. Simplement, tu as encore du boulot avant d'arriver à me battre. (Elle m'adresse un clin d'œil.) Ne t'inquiète pas, tu es meilleure que Roshan à l'époque où il était wild card.

Roshan la regarde avec une exaspération qui la fait rire. Et je ne peux m'empêcher de sourire, moi aussi.

— Allez, on passe à la suite ! s'exclame Asher. Roshan, Ren, venez par ici.

Les bonus sont réinitialisés. Cette fois, la Métamorphose est placée à l'intérieur d'un des immeubles. Je regarde les autres s'éloigner. Mon attention reste focalisée sur Ren. La barre de progression dans mon champ de vision est complète et mon logiciel s'attaque désormais à mes autres coéquipiers, mais au vu des maigres fichiers cryptés que j'ai réussi à récupérer, j'aurais aussi bien pu m'épargner la peine de pirater son compte.

● ● ● ● ●

Le soleil est déjà couché quand l'entraînement s'achève. De retour dans ma chambre, je rassemble toutes les infos que j'ai téléchargées et les balance sur mon mur. J'affiche tout : dates de naissance, adresses personnelles, numéros de téléphone, relevés de cartes de crédit, agendas. Je fais défiler les fichiers un à un.

Le premier dossier est celui d'Hammie. J'examine la liste récente de ses billets d'avion et de ses réservations d'hôtel. Je parcours ses souvenirs. Dans l'un d'eux, elle est en train de rire au sommet du Grand Canyon en compagnie de deux femmes qui doivent être sa mère et sa sœur. Dans un autre, elle participe à un tournoi d'échecs. C'est un blitz : chaque joueur ne prend qu'une fraction de seconde pour réfléchir. Je m'y arrête malgré moi, fascinée par la vitesse à laquelle ses doigts se déplacent sur l'échiquier. J'ai à peine le temps de suivre ses coups, encore moins celui de les comprendre. En soixante secondes à peine, elle met son adversaire échec et mat. Le public l'applaudit tandis que son adversaire lui serre la main à contrecœur.

Dans son dernier souvenir, elle reste derrière une barrière tandis qu'un homme en uniforme s'éloigne vers un hélicoptère. Rien d'inhabituel là-dedans : beaucoup de gens sauvegardent des souvenirs d'au revoir à leurs proches. L'homme lui jette un dernier regard et lui adresse un signe de la main. Elle agite le bras et suit son hélicoptère des yeux jusqu'à ce qu'il ait disparu dans le ciel.

Je passe à Asher. Rien de suspect ni d'intéressant dans ses données à lui non plus, en dehors de quelques messages relatifs à des horaires de vol. Son souvenir le plus récent, si on omet la draft et la fête qui a suivi, le montre à l'aéroport sur une piste privée en train d'attendre son jet. Il est accompagné d'un garçon plus âgé que je reconnais immédiatement malgré ses lunettes de soleil : son frère Daniel. Ils ont des gardes du corps avec eux, mais à l'arrivée de l'avion, c'est Daniel qui ramasse les bagages. Les deux frères n'échangent pas le moindre mot. Et quand Daniel remet les sacs d'Asher à un steward, Asher se dirige vers l'escalier sans lui dire au revoir.

J'essaie de refouler le sentiment de culpabilité qui m'envahit comme chaque fois que je dois fouiller dans des données privées. *C'est le métier.* Je ne peux pas me laisser arrêter par des scrupules. J'efface quand même les souvenirs d'Hammie et d'Asher de mon compte après les avoir vus.

Quelques-uns des messages de Roshan sont à ses parents, un pour sa sœur, et le dernier est un reçu pour un cadeau. Il ne garde aucun souvenir enregistré, mais à ma surprise le reçu m'indique que le cadeau avait été envoyé par Tremaine, et qu'il était accompagné d'une carte sur laquelle on pouvait lire : *As-tu reçu ma lettre ? T.* Je fouille le reste de ses données sans trouver trace de la lettre en question ni d'une éventuelle réponse de Roshan. Rien de très suspect là-dedans, n'empêche que je mets un signet sur cette info. Pour mémoire.

Enfin, j'en arrive aux rares infos que j'ai pu collecter au sujet de Ren. La plupart sont sans importance : des plans d'installation de son équipement pour la fête d'ouverture ; des mails de fans. Un seul souvenir, enregistré à une fête l'année dernière, où on le voit embrasser une fille en coulisses pendant qu'on annonce son nom sur scène. Je détourne les yeux. Heureusement, le souvenir passe ensuite à Ren qui s'avance vers ses instruments au centre de la scène.

Ses autres fichiers sont tous cryptés, y compris quelques e-mails récupérés dans sa corbeille. Je les examine un par un. J'ai beau les passer au crible de différents logiciels, ils continuent à se présenter comme des cubes de données illisibles, verrouillés derrière un bouclier.

C'est alors que je remarque un détail intéressant.

C'est un e-mail supprimé, un cube de plus caché derrière sa batterie de défenses. Je le retourne dans tous les sens. Ce faisant, je repère un minuscule marqueur sur chaque arête du cube.

— Tiens, tiens, dis-je en me redressant sur mon lit. (Toute trace de culpabilité s'envole aussitôt.) Qu'est-ce que c'est que ça ?

Le marqueur est un simple point rouge, à peine visible au milieu du cryptage. Et juste à côté, on trouve en caractères minuscules l'inscription WCO.

C'était donc bien Ren que j'ai vu à la Wardraft. Si j'en juge par ce point rouge, il a reçu ce message de quelque part dans le Dark World.

Je me laisse tomber sur mon lit, songeuse. Ça veut dire que non seulement Ren est celui que je traquais à la Wardraft, mais aussi qu'il s'est rendu dans le Dark World récemment, et qu'en plus il y a des contacts.

Et personne ne va dans le Dark World, si ce n'est pour commettre quelque chose d'illégal.

14

La première fois que j'ai posé le pied dans le Dark World, c'était à l'occasion de ma première chasse. J'avais seize ans et j'étais seule. Le chef d'un petit gang de New York avait posé une prime de deux mille cinq cent dollars sur la tête d'un de ses membres. Je l'avais appris sur un forum en ligne.

J'avais lu que des jeunes comme moi tentaient parfois leur chance dans le secteur très concurrentiel des chasseurs de primes. Ils ne semblaient pas posséder de compétences hors de ma portée et ça me paraissait un moyen commode – à condition d'être bonne – de gagner sa vie. Les meilleurs chasseurs de primes pouvaient se constituer un revenu annuel à six chiffres.

J'avais une autre raison de vouloir cette prime. Mon père m'avait laissé une dette de jeu de deux mille dollars. Après sa mort, je m'étais promis de ne jamais travailler pour personne dans le milieu criminel. Mais pour ça, je devais d'abord me libérer de cette dette. Sans quoi les débiteurs de papa passeraient me voir à la seconde où j'aurais dix-huit ans.

J'ai donc effectué une recherche approfondie sur la manière d'accéder au Dark World. Je croyais naïvement qu'il me suffirait d'assimiler quelques tutoriels pour entrer comme une fleur dans ce repaire du crime.

Le Dark World ne connaît quasiment aucune règle, sinon celle-ci : toujours garder l'anonymat. Il y va de votre sécurité. Je l'ai appris à mes dépens le jour où je m'y suis rendue pour la première fois. J'ai localisé ma cible avant de la retrouver dans la vraie vie. Seulement, je me suis rendu compte après coup que j'avais dévoilé par mégarde certains détails de mon identité dans le Dark World. En un rien de temps, mes infos personnelles, âge, histoire, adresse, ont fait le tour du Dark World. Mon matériel n'était plus fiable.

J'ai touché la prime et remboursé la dette de mon père. Mais ensuite j'ai dû démonter mon ordinateur portable et mon téléphone, rester hors ligne et hors de vue, faire profil bas pendant des mois. Et même comme ça, il m'arrivait encore de recevoir des coups de téléphone inquiétants au beau milieu de la nuit, ou des lettres bizarres dans ma boîte aux lettres. Ou même des menaces de mort sur mon paillasson. J'ai fini par déménager.

Je n'ai plus jamais travaillé pour un gang. Il m'a fallu des mois pour trouver le courage de retourner en ligne.

C'est ça, le Dark World : vous aurez beau faire toutes les recherches que vous voudrez, la seule façon de le connaître pour de bon, c'est de plonger dedans.

● ● ● ● ●

— Mademoiselle Chen, dit Hideo quand la connexion s'établit. Ravi d'avoir de vos nouvelles.

On est le lendemain matin, avant le début de l'entraînement, et l'image virtuelle me montre Hideo penché en avant dans son fauteuil, les coudes sur son bureau. Sa mèche blanche reflète la lumière qui filtre par les fenêtres. Derrière lui, j'aperçois Kenn debout, les mains dans les poches. J'ai l'impression de les avoir interrompus en pleine discussion. Deux gardes du corps se tiennent à l'arrière-plan.

— Vous avez déjà du nouveau ? s'étonne Kenn. (Il se tourne vers Hideo.) On dirait bien que tu as déniché la chasseuse de primes idéale.

J'essaie de me sentir professionnelle malgré mes pieds nus et mon jean troué.

— J'imagine que vous avez dû être très occupé depuis la fête, dis-je à Hideo. (J'adresse un bref regard à Kenn.) Je ne vous dérange pas en pleine discussion d'affaires, au moins ?

— C'est vous, l'affaire en question, répond Kenn. Nous étions en train de parler de vous.

— Oh ! fais-je en m'éclaircissant la voix. En bien, j'espère ?

Kenn sourit.

— Absolument. (Il se décolle du bureau d'Hideo sans me fournir plus de précisions.) Allez, je vous laisse. Amusez-vous bien.

Hideo échange un regard avec Kenn.

— On reprendra tout à l'heure, dit-il.

Kenn s'en va. Hideo le regarde partir puis indique la porte d'un geste. Aussitôt, ses deux gardes du corps s'inclinent et quittent la pièce à leur tour.

Après leur départ, Hideo se tourne vers moi.

— J'espère que tout se passe bien depuis votre entrée très remarquée à la Wardraft.

— Je me suis dit que vous aviez demandé aux Phoenix Riders de me choisir la première.

— Je n'ai aucune influence sur le premier choix de la draft. C'est Asher Wing qui a décidé ça tout seul. Mais je le comprends.

Ainsi donc, ça ne venait pas d'Hideo.

— Eh bien, dis-je, la Wardraft s'est révélée instructive à plus d'un titre. Regardez ce que j'ai découvert.

J'ouvre ma capture d'écran de la Wardraft et l'affiche entre nous. Elle pivote lentement, afin de nous offrir une vue complète du stade. Impossible de manquer la silhouette sombre dans l'enchevêtrement des poutrelles métalliques. On lit [néant] au-dessus de sa tête.

— Un type s'était caché sous le toit du Tokyo Dome pour assister à la draft.

Voilà qui retient l'intérêt d'Hideo. Il plisse les paupières pour mieux examiner l'image de la silhouette perchée parmi les poutrelles.

— Comment savez-vous qu'il s'agit d'un homme ?

— Oh ! je sais plus que ça. C'est Ren.

Hideo lève vivement les yeux vers moi.

— Thomas Renoir ?

Je fais oui de la tête.

— DJ Ren. C'est un marqueur dans le code de l'image qui m'a permis de remonter jusqu'à lui. Depuis, j'ai connecté tous les joueurs officiels à mon profil Warcross. (J'ouvre les comptes de tous les joueurs.) J'aurai peut-être besoin de fouiller dans leurs souvenirs, pour voir qui d'autre est impliqué.

Le regard d'Hideo parcourt la carte digitale que j'ai créée pour indiquer où se trouvent les autres joueurs de Warcross à tout moment. La plupart sont dans leurs bâtiments.

Quelques Andromedans sont sortis en ville, tandis qu'Asher vient de quitter le bâtiment des Riders. Ren est toujours dans sa chambre.

— Vous êtes plus dangereuse que je ne pensais, me complimente Hideo en admirant mon œuvre.

Je lui souris.

— Je vous promets d'être gentille avec vous.

Cette fois, je réussis à lui arracher un sourire.

— C'est supposé me rassurer ?

Je laisse sa question en suspens puis lui montre l'e-mail de Ren.

— J'ai trouvé ça hier dans les infos personnelles de Ren, dis-je en faisant pivoter devant lui le cube de données cryptées. J'ai tenté d'utiliser un script, mais je n'arrive pas à le déverrouiller.

Hideo examine le fichier. Comme moi, il remarque immédiatement le point rouge sur les arêtes du cube.

— Ce message a été envoyé du Dark World, dit-il.

Je pousse plus loin :

— Et protégé par un bouclier que je ne reconnais pas.

Hideo écarte légèrement les mains, fait pivoter le cube.

— Moi si, marmonne-t-il.

Il écarte encore les mains. Le cube grossit, me permettant d'étudier sa surface plus en détail. Je plisse les paupières. La surface semble recouverte d'une série de motifs complexes qui se répètent à l'infini.

— On appelle ça un bouclier fractal. Une nouvelle variante du bouclier en pelures d'oignon, sauf que ses couches se dupliquent chaque fois que vous réussissez à en percer une. Plus vous essayez de le craquer, plus il se renforce. Votre script pourrait tourner toute la journée sans lui faire une égratignure.

Pas étonnant que je ne sois parvenue à rien avec ça.

— Je n'avais jamais vu un truc pareil.

— Ça ne me surprend pas. C'est un dérivé d'un tout nouveau dispositif de sécurité que nous avons développé en interne chez Henka Games.

Je me penche en avant, l'œil rivé à la surface du cube.

— Vous sauriez le craquer ?

Hideo pose les mains de part et d'autre du cube. Quand il les retire, une copie de la couche extérieure du bouclier fractal flotte au-dessus du cube.

— Un bouclier infini nécessite une clé infinie, dit-il. Une clé qui se multiplie à la même vitesse que le bouclier lui-même.

Je murmure :

— Chaque serrure a sa clé.

Quand il entend ça, Hideo croise mon regard. Et me sourit.

Il tape plusieurs commandes que je n'arrive pas à lire puis lance un programme Henka Games. Une clé se matérialise entre ses doigts, noire, mouvante, avec les mêmes motifs complexes. Il la prend et l'applique sur le cube.

La surface du cube se fige subitement. Les motifs fractals qui la recouvraient s'effacent. Et, dans un flash, le cube disparaît, remplacé par un message.

Un simple mot :

1300RP

J'ouvre la bouche en même temps qu'Hideo.

— Le Repaire des Pirates ! s'exclame-t-on à l'unisson.

Pour une personne normale, 1300PD ne voudrait rien dire. Mais pour moi, ça fait référence à un événement.

Le chiffre 1300 correspond à 13 h 00, et l'abréviation à RP, « Repaire des Pirates ». Un lieu de rencontres bien connu dans le Dark World.

L'événement est épinglé pour le 20 mars.

— Eh bien, dis-je. Je sais déjà où je vais aller cette semaine.

Hideo contemple le message un moment avant de m'adresser un regard interrogatif.

— Vous comptez vous y rendre seule ?

— Vous vous êtes déjà occupé de craquer le bouclier fractal, dis-je en me renversant en arrière sur mon lit, bras croisés. C'est à moi d'enquêter auprès des criminels, monsieur Tanaka.

Voilà qui le fait sourire.

— Hideo, s'il vous plaît.

J'incline la tête vers lui.

— Vous insistez pour m'appeler « mademoiselle Chen ». Ce ne serait pas équitable.

— J'essaie de ne pas apporter d'eau au moulin de la presse à scandale. Les tabloïds se montrent particulièrement agressifs en cette période de l'année.

— Oh ? Et de quoi avez-vous peur ? Que tout le monde sache qu'on s'appelle par nos prénoms ? Quel scandale. J'ai l'impression que les tabloïds ont déjà décidé de s'intéresser à moi, de toute manière.

— Vous préféreriez que je vous appelle Emika ?

— Oui, je préférerais.

— Très bien, dit-il. Va pour Emika.

Emika. Entendre mon prénom dans sa bouche me donne un frisson délicieux.

— Je vous tiendrai au courant, dis-je pour mettre un terme à la conversation. Cela devrait être instructif.

— Attendez. Une dernière chose.

— Oui ?

— Parlez-moi de votre arrestation il y a deux ans.

Il s'est renseigné sur moi. Je me racle la gorge, assez fâchée qu'il aborde le sujet. Je ne discute jamais de mon arrestation.

— C'est de l'histoire ancienne, dis-je en grommelant.

Je lui résume ce qui s'est passé avec Annie, pourquoi je me suis introduite dans le système du lycée. Hideo m'interrompt en secouant la tête.

— Je sais déjà ce que vous avez fait. Racontez-moi plutôt comment la police a su que c'était vous.

J'hésite.

— Vous êtes beaucoup trop douée pour vous être fait prendre, continue Hideo. (Il me dévisage, avec la même expression que lors de notre première entrevue.) Ce n'est pas la police qui vous a démasquée, n'est-ce pas ?

Je soutiens son regard.

— J'ai avoué.

Hideo reste silencieux.

Je me rappelle les sirènes, je me revois entrer dans le bureau du principal où les flics étaient en train de passer les menottes à Annie en larmes.

— La police croyait que c'était Annie, dis-je. Ils étaient venus l'arrêter. Alors je me suis dénoncée.

— Vous vous êtes dénoncée, répète-t-il avec une note de fascination dans la voix. Et saviez-vous à quoi vous renonciez en faisant ça ?

— Je n'ai pas eu le temps d'y réfléchir. Ça m'a semblé juste.

Hideo ne dit toujours rien. Son attention est entièrement focalisée sur moi.

— La chevalerie n'est pas morte, dirait-on, lâche-t-il enfin.

Je ne sais pas trop comment réagir. Je le fixe en retour, sens s'écrouler une autre de ses barrières, vois son regard se modifier. Quoi qu'il pense de mon histoire, elle lui a fait baisser la garde.

Un ange passe. Puis Hideo se redresse dans son fauteuil et rompt le contact visuel.

— À bientôt, Emika, dit-il.

Je murmure « au revoir » de mon côté et coupe la communication. Son image disparaît et je me retrouve seule dans ma chambre. Je souffle longuement et détends mes épaules. Hideo n'a pas mentionné les autres chasseurs de primes, ce qui doit sans doute signifier que j'ai de l'avance sur eux. Jusqu'ici, tout va bien.

Il me faut un moment pour m'apercevoir que j'ai oublié d'éteindre mon script pendant ma discussion avec Hideo. Autrement dit, j'ai passé au crible son compte personnel. Hideo protège ses données, bien sûr, cependant j'ai quand même réussi à récupérer un fichier non crypté, créé plus tôt dans la matinée. Je le vois figurer dans mon dossier de téléchargements. Je le fixe assez longtemps pour qu'il s'ouvre de lui-même, obéissant à ma supposée envie de le lire.

Ma chambre s'estompe. Je me retrouve debout dans une espèce de gymnase équipé de sacs de frappe, de poids et haltères en tout genre, de matelas et de miroirs. C'est un souvenir d'Hideo. *Je ne devrais pas fouiller dans son intimité.* Je devrais refermer le fichier, mais le souvenir s'enclenche avant que je ne réagisse.

Hideo cogne sur un sac de frappe à une cadence frénétique. Du kickboxing ? Je fais un panoramique et m'interromps en découvrant son reflet dans un miroir.

Il est torse nu, ruisselant de sueur, les muscles saillants. Ses cheveux moites tremblent à chaque impact. Ses mains sont emmaillotées dans des bandages blancs et, tandis qu'il continue à punir le sac de frappe, je remarque des taches rouges sur ses doigts. Ses phalanges saignent. *Depuis combien de temps est-il en train de cogner comme ça ?* Mais ce qui me choque, c'est son expression. On lit dans ses yeux noirs une telle férocité, une colère si intense, que j'esquisse un mouvement de recul.

Je repense à sa tête lors de notre premier entretien, quand il parlait de sa dernière création, de ses passions. Il avait le même genre de lueur dans le regard. Mais celle-ci est plus sombre. Elle exprime une rage profonde.

Les gardes du corps d'Hideo patientent à l'entrée de la salle, tandis qu'à ses côtés se tient quelqu'un qui doit être son entraîneur, entièrement recouvert d'une combinaison rembourrée.

— Allez, dit l'homme.

En réponse, Hideo abandonne le sac pour se consacrer à lui. On jurerait que l'entraîneur m'observe, enfin, observe Hideo, avec méfiance, voire un soupçon de crainte.

L'entraîneur commence à se déplacer latéralement, Hideo le suit. Ses gestes sont fluides, précis, mortels. Ses cheveux lui tombent sur le visage, troublant momentanément sa vision. L'entraîneur tient à la main un long bâton, qu'il laisse traîner sur le sol avant de le relever brusquement. Il se jette sur Hideo et abat son bâton à une vitesse fulgurante. Hideo esquive le coup. Il se dérobe une deuxième fois, puis une troisième. À la quatrième, il riposte. Il lève le bras, poing serré, pour bloquer le bâton. Ce dernier se brise sur son avant-bras dans un craquement sonore.

Hideo s'élance. Son poing frappe le rembourrage de son adversaire, si fort que l'entraîneur grimace. Hideo ne ralentit pas. Il assène une grêle de coups à son adversaire. Le dernier coup est si violent que l'entraîneur trébuche et bascule en arrière.

Hideo reste planté là un moment, soufflant fort, le visage dur. Comme si c'était un autre qu'il voyait étendu à ses pieds. Puis la colère s'éteint dans ses yeux et il semble redevenir lui-même. Il tend la main à son entraîneur pour l'aider à se relever. La séance est terminée.

Abasourdie, je regarde Hideo saluer son entraîneur puis se diriger vers la porte à double battant entre ses deux gardes du corps. Il porte toujours ses bandages rougis autour des doigts. Le souvenir s'achève enfin et je retrouve le décor paisible de ma chambre. Je souffle à fond et m'aperçois que j'ai retenu ma respiration.

Voilà donc comment Hideo se fait toutes ces écorchures aux phalanges. Pourquoi s'entraîner aussi dur, comme un possédé ? Pourquoi frapper comme s'il cherchait à tuer ? Je frémis à l'évocation de son expression, de ses yeux noirs féroces, si différents de l'Hideo courtois, taquin, charismatique, que j'ai connu jusqu'à présent. Je secoue la tête. Mieux vaut éviter de parler de ce souvenir à qui que ce soit. En dehors de ses gardes du corps, Hideo ne tient sans doute pas à ce que quiconque le voie comme ça.

La lumière changeante de ma chambre fait miroiter la piscine de mon balcon, et ses reflets me ramènent à la réalité. Je suis là pour travailler, pas pour espionner Hideo pendant ses séances d'entraînement privées.

Je me déconnecte de mon compte et décide de me focaliser sur Ren. Au fond de moi, pourtant, je me repasse en boucle ma conversation avec Hideo. Et quand je quitte enfin ma chambre pour aller m'entraîner avec mes coéquipiers, c'est l'image de ses yeux sombres qui m'accompagne, le mystère qui se dissimule derrière les phalanges rougies et le regard incendiaire.

15

Trois jours s'écoulent dans la fièvre d'un entraînement intensif. Les Phoenix Riders passent en revue
toutes les combinaisons possibles. Je me retrouve
en binôme avec Hammie, puis Ren, puis Asher et enfin
Roshan. Je me retrouve en équipe avec deux d'entre eux.
Ou contre eux. On s'entraîne en ville, dans la jungle, au-
dessus de falaises vertigineuses. On s'entraîne à travers
toutes sortes de niveaux, dont beaucoup issus de championnats antérieurs.

Asher nous fait travailler avec une intensité que je n'avais
encore jamais connue. J'ai du mal à suivre. Chaque monde
que je découvre est familier au reste de l'équipe ; ils maî-
trisent depuis longtemps la moindre manœuvre qu'il me
faut apprendre. Asher réduit de moitié le temps qui nous
est imparti pour accomplir certaines missions ou mener
certaines tâches. À peine ai-je le temps de m'habituer à un
monde qu'Asher nous fait passer au suivant.

Je termine ces journées sur les rotules, avachie dans un
canapé avec mes coéquipiers, l'esprit encombré d'une
foule d'informations à mémoriser pendant qu'Asher nous

annonce ce qui nous attend le lendemain. Mes rêves sont saturés d'exercices.

Hideo a peut-être fait le nécessaire pour que j'intègre une équipe, mais il ne peut pas aider les Phoenix Riders à l'emporter. En cas de défaite, mes coéquipiers se disperseront, saison terminée, et ce sera d'autant plus difficile de suivre Ren. Hideo s'en remet à moi pour exécuter cette part du marché. Si j'échoue, je risque de voir la prime me passer sous le nez au profit d'un autre chasseur qui aura pu rester dans le championnat.

— Tu es nouvelle, me rappelle Roshan pour me rassurer un soir, alors qu'on s'écroule tous sur les canapés. (Wikki fait le tour de la pièce en nous apportant des assiettes fumantes à chacun.) C'est normal que tu aies besoin de temps pour maîtriser toutes les tactiques.

Assise à côté de moi, Hammie pique sa fourchette dans son assiette.

— Un de ces jours, Roshan, ton bon cœur finira par te perdre, et nous avec. On ne peut pas se permettre de la dorloter.

— Elle n'aurait jamais dû intégrer la draft, lâche Ren.

Hammie fronce les sourcils.

— Mollo, wild card.

— Tout ce que je dis, se défend Ren en s'abritant derrière sa fourchette et son couteau, c'est que je n'ai pas fait mes premiers pas de DJ lors de grands événements internationaux. Ce n'est pas sain. (Il se tourne vers moi.) Il y a des situations qu'elle n'est pas encore prête à affronter. Inutile de forcer les choses. Ça pourrait la tuer.

Je détourne les yeux, mais ses paroles réveillent mon sixième sens. *A-t-il des soupçons ? Me surveillerait-il ?*

Roshan acquiesce à contrecœur.

— On ne peut pas se permettre qu'elle nous fasse un burn-out. Ça existe. Tu le sais mieux que personne, Ham.

— Seulement parce que j'étais une Titan cette année-là, et qu'Oliver faisait un capitaine lamentable en comparaison d'Ash.

— J'apprécie le compliment, dit Asher en enfournant une frite dans sa bouche. (Il se tourne vers moi.) Tu as loupé pas mal de trucs aujourd'hui, Emi.

— Ça fait une semaine qu'elle dort mal, plaide Roshan. Ça se voit sur son visage.

— Je vais bien, dis-je entre mes dents.

Je frotte les cernes noirs que j'ai sous les yeux. Si mes coéquipiers creusent un peu, ils risquent de découvrir que ce n'est pas uniquement l'entraînement qui me gâche le sommeil.

Asher se racle la gorge. Les autres se taisent pour l'écouter. Il nous adresse un signe de tête à tous.

— Pas d'entraînement demain. Reposez-vous, faites la grasse matinée. On reprendra après-demain.

Je remercie Roshan d'une bourrade affectueuse tandis qu'Hammie lance un regard maussade à son capitaine. Je me rappelle sa détermination lors de la partie d'échecs, dans son souvenir.

— Vous savez qui ne compte pas se reposer demain ? demande-t-elle. La Demon Brigade.

— Tu sais ce qui ne me sert à rien ? Une Architecte trop fatiguée pour réfléchir. Emika a enchaîné les boulettes toute la journée. (D'un coup de menton, Asher indique Ren en train de manger tranquillement à côté de lui.) Ren doit appeler son studio d'enregistrement demain, de toute manière. Un jour de pause nous fera du bien.

J'observe Ren en silence pendant qu'on termine de manger. Je l'étudie tous les jours à la recherche d'indices, d'une piste à exploiter. Chaque soir, je fouille dans ses données grâce à la nouvelle clé qu'Hideo m'a fournie. Sans résultat. Il doit se rendre dans le Dark World demain et je ne sais toujours pas pourquoi. Et pour ce que j'en sais, il m'observe de son côté, lui aussi.

— Em ! m'appelle Hammie alors que je me dirige vers ma chambre.

Je me retourne et la vois qui me court après, un paquet sous le bras. Elle me le tend.

— Enroule-toi la tête là-dedans quand tu iras te coucher. Moi, ça m'endort direct.

Je presse l'étoffe moelleuse.

— Merci, dis-je.

— Je ne cherche pas à te bousculer, s'excuse-t-elle en glissant ses mains dans ses poches. Tu peux me le dire, tu sais, s'il y a un truc qui te pose un problème. Je pourrais t'aider à le travailler.

Je vois d'ici son cerveau de joueuse d'échecs analyser les pièces de mon discours, rejeter mes faux prétextes, anticiper tout ce que je vais dire avec dix coups d'avance. Elle sent bien que quelque chose me tracasse.

— Je sais, dis-je avec un sourire. Peut-être demain ?

— D'accord.

Elle me rend mon sourire. Je ressens une pointe de culpabilité. C'est la première fois que je fais partie d'un groupe de ce genre ; un groupe d'amis, soudés, qui font tout ensemble. On pourrait être plus proches toutes les deux, si je m'ouvrais un peu.

Au lieu de quoi, je me contente de lui souhaiter une bonne nuit. Elle fait pareil, mais je vois bien son air dubitatif tandis qu'elle repart vers sa chambre. Je la regarde s'éloigner avant de refermer ma porte derrière moi.

Ce soir-là, alors que je prends un bain de minuit dans la piscine de mon balcon pour tenter de me vider la tête, je reçois un message d'Hideo.

J'ai l'impression que vous piétinez.

Je m'arrête au milieu d'une longueur, cligne des yeux pour en chasser l'eau tiède et tape sur le message qui flotte devant moi avant de pouvoir changer d'avis.

Ma demande de discussion est envoyée. Un instant plus tard, Hideo l'accepte et apparaît au bord de la piscine sous forme virtuelle. Il se trouve dans une chambre à l'éclairage tamisé, en train de défaire sa cravate. Sans cet accessoire il paraît plus jeune, moins autoritaire. À mon grand agacement, mon cœur s'emballe. Ses phalanges ont l'air indemnes. Il a dû ralentir sur la boxe ces derniers jours.

Je sors les bras de l'eau pour les croiser sur le bord carrelé de la piscine. Des gouttes d'eau piègent la lumière de la lune sur ma peau tatouée.

— Comment le savez-vous ? dis-je.

— Voilà plusieurs jours que je suis sans nouvelles.

Je ne suis pas d'humeur à lui faire part de mon insécurité concernant l'entraînement.

— Peut-être que je garde mes infos pour mon prochain rapport ? dis-je à la place. Je ne suis même pas encore allée dans le Dark World.

Hideo se détourne le temps de poser ses boutons de manchettes sur un meuble.

— Est-ce pour cela que vous ne donnez plus signe de vie ?

— Est-ce votre façon de me dire d'accélérer le mouvement ?

Il me jette un coup d'œil, son visage à moitié plongé dans l'ombre.

— Juste une manière de vous demander si je peux vous aider.

— C'est moi qui suis censée vous aider.

Dans l'éclairage diffus, sa tête pivote légèrement vers moi pour dévoiler son petit sourire au coin des lèvres. Je suis bien contente que l'obscurité l'empêche de me voir rougir.

— Je sais que vous êtes fatiguée, finit-il par dire.

Je détourne les yeux et chasse quelques gouttelettes sur mon bras.

— Je n'ai pas besoin qu'on me plaigne.

— Je ne vous plains pas. Je ne vous aurais pas mise dans cette situation si vous n'étiez pas de taille à vous en sortir.

Toujours cette posture de M. Je-sais-tout.

— Si vous tenez absolument à m'aider, dis-je en me laissant glisser dans l'eau, vous pourriez peut-être m'offrir un peu de soutien moral.

— Un peu de soutien moral. (Il se tourne face à moi avec un sourire amusé.) Et quel genre de soutien moral aimeriez-vous recevoir ?

— Je ne sais pas. Quelques mots d'encouragement ?

Hideo me lance un regard malicieux.

— Très bien.

Il s'approche d'un pas.

— J'ai voulu vous appeler parce que vous me manquiez, me confie-t-il. Est-ce que ça vous aide ?

J'en reste bouche bée, momentanément à court de répliques. Avant que je ne puisse répondre, il me souhaite bonne nuit et coupe la communication. Son image s'efface, mais j'ai eu le temps d'apercevoir son visage une dernière fois, et son regard posé sur moi.

●●●●●

Cette nuit-là, je rêve qu'Hideo et moi sommes de retour au Sound Museum Vision, mais pas sur le dance floor. Nous sommes à l'étage, dans un coin sombre d'un balcon. Il me plaque contre un mur et m'embrasse fougueusement.

Je me réveille en sursaut, troublée, furieuse contre moi-même.

Ses mots résonnent encore à mes oreilles quand arrive enfin le moment où Ren doit se rendre dans le Dark World. Pendant que les autres se réunissent en bas pour le déjeuner, je m'enferme dans ma chambre et me connecte à Warcross.

Au lieu de démarrer une partie, je fais apparaître un clavier virtuel. J'entre une succession de commandes. La pièce vacille, puis tout s'obscurcit d'un seul coup, me laissant suspendue dans le noir complet.

Je retiens mon souffle. Je descends assez souvent dans le Dark World, mais je ne m'habituerai jamais à la noirceur étouffante qui m'enveloppe au moment d'y pénétrer.

Finalement, des lignes rouges horizontales apparaissent devant moi, des lignes qui, lorsque je zoome dessus, se révèlent être du code. Elles défilent sous mes yeux, page après page, jusqu'à la dernière ligne qui s'achève par un curseur clignotant. J'entre encore quelques commandes, et un nouveau monde de code se déploie devant moi.

Et puis, brusquement, le code rouge disparaît et je me retrouve au beau milieu d'une rue animée, avec au-dessus de ma tête mon étiquette [néant] familière. D'autres silhouettes pressées me croisent ou me dépassent sans faire attention à moi. Des enseignes lumineuses au néon scintillent à perte de vue le long des immeubles. Leurs couleurs cha-toyantes se réverbèrent sur moi.

Je souris. J'ai passé les défenses qui protègent la surface de Warcross pour plonger dans l'univers souterrain, crypté, anonyme et tentaculaire de la réalité virtuelle qui s'est déve-loppée au-dessous. Je me sens comme chez moi dans cet endroit où tout le monde parle la même langue que moi, où des gens qui n'ont aucun pouvoir dans le monde réel peuvent parfois déployer une puissance incroyable.

La plupart des visiteurs du Dark World ne le désignent même pas par ce nom. Ils parlent plutôt des bas-fonds, ou du monde des ténèbres. Le cadre dans lequel j'évolue à pré-sent ne semble obéir à aucune logique, du moins aucune logique habituelle. De vieux bâtiments délabrés se dressent au milieu de la rue, tandis que certaines portes semblent accrochées à l'envers, comme s'il était impossible d'y entrer. Les rues principales mènent à des passages qui peuvent relier deux fenêtres, comme d'improbables passerelles. On se croirait dans une gravure d'Escher. En levant les yeux, j'aperçois une série de trains noirs qui filent sur des voies parallèles avant de disparaître à l'horizon. Ils avaient l'air bizarres, étirés, comme si je les observais dans un miroir déformant. De l'eau ruisselle non loin, remplissant le cani-veau et s'infiltrant à travers les plaques d'égout.

Je jette un coup d'œil aux lumières. À y regarder de plus près, on s'aperçoit qu'il ne s'agit pas d'enseignes mais d'une liste de noms soulignés au néon. Si vous êtes assez bête pour vous rendre dans le Dark World sans savoir protéger votre identité, attendez-vous à y voir apparaître votre vrai nom et toutes vos données personnelles. Voilà ce que sont ces enseignes : la liste en temps réel de tous les naïfs qui sont venus mal préparés, affichée au vu et au su de l'ensemble du Dark World pour les livrer à la merci des habitués.

Mon nom s'était retrouvé là-haut à ma première visite.

Je passe sous le panneau de la rue principale. Il indique Silk Road, la « Route de la Soie ». Les boutiques s'y succèdent, chacune surmontée de sa propre enseigne au néon. Certaines vendent toutes sortes de produits illégaux, de la drogue, principalement. D'autres, avec une petite lanterne rouge accrochée au-dessus de la porte, proposent du sexe virtuel. D'autres encore, signalées par une icône vidéo, s'adressent aux voyeurs virtuels en direct. Je passe devant sans m'arrêter. Je suis peut-être camouflée derrière un habit noir et un visage aléatoire, mais je ne me sens pas à l'aise pour autant.

Je lance une recherche et clique sur Le Repaire des Pirates quand le résultat apparaît. Le monde se brouille autour de moi. Je me retrouve dans un endroit où les immeubles s'écartent pour laisser place à une jetée. Un bateau pirate est amarré le long du quai, illuminé par des guirlandes accrochées à ses mâts. Leur lumière se reflète au-dessus des eaux noires.

Le Repaire des Pirates est l'un des lieux les plus fréquentés par ici. La figure de proue du bateau est un symbole de copyright inversé. Je formule en silence la devise de l'établissement : « L'information veut être libre ». Une bannière écarlate pend au-dessus de la passerelle qui mène au pont principal, et sur laquelle s'avance un flot d'avatars anonymes.

Aujourd'hui, la bannière affiche des paris sur une partie de Warcross qui se déroule à l'intérieur. On parle de matchs aux règles troubles, organisés par des gangsters ; le genre de matchs devant lesquels je retrouve mes parieurs en délicatesse avec la justice. Des matchs de « Darkcross », ainsi nommés par dérision. Je ne veux même pas imaginer combien de parieurs vont ressortir saignés à blanc de celui-ci.

Ren est probablement là pour le match. Je m'avance sur la passerelle.

À bord du bateau, les haut-parleurs diffusent une piste piratée du prochain album de Frankie Dena. Un cylindre de verre se dresse au milieu du pont, sur lequel une liste de noms et de chiffres se rafraîchit constamment. Rien que des noms de célébrités, premiers ministres, présidents, stars de la pop, à côté desquels figure un montant en tickets. La loterie des assassinats. Les gens misent sur la prochaine personnalité célèbre qui se fera liquider. Quand le montant des paris atteint un seuil suffisant, il se trouve toujours quelqu'un dans le Dark World pour tenter d'assassiner la personne en question et de rafler la cagnotte.

Ça reste assez rare, heureusement. Mais le Repaire des Pirates existe sous une forme ou une autre depuis l'invention d'Internet, et tous les dix ans environ un assassinat se produit bel et bien. Voilà quelques années, Ronald Tiller, un diplomate détesté de tous, qui avait réussi à échapper à des accusations de viol, est mort dans l'explosion mystérieuse de sa voiture. J'avais vu son nom en tête de liste de la loterie la semaine précédente.

Je lève les yeux vers la galerie qui surplombe le cylindre. Deux avatars y sont assis tranquillement. L'un d'eux est penché en avant, les coudes sur les genoux, à surveiller la liste. Des assassins potentiels, qui attendent de voir grimper les paris. Je frissonne et détourne le regard.

Les parois sont occupées par des listes de chiffres à propos des équipes officielles de Warcross. Les données concernant les Phoenix Riders et la Demon Brigade occupent un pan entier. Dessous défile en continu la cote des deux équipes. La Demon Brigade est très largement en tête.

Des groupes d'avatars anonymes traînent ici et là, plongés dans leurs conversations. Beaucoup ont un aspect impressionnant, voire monstrueux : bras énormes, longues griffes, trous noirs à la place des yeux... Certains habitués du Dark World se plaisent à soigner les apparences. Je cherche Ren du regard. Déguisés comme on l'est, ce pourrait être n'importe lequel de ces avatars.

Presque treize heures. Je me dévisse le cou, scrute la foule en tapant des commandes, cherche la moindre trace de la signature de Ren. En vain.

Et puis...

Le point doré réapparaît sur ma carte. Alors que je me faufile entre les gens, je reçois un message d'alerte m'indiquant que Ren est présent dans la salle. Et bien sûr, quand je vérifie ses données, je vois s'afficher le marqueur WCO. Mon pouls s'emballe. C'est bien lui, la silhouette que j'avais repérée au stade. Que vient-il faire ici ? Rencontrer quelqu'un ?

Je regarde autour de moi tandis que les conversations s'éteignent pour laisser place à des murmures d'excitation.

Soudain, la liste des assassinats s'efface temporairement sur le cylindre. Elle est remplacée par l'annonce du match à venir :

OBSIDIAN KINGS vs WHITE SHARKS

Le Dark World a ses équipes célèbres, lui aussi, sauf que leurs membres sont tous anonymes et jouent de façon parfaitement déloyale. Les équipes officielles de Warcross sont sponsorisées par des grands patrons ; celles du Dark World appartiennent à des gangsters. En cas de victoire, vous rapportez de l'argent au gang auquel vous appartenez. En cas de défaite, les gens prennent des paris sur vous à la loterie des assassinats. Si vous perdez trop souvent, vous pouvez très bien vous retrouver en tête de liste à la loterie. Et là, votre propre sponsor risque de chercher à vous assassiner.

Tous ceux qui regardent le cylindre en ce moment voient un bouton « Rejoindre » flotter au centre de leur champ de vision. Je le presse. Une fenêtre s'ouvre pour me demander combien de tickets je veux parier. Je regarde autour de moi, pour voir les chiffres qui flottent au-dessus de chaque parieur : 1 000 Ŧ, 5 000 Ŧ, 10 000 Ŧ... J'en vois même qui ont misé plus de cent mille tickets.

Je place un pari de cent tickets. Inutile de me faire remarquer.

Le monde change autour de nous, et soudain nous ne sommes plus sur le pont du Repaire des Pirates mais sur le toit d'un gratte-ciel, sous un ciel rouge sang. Les joueurs apparaissent, d'un blanc incandescent, au milieu de bonus scintillants. La vue du Repaire des Pirates se réduit à une minuscule fenêtre au coin de mon champ de vision, une fenêtre qui s'ouvrira en grand chaque fois que je la fixerai. Je m'en sers à présent pour chercher le point doré de Ren.

Je le localise dans le public, à un mètre à peine de moi. Le montant de son pari brille en vert clair au-dessus de sa tête : 100 Ŧ. Pas un gros parieur non plus. Curieux. D'habitude, quand je traque quelqu'un dans les bas-fonds, c'est plutôt un flambeur qui parie des sommes folles.

En même temps, par le seul fait de miser quelques tickets ici sur une partie clandestine, Ren met en danger sa réputation de wild card. Ça ne colle pas. Ce n'est pas le jeu qui l'intéresse. Il cherche simplement à se fondre dans la masse, comme moi. Je parie qu'il est là pour rencontrer quelqu'un.

L'animateur apparaît, présente les dix joueurs et déclare le match ouvert. Contrairement aux parties régulières, celle-ci comporte deux chiffres qui s'affichent au bas de mon champ de vision. Le montant total des paris placés sur chaque équipe. Le public rugit tandis que les joueurs s'élancent. Deux adversaires se jettent l'un sur l'autre en armant le bras. L'un d'eux se déconnecte subitement, se reconnecte derrière l'autre et le catapulte dans le vide avec un grand coup de pied. La foule l'acclame. Je reste silencieuse et continue d'observer. Dans une partie normale un tour pareil l'aurait fait exclure sans délai. Mais ici, hors de la supervision d'Henka Games, tous les coups sont permis.

Tandis que le jeu se poursuit, les paris continuent de grimper en direct. Les Obsidian Kings, qui étaient mieux cotés que les White Sharks au début, sont désormais derrière. Quand leur Architecte se fait cueillir par un bonus de Glaçon (paralysie temporaire), la cote des Sharks s'envole.

Je soupire. Il n'y a rien de suspect ici, hormis le faible montant du pari de Ren. Et si j'étais en train de perdre mon temps ? Si Ren n'était qu'une fausse piste ?

C'est là que je remarque un nouveau parieur qui vient d'entrer au Repaire des Pirates.

Je ne l'aurais sans doute pas vu sans mon script. La plupart des gens autour de moi ne semblent pas s'apercevoir de sa présence. À l'exception de quelques-uns, comme Ren, qui se tourne directement vers lui.

Au milieu de tous ces avatars patibulaires, le nouveau venu passe plutôt inaperçu. Ce n'est qu'une silhouette fine. Son visage est masqué par un casque opaque et il porte une armure noire près du corps. Ses muscles secs ondulent sous les néons du Repaire des Pirates. Et même si je n'ai aucune info sur lui, aucune indication concernant son identité, un frisson me parcourt de la tête aux pieds. Je le sens au fond de moi : voilà celui que Ren attendait. Celui qu'il est venu rencontrer.

   Zéro.

16

Tu n'en sais rien. Ça pourrait être n'importe qui. N'empêche que tout chez lui, l'autorité qu'il dégage, son assurance, qui trahit l'habitué des lieux, le fait que je ne lise rien, absolument rien sur lui, fait grimper en flèche mes pulsations cardiaques.

Je ne devrais pourtant pas m'étonner de le voir ici. Mais le fait de me retrouver nez à nez avec Zéro me fait momentanément oublier tout le reste. C'est à peine si j'ai le temps de reculer en le voyant traverser la foule.

Zéro s'arrête. Il tourne la tête dans ma direction et, surtout, il me regarde.

Je ne suis pas censée le voir, comprends-je. Voilà pourquoi personne d'autre dans le public ne fait attention à lui. Il est probablement invisible pour tout le monde à l'exception de ceux qui sont au courant de sa venue, et de ses complices. Seulement, il m'a vue m'écarter de son chemin. Il a compris que je le voyais.

Peut-il savoir qui je suis ? Et s'il était en train de pirater mon compte de son côté, de télécharger toutes mes infos ? Les questions se bousculent dans ma tête. Si je m'en vais maintenant, je confirme tous ses soupçons.

Ignore-le. Tiens-toi tranquille et regarde le match. Fais comme s'il n'était pas là.

Zéro me dévisage en silence, puis se rapproche encore. Son casque noir est opaque. Tout ce que je vois dans sa visière, c'est le reflet de mon avatar générique. Si tout le monde ici se présente sous une forme cryptée, Zéro, lui ne lâche *aucune* info. Pas de fausse identité, pas même un pseudo généré de façon aléatoire, rien. Un vrai trou noir. Il tourne autour de moi, lentement, m'étudie en silence comme un prédateur. Je me fige, retiens mon souffle et tâche de rester imperturbable. Dans la réalité, je pianote furieusement pour renforcer mes défenses. Je suis sûre qu'il fait la même chose de son côté. Même si, en principe, je suis cryptée et déconnectée du réseau, j'ai l'impression que son regard me met à nu. J'ai déjà eu affaire à de vrais gangsters. Si j'ai réussi à garder mon sang-froid face à eux, je ne vais pas me décomposer devant Zéro.

Une fille qui le suit comme son ombre note quelque chose sur une tablette à pince. Elle a des cheveux bleus coupés au carré et porte un blazer noir et un jean, mais ce sont surtout ses yeux qui me frappent. Ils sont entièrement blancs. Je la prends d'abord pour une parieuse. Mais quand je la vois tourner la tête en parfaite synchronisation avec Zéro, je comprends qu'il s'agit d'un proxy, un bouclier de sécurité derrière lequel Zéro masque sa véritable identité. Si quelqu'un avait l'idée d'enregistrer cette séquence au Repaire des Pirates, et remarquait Zéro, il n'obtiendrait que les infos de cette fille, qui ne le conduiraient nulle part.

Qu'a-t-elle écrit sur sa tablette ? Un truc à propos de nous ?

Zéro me détaille encore un instant. Puis, miraculeusement, son attention se tourne ailleurs. Celle de son proxy aussi. Je serre les poings si fort que je sens mes ongles me rentrer dans les paumes.

Je vois Zéro placer un pari de 34,05 tickets sur les Obsidian Kings. Je fronce les sourcils. Drôle de chiffre. J'attends en silence, pendant une minute précisément. Puis Zéro place un deuxième pari, cette fois en faveur des White Sharks. De 118,25 tickets.

Voilà qu'il parie sur les deux équipes, maintenant. À quoi joue-t-il ?

Un autre parieur dans la foule place lui aussi un pari de 34,05 tickets. Une minute plus tard, il parie à son tour 118,25 tickets sur les Sharks. Exactement les mêmes sommes que Zéro. Le proxy aux cheveux bleus note quelque chose sur sa tablette.

Zéro n'est pas en train de parier. Il communique avec ses complices.

Bien sûr. Note les chiffres, me dis-je. Zéro laisse passer quelques minutes puis place deux nouveaux paris. Cette fois, il met 55,75 tickets sur les Obsidian Kings et 37,62 sur les White Sharks.

Et comme on pouvait s'y attendre, un troisième parieur place peu de temps après les mêmes paris dans le même ordre. Encore une fois, le proxy en prend note.

J'observe dans un silence perplexe ce petit manège se répéter plusieurs fois, tandis qu'autour de moi les autres visiteurs continuent d'acclamer la partie. Personne à part moi ne semble remarquer quoi que ce soit, ce qui n'a rien d'étonnant, au fond, car seuls les gros montants s'affichent en gras et modifient les totaux de manière sensible. Pourquoi irait-on prêter attention à ces sommes insignifiantes ?

Puis Zéro place encore deux paris et, cette fois, c'est Ren qui lui répond.

Enfin, la partie s'achève. Zéro s'écarte du cylindre sans un mot. À côté de lui, son proxy hoche la tête à l'adresse de la foule, et ceux qui ont répondu à ses paris hochent la tête en retour. La musique électronique ambiante bascule sans prévenir sur une autre piste, comme sous l'effet d'un bug. « *Et si on terminait en apothéose*, susurre cette nouvelle chanson. *Ouais, si on terminait en apothéose.* » Puis la musique repasse à la première piste. Les Obsidian Kings ont gagné et la cagnotte accumulée au-dessus des White Sharks disparaît, pour être divisée et répartie entre les parieurs gagnants. Je consulte la liste des montants pariés par Zéro.

Cinquante paires de chiffres. Rien que des petits montants. Le plus élevé atteint 153, le plus bas descend à 0. Il me vient une idée, tout à coup. Tellement bizarre que mon premier réflexe est de l'écarter. Mais plus je regarde ces chiffres, plus elle me paraît coller.

Ce sont des localisations. Définies par leur latitude et leur longitude.

Et s'il s'agissait de villes ? Je commence à prendre peur, à me dire que j'ai peut-être mis le doigt sur quelque chose d'important. Pourquoi Zéro assignerait-il des localisations à ses complices ? Qu'est-il en train de mijoter ?

Machinalement, je lance la procédure de déconnexion au Dark World. Au même instant, j'aperçois Zéro à l'autre bout du pont.

Il me fixe.

17

J'ignore s'il m'a reconnue. Peut-être regardait-il simplement dans ma direction, sans faire pour autant attention à moi. Mais le souvenir de son regard me fait
encore froid dans le dos alors que je me retrouve dans ma
chambre, face au balcon. Je souffle profondément. La sérénité du monde réel a quelque chose de déconcertant après
mon escapade dans le Dark World.

Et si Zéro était sur ma piste ?

J'affiche une carte transparente devant moi, avec la liste
des coordonnées que j'ai notées au Repaire des Pirates. Puis
je me reporte aux longitudes et latitudes indiquées sur les
côtés de la carte.

— Trente et un virgule deux, dis-je à voix basse en faisant glisser mon doigt sur la carte. Cent vingt et un virgule
cinq.

Mon doigt s'arrête au-dessus de Shanghai.

Je passe aux coordonnées suivantes.

— Trente-quatre virgule zéro cinq. Cent dix-huit virgule vingt-cinq.

Los Angeles.

40,71 et 74,01. New York.

55,75 et 37,62. Moscou.

Et ainsi de suite. Je vérifie chaque paire de chiffres, en ajoutant parfois un signe moins devant un chiffre quand j'atterris au milieu de nulle part ou en pleine mer. À l'arrivée, toutes ces coordonnées sans exception correspondent à une grande métropole. En fait, Zéro a juste dressé la liste des cinquante plus grandes villes du monde, chacune lui ayant été répétée par quelqu'un parmi les visiteurs du Repaire des Pirates.

Je ne sais pas ce que prépare Zéro, mais c'est une opération d'envergure mondiale. Et quelque chose me dit qu'il ne s'agit pas simplement de perturber quelques tournois de Warcross.

Et s'il y avait des vies en jeu ?

Un coup frappé à ma porte m'arrache à mes réflexions.

— Oui ? dis-je.

Pas de réponse. J'attends un moment, puis me lève et me dirige vers la porte. Je pousse le bouton d'ouverture.

C'est Ren, nonchalamment appuyé contre le montant de la porte, ses écouteurs descendus sur le cou. Son sourire ne remonte pas jusqu'à ses yeux.

— Il paraît que tu as sauté le déjeuner, dit-il. (Il m'examine en penchant la tête.) Migraine ?

Mon sang se fige. Pourtant, je dois rester calme. Alors je plisse les yeux, pose les poings sur mes hanches et réplique :

— Tu as bien sauté le déjeuner pour aller faire de la musique.

Il hausse les épaules.

— Warcross ou pas, je reste sous contrat avec mon studio. Les autres m'ont envoyé te chercher. Ils commencent une partie en réseau, si ça t'intéresse.

Il hoche la tête vers l'escalier.

Je scrute son visage. *Que fabriquais-tu dans le Dark World, Ren ? Quels sont tes liens avec Zéro ? Qu'est-ce que vous mijotez, tous les deux ?*

— Pas ce soir, dis-je en indiquant mon lit. J'ai un rendez-vous pour obtenir un permis pour ma nouvelle planche.

Ren me dévisage juste un tout petit peu trop longtemps. Puis il se décolle de ma porte et s'éloigne vers l'escalier.

— Tu es une petite wild card très occupée, dit-il en français, sous-titré par mes lentilles.

Une petite wild card très occupée. Je me demande un instant s'il me soupçonne de l'avoir suivi. Dès qu'il a disparu dans l'escalier, je referme ma porte et contacte Hideo. Quand celui-ci décroche, il apparaît devant moi sous forme virtuelle.

— Emika ? s'étonne-t-il.

J'en frémis d'excitation et d'impatience.

— Bonsoir, dis-je dans un souffle. On peut se voir ?

●●●●●

Lorsque j'émerge de ma chambre, Asher, Roshan et Hammie sont affalés sur les canapés, à s'empiffrer de pizzas tout en jouant à Mario Kart. Ren suit la partie d'un œil distrait d'un fauteuil voisin. Leurs karts filent à travers la galaxie le long d'une route arc-en-ciel.

— Ah ! ah ! triomphe Hammie tandis que son kart passe en tête. Ce coup-là je vais vous griller, les gars !

— Tu cries toujours victoire trop tôt, Ham, riposte Roshan. Ce n'est pas la première fois que je te le dis.

— Arrête de me laisser gagner, alors.

— Je ne lâche jamais une partie.

Je jette un coup d'œil vers Ren. Il se prélasse tranquillement, son casque à ailettes dorées autour du cou. Quand il m'aperçoit, il m'adresse un sourire désinvolte, comme s'il était resté là au lieu de placer des paris clandestins dans le Dark World à peine une heure plus tôt.

Hammie hurle :

— Non !

Une coquille bleue surgit de nulle part et frappe son kart dans la dernière ligne droite. Le temps qu'elle redresse sa trajectoire, les autres la dépassent en trombe. Quand elle se traîne enfin sur la ligne d'arrivée, elle est huitième.

Asher éclate de rire tandis qu'Hammie se dresse d'un bond et lève les mains au ciel. Elle foudroie Roshan du regard. Il lui retourne son sourire le plus doux.

— Désolé, trésor. Je te l'ai dit, je ne lâche jamais une partie.

— Désolée, mon cul ! s'exclame-t-elle. Je veux ma revanche.

— Sacré Roshan, le complimente Asher en lui donnant une tape dans le dos. Un ange dans la vraie vie, un démon dans un kart.

Ren lève la tête vers moi.

— Hé ! Emika, dit-il. Tu joues avec nous ? Je rentre dans la prochaine partie.

Que faisais-tu au Repaire des Pirates, Ren ? Qu'est-ce que vous trafiquez, avec Zéro ? Es-tu une menace pour toutes les personnes présentes dans cette pièce ? Extérieurement, je souris et leur montre la planche électrique sur mon épaule.

— Je pensais plutôt essayer ma nouvelle planche en ville.

À côté de Ren, Hammie gémit.

— Allez, Emi, insiste-t-elle.

— J'ai juste besoin d'un peu d'air ce soir, dis-je. Comme je t'ai dit. Demain, c'est promis.

Alors que je me dirige vers la sortie, Asher m'arrête :

— Hé, wild card !

Je me retourne. Il me regarde d'un air sérieux.

— C'est la dernière fois que tu nous fais faux bond. Enregistré ?

Je hoche la tête sans dire un mot. Asher se détourne, mais avant de sortir j'ai le temps de voir Ren esquisser un sourire.

— Amuse-toi bien, me lance-t-il avant de se détourner lui aussi.

Je gagne le vestibule, passe la porte puis grimpe sur ma planche et roule jusqu'à une voiture noire qui m'attend dans l'allée. Il ne faudra pas que j'aille retrouver Hideo trop souvent le soir, comme ça. Ces voitures sont mises à la disposition des joueurs pour leurs déplacements en ville, mais, quand même, mieux vaut éviter d'éveiller les soupçons. Asher voudra me voir passer plus de temps avec le reste de l'équipe, surtout dans les dernières semaines avant le premier match officiel.

Le temps que j'arrive au siège d'Henka Games, il fait complètement nuit et le cœur de Tokyo a repris ses allures de kaléidoscope. Le bâtiment lui-même a l'air différent avec mes lentilles : et les murs se parent de tourbillons de couleurs et d'interprétations artistiques du logo de la compagnie. Quand la voiture s'arrête devant l'entrée, deux des gardes du corps d'Hideo viennent m'accueillir. Vêtus de costumes noirs, ils inclinent la tête à l'unisson.

— Par ici, mademoiselle Chen, dit l'un d'eux.

Je leur rends leur salut, maladroitement, et je les suis à l'intérieur. Nous marchons en silence jusqu'au bureau d'Hideo.

Celui-ci est penché au-dessus d'une table, très concentré, ses cheveux noirs ébouriffés. Il porte une chemise et un pantalon, noir comme à son habitude ; la chemise est noire, cette fois, avec de fines rayures grises. Ses boutons de manchettes sont dépareillés avec soin : un croissant de lune pour l'un, une étoile pour l'autre. Comment fait-il pour donner en permanence cette impression d'être tiré à quatre épingles ? *Papa aurait été impressionné.*

Il lève la tête à notre arrivée. Je me rappelle que je suis censée m'incliner devant lui et lui adresse un bref hochement de tête.

— Emika, dit-il en se redressant. (Son expression sérieuse s'adoucit à ma vue.) Bonsoir.

Il échange un regard avec ses gardes du corps. L'un d'eux ouvre la bouche pour protester, mais quand Hideo penche la tête en direction de la porte, l'homme soupire et entraîne son collègue hors de la pièce.

— Ils sont avec moi depuis mes quinze ans, explique Hideo en faisant le tour de la table. Excusez-les s'ils se montrent parfois un peu trop protecteurs.

— Ils me considèrent peut-être comme un danger pour vous.

Il s'arrête devant moi et sourit.

— L'êtes-vous ?

— J'essaie de me contrôler, dis-je en lui retournant son sourire. Pour l'instant, je souhaite juste vous raconter ce que j'ai appris.

— Je suppose que ça veut dire que vous avez fait des découvertes intéressantes dans le Dark World ?

— Plus qu'intéressantes, dis-je avec un regard circulaire sur le bureau. J'espère que vous n'avez rien d'urgent à faire. Parce que j'ai un paquet d'infos pour vous.

— Tant mieux. Je pensais justement vous proposer quelque chose de différent, ce soir. (Son regard s'attarde sur moi.) Avez-vous déjà mangé ?

Est-il en train de m'inviter à dîner ?

— Pas encore, dis-je sur un ton que j'espère naturel.

Il attrape sur le dossier d'un fauteuil un caban gris foncé, qu'il enfile. Puis il indique la porte.

— Venez avec moi.

18

O n se retrouve à Shibuya, au pied d'un gratte-ciel qui porte l'enseigne Rossella Osteria. Un ascenseur nous emporte jusqu'au toit, où des portes vitrées coulissantes s'écartent devant nous. Je découvre un espace d'une beauté à couper le souffle. Une partie du sol est faite de verre – de verre véritable, pas une simulation –, à travers lequel on voit nager des carpes koï rouge et or. Des vases de fleurs ornent des piédestaux de marbre sur le pourtour du restaurant. L'endroit est presque désert.

Un serveur s'empresse de venir accueillir Hideo.

— Tanaka-*sama* ! s'exclame-t-il en japonais, s'inclinant bien bas. (Dans ses gestes fébriles, je me retrouve lors de ma première entrevue avec Hideo, à me décomposer sous son regard sérieux.) Mille excuses, nous ne savions pas que vous aviez prévu de venir accompagné ce soir.

Il jette un regard anxieux vers moi. Soudain, je comprends qu'il doit me prendre pour un rencard d'Hideo. C'est peut-être ce que je suis. Je piétine un peu sur place, mal à l'aise.

Hideo hoche la tête.

— Inutile de vous excuser, répond-il en japonais, tout en se tournant vers moi. Je vous présente Mlle Emika Chen, une collègue de travail.

Il tend la main pour me faire signe de passer devant lui.

— Je vous en prie.

J'emboîte le pas au serveur, perplexe et très sensible à la présence d'Hideo derrière moi. Nous débouchons dans un patio extérieur orné de colonnes et de guirlandes de lampions. Des lampes à chaleur disposées à intervalles réguliers nimbent notre peau de leur éclairage doré, tandis que les lumières de la ville brillent en contrebas. Comme nous nous asseyons, le serveur nous remet des menus puis s'éclipse. Il ne reste plus que nous deux et les gardes du corps.

— Pourquoi n'y a-t-il personne dans ce restaurant ? dis-je.

Hideo ne se donne pas la peine d'ouvrir le menu.

— Il m'appartient, explique-t-il. Une fois par mois, je le réserve à mon usage exclusif pour des sorties personnelles ou des dîners d'affaires. J'ai pensé que vous aimeriez renouer avec la cuisine occidentale, pour changer.

Mon estomac se met à gargouiller. Je toussote pour essayer de masquer le bruit. Je ne serais pas surprise d'apprendre qu'Hideo possède la moitié de Tokyo.

— J'adore la cuisine italienne, dis-je.

Nous passons commande. Nos assiettes arrivent bientôt, charriant des arômes de basilic et de tomate. Tout en mangeant, je me connecte à mon compte et envoie une invitation à Hideo.

— J'ai suivi Ren au Repaire des Pirates, dis-je.

— Et alors ? Qu'avez-vous vu ?

— Il a retrouvé ce type.

Je pose ma fourchette et lance un souvenir de ma visite dans le Dark World. On y voit la silhouette en armure noire, accompagnée de son proxy, en train de placer ses paris sur la partie clandestine de Warcross.

Hideo se penche en avant.

— C'est Zéro ?

— J'en suis pratiquement sûre. Il se cachait derrière un avatar en armure et un proxy. Il transmettait des infos à ses complices disséminés dans la foule. Des dizaines de complices. Nous n'avons pas affaire à un individu isolé.

— Quel genre d'informations transmettait-il ?

— Des coordonnées de grandes villes. Regardez.

Je lui sors la liste des chiffres que j'ai enregistrés, en lui expliquant le système des petits paris par lequel Zéro les a fait passer à ses complices. Puis j'affiche une carte virtuelle entre nous pour y faire figurer les coordonnées. Mon doigt s'arrête sur le point 35,68 et 139,68.

— Celles-ci – Tokyo – sont celles auxquelles Ren a répondu, dis-je. Peut-être que tous les autres ont répondu aux coordonnées de la ville dans laquelle ils sont présents physiquement.

Hideo examine les emplacements, paupières plissées.

— Ce sont toutes les villes où se déroulent les plus grands événements sous dôme du championnat, dit-il. Savez-vous combien d'autres réunions de ce genre il a pu tenir avant celle-ci ?

Je secoue la tête.

— Non. Mais j'ai l'impression qu'il est à la tête d'un groupe important. Il me faudrait une autre rencontre avec Zéro pour mieux cerner ce qu'il prépare, mais les chances de lui soutirer d'autres informations de ce genre avant le début du championnat me paraissent minces.

Hideo secoue la tête.

— Ce ne sera pas nécessaire. C'est lui qui viendra à nous. Le premier match officiel aura lieu le cinq avril. Nous savons déjà que ses complices et lui y assisteront, et que Ren sera en charge de l'opération à Tokyo. Il sera vraisemblablement en lien direct avec Zéro pendant la partie.

— Vous voulez que je pirate son compte en cours de jeu ?

— Oui. Nous cacherons quelque chose sur vous lors du premier match. Obligez Ren à interagir avec vous en pleine action, ça désactivera momentanément ses défenses. Les données qu'il échangera avec Zéro deviendront accessibles.

Le plan me paraît bon.

— Que pensez-vous cacher sur moi, exactement ?

Hideo a un petit sourire. Il me prend délicatement le poignet, le retourne et pose son pouce dessus comme pour me prendre le pouls. Je frissonne à son contact. Puis il me lâche pour esquisser un geste en l'air. Mes données apparaissent entre nous, en caractères bleutés. Fascinée, je le regarde les mêler à celles que nous avons de Ren, tisser un algorithme devant mes yeux, pour lui donner la forme d'un nœud coulant.

— Qu'est-ce que c'est ?

— Un collet, m'explique-t-il. Attrapez-lui simplement le poignet à tout moment de la partie. Ça neutralisera ses défenses et vous donnera accès à toutes ses données.

Il me reprend la main et m'enroule son collet autour du poignet, comme un bracelet. La tresse de données brille un instant contre ma peau avant de disparaître. Cela réveille un sentiment de nostalgie chez moi : soudain je revois mon père penché par-dessus la table de la salle à manger, en train de fredonner joyeusement dans sa barbe en mesurant des bandes d'étoffe sur son bras, une bouteille de vin à portée de main, sur un sol jonché de paillettes et de rouleaux de tissu.

Je retire ma main et la coince entre mes genoux. Je me sens vulnérable, tout à coup.

— D'accord, dis-je.

L'expression d'Hideo se modifie. Il me dévisage avec attention.

— Vous vous sentez bien ?

— Ça va.

Je secoue la tête, agacée d'être aussi transparente. *Juste un souvenir, c'est tout.* Je suis sur le point de lui répondre ça, pour pouvoir le chasser de mon esprit, puis je lève la tête, croise son regard, et cette fois ce sont mes propres défenses que je sens flancher.

— Ça m'a rappelé mon père, dis-je en indiquant mon poignet. Il avait l'habitude de mesurer les petits morceaux de tissu en les enroulant autour de son poignet.

Hideo a dû percevoir le changement dans ma voix.

— « Avait » ? répète-t-il avec douceur.

Je baisse les yeux sur la table.

— Il est mort. Ça fait un bail.

Hideo reste muet un moment. Il y a une forme de familiarité dans son regard, dans ce silence que connaissent tous ceux qui ont perdu un être cher. L'une de ses mains se crispe et se détend. Je vois blanchir ses phalanges meurtries.

— Votre père était un artiste, dit-il enfin.

J'acquiesce.

— Souvent, il secouait la tête et se demandait d'où me venait mon amour des chiffres.

— Et votre mère ? Que fait-elle ?

Ma mère. Un vieux souvenir me revient en tête. Papa tient ma petite main potelée dans la sienne tandis qu'on la regarde avec impuissance lacer ses bottes et rajuster son écharpe blanche. Pendant que papa s'adresse à elle tout bas, d'une voix triste, j'admire la poignée argentée de sa valise, la perfection de ses ongles, la noirceur soyeuse de ses cheveux. Je sens encore sa main fraîche et lisse me tapoter la joue, une fois, deux fois, avant qu'elle ne parte sans se retourner. *Elle est tellement belle*, me souviens-je avoir pensé. La porte se referme derrière elle sans un bruit. Papa s'est mis à jouer peu de temps après.

— Elle s'est tirée, dis-je.

Un déclic se produit chez Hideo, comme s'il venait de comprendre quelque chose d'important à mon sujet.

— Je suis désolé, dit-il.

Je baisse la tête, agacée par ce poids que j'ai sur le cœur.

— Après la mort de papa, au foyer, je passais tout mon temps à étudier votre interface de programmation. Une vraie obsession ! Ça m'a aidée, vous savez… à oublier.

J'entrevois encore cette brève lueur de compréhension dans le regard d'Hideo. Il sait ce que c'est que les vieux chagrins et les histoires pénibles.

— Et aujourd'hui, est-ce que vous réussissez à oublier ? me demande-t-il.

Je soutiens son regard et réponds d'une voix douce :

— Et vous, est-ce que vos phalanges écorchées vous apportent la paix ?

Hideo se détourne vers la ville. Il ne me demande pas pourquoi je l'interroge là-dessus ni depuis combien de temps je me pose la question.

— Je crois que nous connaissons l'un et l'autre la réponse à ces deux questions, murmure-t-il.

Et je me retrouve submergée par un nouveau flot de réflexions, à me demander ce qui a bien pu lui arriver par le passé.

Un silence agréable s'instille tandis que nous contemplons les lumières de la ville. Le ciel est entièrement noir désormais ; on ne voit presque pas les étoiles à cause des rues illuminées de Tokyo en contrebas. Je lève quand même les yeux, d'instinct, à la recherche des constellations. En vain.

Il me faut un moment pour réaliser qu'Hideo s'est renversé en arrière sur son siège et qu'il m'observe à nouveau, un petit sourire aux lèvres. Ses yeux luisent doucement dans l'éclairage tamisé, reflétant la lueur des lampions et celle des lampes à chaleur.

— Vous scrutez le ciel, remarque-t-il.

Je baisse les yeux en riant.

— C'est une vieille habitude. Les seuls moments où je pouvais vraiment admirer les étoiles, c'était quand papa nous emmenait sillonner les routes en rase campagne. Depuis, je cherche toujours les constellations.

Hideo lève la tête puis bouge les doigts d'une manière presque imperceptible. Une fenêtre s'ouvre devant moi pour me proposer d'accepter une vue partagée. Je clique dessus. Le filtre virtuel de mes lentilles se modifie, et soudain je vois le *vrai* ciel nocturne au-dessus de moi, toutes les constellations du printemps et les étoiles innombrables, argent, or, saphir et écarlates, si brillantes qu'on aperçoit même la Voie lactée. En cet instant, je m'attendrais presque à recevoir une pluie de poussière d'étoiles sur les épaules.

— L'une des premières fonctions que j'ai installées sur ma vue personnelle en réalité augmentée, c'est un ciel nocturne clair et dégagé, m'avoue Hideo. (Il m'observe.) Ça vous plaît ?

J'acquiesce en silence, le souffle coupé.

Hideo me sourit alors sincèrement, d'une manière qui éclaire jusqu'à ses yeux. Son regard se promène sur mon visage. Il est si près que, s'il voulait, il n'aurait plus qu'à se pencher pour m'embrasser. Et je sens mon cou s'allonger malgré moi, dans l'espoir qu'il le fasse.

— Tanaka-*san* ?

L'un de ses gardes du corps s'approche et s'incline respectueusement.

— Un appel pour vous, dit-il.

Le regard d'Hideo s'attarde encore sur moi. Puis il s'écarte. Je m'affaisse un peu sur ma chaise sous le coup de la déception. Il lève les yeux vers son garde du corps et hoche la tête.

— Excusez-moi, me dit-il.

Il se lève et retourne à l'intérieur du restaurant.

Je soupire. Une brise fraîche souffle sur le patio ; je frissonne et contemple le ciel, où les étoiles continuent de scintiller. Je l'imagine en train d'inventer ça, le nez en l'air lui aussi, brûlant d'envie de voir les étoiles.

Peut-être que nous avions tous les deux besoin d'un peu d'air pour nous rafraîchir les idées.

Je travaille pour lui. C'est mon client. Je suis une chasseuse de primes qui a un travail à faire. Quand j'aurai fini – quand j'aurai gagné –, je retournerai à New York et je n'aurai plus jamais besoin de courir après des criminels. Et pourtant je suis là, à lui parler de ma mère à laquelle je n'avais plus pensé depuis des années. Je revois cette lueur dans son regard. Qui a-t-il perdu, lui ?

Je commence à me dire qu'Hideo ne reviendra pas quand je sens qu'on me pose un vêtement chaud sur les épaules. C'est le caban gris d'Hideo.

— Vous aviez l'air d'avoir froid, dit-il en revenant s'asseoir en face de moi.

Je resserre le caban sur moi.

— Merci, dis-je.

Il s'excuse en secouant la tête. Je voudrais bien qu'il dise un mot de l'étincelle qu'il y a eu entre nous, mais à la place, il dit simplement :

— J'ai bien peur de devoir vous abandonner. Mes gardes vous raccompagneront par une sortie privée, par souci de discrétion.

— D'accord, pas de problème, dis-je, m'efforçant de cacher ma déception sous une fausse désinvolture.

— Quand pourrai-je vous revoir ?

Je me sens toute drôle, subitement, et mon cœur se remet à cogner.

— Eh bien, dis-je, à part ce dont nous avons déjà discuté, je doute d'avoir grand-chose à vous rapporter avant…

Hideo secoue la tête.

— Pas pour ça. Juste pour le plaisir de votre compagnie.

Le plaisir de ma compagnie. Son regard reste impassible, mais je perçois sa façon d'incliner la tête vers moi et la lueur qui brille dans ses yeux.

— … avant le premier match, dis-je en bredouillant.

Hideo sourit, et cette fois c'est un sourire complice.

— J'ai hâte d'y être.

19

Au matin de notre premier match officiel, Asher cogne son fauteuil avec insistance contre la porte de ma chambre. Je me réveille en sursaut, ouvre les yeux en grommelant, à peine capable de comprendre ce qu'il raconte.

— Le niveau est sorti ! crie-t-il avant d'aller taper à la porte d'Hammie. Debout ! Debout !

Le niveau est sorti. Je me redresse dans mon lit comme un ressort. *Aujourd'hui, c'est le grand jour.*

Je fouille dans mes draps jusqu'à ce que je remette la main sur mon téléphone, je veux voir si j'ai reçu des messages. Il n'y en a qu'un, d'Hideo.

> **Bonne chance pour aujourd'hui. Même si je sais que vous n'en aurez pas besoin.**

Je ne sais pas si je me sens toute chose à l'idée de mon premier match ou à cause de son message. Au cours des deux dernières semaines, depuis notre dîner, j'ai parlé à Hideo persque tous les jours. La plupart du temps nos échanges sont innocents, strictement professionnels, mais parfois, quand ils ont lieu tard dans la nuit, je perçois comme un rappel de ce qui s'est passé entre nous au dîner, quand il s'est penché tout près de moi.

On se verra au stade. Et merci. Croyez-moi, la chance me sera utile.

Je n'en crois pas un mot, mademoiselle Chen.

Vous vous moquez de moi, monsieur Tanaka.

Ah ! Vous le prenez vraiment comme ça ?

Comment voudriez-vous que je le prenne ?

Comme un soutien moral, peut-être ?

Je souris.

Votre soutien moral risque de me déconcentrer dans l'arène.

Alors, je m'en excuse à l'avance.

Je secoue la tête.

> **Vous n'êtes qu'un flatteur.**

> **Pas le moins du monde. À tout à l'heure au stade, Emika.**

Il n'ajoute rien de plus. J'attends un autre message, en vain. Au bout d'un moment, je me secoue et bascule les jambes hors du lit. Je m'habille à la hâte, me brosse les dents, rassemble mes cheveux arc-en-ciel en un chignon approximatif et met mes lentilles NeuroLink. Puis je m'examine dans le miroir. Le sang gronde à mes oreilles. J'imagine Keira à New York, quand elle regardera mon match pelotonnée sur le canapé. Je me représente M. Klouduke en train de faire la même chose, clignant des paupières avec un air incrédule.

Il est temps d'y aller. Je souffle un bon coup, me décolle du miroir et sors de ma chambre au pas de course.

Tout le monde est déjà en bas dans l'atrium, regroupé autour d'Asher qui allume l'émission du matin pour nous. Hammie m'adresse un singe de tête en me voyant arriver. Wikki passe de l'un à l'autre, apportant à chacun son petit déjeuner favori. Celui d'Hammie est une montagne de gaufres avec du sirop, des fruits et de la crème fouettée ; le mien est un taco matinal avec une grosse louche de guacamole. Ren, comme à son habitude, picore dans son assiette de blancs d'œuf et d'épinards bouillis, tandis que Roshan se contente d'un grand bol de thé au lait et aux épices et grimace devant l'assiette que lui tend Wikki.

— Pas aujourd'hui, gémit-il.

Wikki cligne des paupières et le regarde avec toute la tristesse que lui autorise son visage de robot.

— Tu en es sûr ? D'habitude tu adores les œufs brouillés au fromage de chèv....

Roshan devient livide.

— Pas aujourd'hui, répète-t-il. (Il tapote affectueusement Wikki sur la tête.) Ne le prends pas mal.

— Mange, lui ordonne Asher par-dessus son assiette d'œufs brouillés. Tu as besoin d'avaler quelque chose si tu veux être en état de réfléchir.

J'essaie de suivre ce conseil, mais après trois bouchées de taco je repousse mon assiette. Trop d'idées se bousculent sous mon crâne.

Hammie agite un morceau de gaufre au bout de sa fourchette et indique l'image affichée en l'air devant nous.

— On dirait que notre premier match va se dérouler à toute vitesse, observe-t-elle.

Le premier niveau créé par le comité d'Hideo pour notre match ressemble à un monde de neige et de glaciers. Le paysage pivote sous nos yeux pour nous offrir un aperçu de ce qui nous attend. Une série de règles sont énumérées dessous.

Roshan les parcourt pour nous en fronçant les sourcils.

— Ce sera un niveau de course, dit-il en piochant un morceau de datte pour le gober au vol. Tout le monde avancera simultanément sur des hoverboards. Si un joueur se fait balancer de sa planche, il sera ressuscité avec une longueur de retard sur les autres, à l'altitude la plus basse possible.

J'examine le paysage et tente de mémoriser le parcours.

Asher se renverse en arrière dans son fauteuil et nous examine tour à tour. Son regard s'arrête d'abord sur Ren.

— On va pouvoir tester tes compétences de Guerrier, dit-il. Tu te placeras juste à côté de moi, wild card. (Puis il se tourne vers moi.) Em, ajoute-t-il en indiquant la carte pivotante. Avec moi, toi aussi ; de l'autre côté. Hammie, tu te positionneras devant elle. Récolte tous les bonus que tu pourras et passe-les-lui. Roshan, je veux que tu gardes un œil sur les wild cards et que tu t'assures qu'elles ne soient pas distancées si elles se font tuer en début de partie. Tâchons de gagner ce match !

Je jette un coup d'œil à Ren. Il hoche la tête à l'intention d'Asher. On dirait que seule la victoire l'intéresse. Comme s'il ne s'était pas rendu dans le Dark World pour comploter contre le jeu. Je me frotte le poignet machinalement, à l'endroit où Hideo m'a attaché son collet invisible.

On peut être deux à jouer à ça.

Le Tokyo Dome est entièrement recouvert des couleurs et des symboles qui nous représentent, la Demon Brigade et nous. À travers les lentilles, nous pouvons voir les images d'un phénix écarlate qui plane au-dessus de l'arène, et d'une horde de démons encapuchonnés argent et noir. Fixer le dôme fait apparaître toutes sortes de statistiques concernant les deux équipes. Les Demons ont remporté deux championnats. Les Riders un seul, mais en battant les Demons en finale. Je me rappelle les insultes de Tremaine et de Max à mon égard. Le match d'aujourd'hui promet d'être intéressant.

L'aménagement intérieur est encore plus spectaculaire. Pour la Wardraft, le bas de l'arène était occupé par des rangées de wild cards qui attendaient qu'on les appelle. Aujourd'hui, on n'y voit plus qu'un phénix rouge et or qui tourne lentement et vole vers le soleil, puis une horde démoniaque de crânes et capuchons noirs. Dix cabines en verre sont disposées en cercle sur le sol : cinq pour chaque équipe. Dans les matchs officiels, les joueurs s'y enferment pour garantir des conditions parfaitement équitables pour tous : même température, même pression atmosphérique, même calibrage NeuroLink, même qualité de connexion, et ainsi de suite. Ça empêche aussi les joueurs d'entendre les consignes que s'échangent leurs adversaires.

Le stade est plein à craquer. Une voix caverneuse omniprésente nous appelle tour à tour à notre arrivée ; et chaque fois le nom du joueur tournoie dans les flammes au centre de l'arène. La clameur de la foule me donne des frissons, tandis que nous nous alignons dans l'arène en attendant d'être conduits à nos cabines. Face à nous, les Demons.

— Jena MacNeil, d'Irlande, la plus jeune capitaine du championnat officiel ! proclame la voix. Tremaine Blackbourne, d'Angleterre, son Architecte ! Max Martin, des États-Unis, le Guerrier des Demons !

Ils s'alignent face à nous. Darren Kinney, le Bouclier. Ziggy Frost, la Voleuse. Elle me regarde puis m'adresse un hochement de tête plein de détermination. Je lui retourne son regard très calmement. Nous avons certes sympathisé pendant la Wardraft, mais à cet instant, nous sommes des adversaires.

Je tourne mon attention vers Tremaine. Voyant qu'il me fixe d'un sale œil, je lui offre mon plus beau sourire en retour.

La voix du speaker annonce mon nom. Une clameur assourdissante s'élève du public. Les gens brandissent des pancartes à mon nom, et les agitent frénétiquement dans les gradins. « EMIKA CHEN ! » peut-on lire sur certaines. Ou encore : « TEAM USA ! TEAM PHOENIX RIDERS ! »

Je cligne des paupières, ébahie. Quelque part au sommet de l'arène, les commentateurs discutent, micro ouvert, des enjeux de la partie d'aujourd'hui.

— En principe, déclare l'un d'eux d'une voix qui roule à travers l'arène, la Demon Brigade ne devrait faire qu'une bouchée des Phoenix Riders, qui sont actuellement l'équipe la plus mal classée du championnat.

— Mais Asher Wing est l'un des capitaines les plus doués qu'on ait jamais connus, rétorque un autre. Ses choix de wild cards ont dérouté tous les experts. A-t-il eu raison, a-t-il eu tort ? Nous le saurons bientôt. En tout cas, n'enterrez pas les Riders trop vite !

Je pénètre dans ma cabine, qui se referme autour de moi. Les bruits extérieurs s'atténuent d'un coup. La clameur du public et les voix des commentateurs ne sont plus qu'un murmure étouffé.

— Bienvenue, Emika Chen, me dit une voix désincarnée. (Une sphère rouge apparaît devant moi.) Regardez vers l'avant s'il vous plaît.

C'est le même genre de calibrage que celui que j'ai déjà effectué à bord du jet privé d'Hideo. Il s'agit de vérifier que les calibrages des différents joueurs sont correctement synchronisés. Je suis docilement les instructions de la voix. Une fois le processus terminé, je regarde mes coéquipiers dans leurs cabines respectives. Mon pouls résonne à mes oreilles.

Au centre de l'arène, les lumières diminuent. Je reçois la voix du speaker dans mes écouteurs :

— Mesdames et messieurs, rugit-il, la partie va maintenant commencer !

Le stade s'efface autour de nous, et nous sommes transportés dans un monde alternatif.

Un soleil froid m'éblouit. Je lève une main virtuelle pour me protéger les yeux. Puis, graduellement, la brillance s'atténue et je me retrouve suspendue dans les airs, à l'aplomb d'une vaste étendue de glace bleue et de glaciers enneigés qui grincent et craquent sous leur propre poids. La neige scintille sous un soleil d'une autre galaxie en un million de points de lumière. Le ciel est une toile pourpre, rose et or. Des planètes géantes entourées d'anneaux s'y dessinent au ras de l'horizon. De gigantesques monuments de glace dominent le paysage, jaillissant des glaciers à intervalles irréguliers. On dirait qu'ils ont été sculptés par le vent ; trapus, percés, usés, translucides, ils s'étendent à perte de vue. Même la musique en fond sonore paraît froide : des cloches synthétiques, des échos, le vent et des percussions sourdes et entêtantes.

Mais le plus impressionnant, ce sont les imposantes falaises de glace bleue qui de chaque côté délimitent notre parcours. Des créatures monstrueuses sont figées dans la glace. Un ours polaire de la taille d'un gratte-ciel. Un loup blanc, borgne, la mâchoire crispée dans un rictus. Un dragon aux allures de serpent. Un tigre à dents de sabre. Un mammouth laineux. Je frémis en les voyant. Ils ont l'air prêts à bondir hors de la glace à tout moment.

Quand j'ose enfin regarder en bas, un frisson me traverse tout le corps. Je porte une tenue d'Architecte rouge vif, avec des bottes et une capuche bordées de fourrure écarlate, et j'ai les deux pieds fixés sur un hoverboard. Des flammes bleues jaillissent de deux cylindres attachés à sa base. À ma gauche, Asher et Ren sont équipés de combinaisons polaires rouges eux aussi, sur des planches identiques à la mienne. *Ça va être une course.*

À ma droite, nos adversaires apparaissent.

La Demon Brigade est tout en argent. Jena adresse à Asher un petit sourire, puis un salut moqueur. Asher croise les bras sans faire attention à elle. Max Martin nous dévisage froidement l'un après l'autre. Tremaine est le seul à focaliser toute son attention sur moi. Ses yeux d'un bleu de glace sont indéchiffrables. Il va me cibler en priorité ; je me rappelle l'entraînement spécifique que j'ai suivi auprès des autres, la mise en garde de Roshan concernant sa faculté à changer de rôle. Roshan, justement, a la mâchoire serrée. Tremaine et lui refusent de se regarder.

— Bienvenue au premier match officiel du championnat ! proclame le speaker dans nos écouteurs. Aujourd'hui, la Demon Brigade affronte les Phoenix Riders dans le monde Blanc, un niveau taillé pour la vitesse, la fugacité et la prise de décision rapide. Il n'y aura pas de place pour l'hésitation !

L'artefact de notre équipe, un diamant rouge, apparaît au-dessus de la tête d'Asher. Un diamant blanc couronne celle de Jena. Des bonus de toutes les couleurs se répartissent à travers le niveau : suspendus dans les airs, au-dessus des monuments ou au ras du sol. J'en fais un bref inventaire.

— Emi, me souffle la voix d'Asher par le biais de notre connexion d'équipe. Le monument le plus proche de toi. Tu vois le bonus de Foudre ? Débrouille-toi pour le récupérer.

Je repère la bille blanche et bleue suspendue au centre d'un trou important dans la première structure de glace. Mentalement, je revois le paysage 3D pivotant qu'on nous a montré avant le match, aussi clair et détaillé que si je l'avais encore sous les yeux. Je m'autorise un petit sourire.

— Compris, dis-je.

— Joli coup de poker de la part du capitaine Asher ! s'exclament les commentateurs. Pour le premier match de la saison, il a choisi de mettre ses deux wild cards à côté de lui. Emika Chen et Thomas Renoir ont dû lui faire forte impression à l'entraînement.

— Bonne chance, lance Ren tandis que le speaker rappelle brièvement les règles du jeu.

L'encouragement m'est adressé et, comme d'habitude, je suis incapable de dire si Ren est sincère ou s'il se moque de moi. Je lui réponds par un sourire poli.

— À toi aussi, dis-je.

Et je me répète en silence de sauter sur la première occasion de lui prendre le bras.

Après la tirade du speaker, on se frappe le torse avec le poing à deux reprises. Tout se fige. On n'entend plus que le silence.

Puis le signal du départ retentit :

— En jeu… Prêts ? *Allez !*

Le monde s'anime brusquement autour de nous. Des rafales de vent soulèvent de la neige très haut dans les airs. Les tuyères de mon hoverboard pivotent à quatre-vingt-dix degrés, je file en avant comme une balle, accroupie et parfaitement équilibrée. Asher me jette un regard surpris.

La neige me cingle le visage et trouble ma vision. Mon hoverboard prend de la vitesse ; le monument de glace se rapproche. Asher et Ren sont à côté de moi. Puis Asher nous passe devant. Je teste ma planche et je découvre un bouton sous chaque talon. Quand j'écrase celui du pied avant, j'accélère ; quand j'enfonce celui du pied arrière, je freine. Délicat.

Ren se détache de moi et s'engouffre dans le sillage d'Asher. Dents serrées, je m'abstiens de le suivre. Il a entendu les instructions que m'a données Asher. Si je le colle de trop près au lieu d'écouter notre capitaine, il devinera que je mijote quelque chose.

Une carte tactique transparente flotte au centre de mon champ de vision, des points lumineux m'indiquent la position des joueurs. Une rafale de vent soudaine manque de me déséquilibrer. Le premier monument de glace arrive à toute vitesse.

— Maintenant, Emi ! crie Asher.

Je lève les yeux vers le bonus de Foudre ; je déplace mon poids et mon hoverboard remonte en flèche. Je m'accroupis le plus bas possible, ça me fait gagner de la vitesse, et je fonce vers la bille.

Je la rafle à mon passage par le trou.

Le paysage en 3D me revient en tête. Je revois dans les moindres détails la structure. En une fraction de seconde, je calcule l'endroit où tomberait le monument de glace si je le faisais sauter. *Fais-le*. J'arrache un bâton de dynamite à ma ceinture, le plaque contre le monument et plonge en piqué.

Je préviens mes coéquipiers par notre connexion sécurisée :

— Tirez-vous !

Derrière moi, l'explosion ébranle le niveau tout entier. Je me protège des paquets de neige et des blocs de glace qui volent autour de moi. La structure que je viens de dynamiter produit un grincement effrayant : elle bascule droit sur nous. Les Phoenix Riders s'éparpillent de justesse. Je décris une embardée, à la limite de la perte de contrôle. En même temps, je lance la Foudre en plein dans le groupe des Demons.

À l'exception de leur capitaine, Jena, ils sont tous frappés. Un flash doré les illumine. Et, pendant une seconde précieuse, ils restent paralysés.

Jena a le temps de lever la tête vers l'ombre immense qui fond sur eux ; elle crie à ses coéquipiers :

— Dégagez ! Dégagez !

Or la Foudre les a déstabilisés. Les Démons s'écartent tant bien que mal au milieu d'une grêle de débris. Ils s'en sortent d'extrême justesse. Sauf Darren Kinney, leur Bouclier : une colonne de glace le touche à l'épaule et il disparaît dans le nuage blanc. Sa barre de vie se réduit à zéro pour cent.

Darren Kinney | Demon Brigade
Vie : − 100 % | Strike !

EMIKA CHEN a fait un strike
sur DARREN KINNEY !

Il ressuscite cinquante mètres en arrière avec une nouvelle barre de vie.

— Premier strike ! annonce le speaker incrédule tandis qu'une clameur délirante monte de la foule. Il est signé *Emika Chen* !

Hammie pousse un cri de triomphe. Ren lâche un juron et Roshan une exclamation stupéfaite. Asher réagit enfin :

— La prochaine fois, préviens-moi ! crie-t-il.

On sent quand même une pointe d'admiration percer dans sa voix.

J'essaie de me concentrer sur le paysage qui défile à une vitesse vertigineuse. L'artefact de Jena scintille au-dessus d'elle.

— Pas de quoi ! dis-je à Asher.

Les cris et acclamations du public invisible retentissent autour de nous.

— Je n'en reviens pas ! s'enthousiasme un commentateur. Encore un coup imprévu de la part d'une wild card dans le premier match de la saison, et quel coup ! Elle a fait écrouler ce monument en plein sur les Demons. Avons-nous sous-estimé Emika Chen ? La partie promet d'être animée !

Soudain, un Demon se range à mes côtés puis pivote sur sa planche pour me faire face. Tremaine. Mon sourire s'efface quand il se penche et m'entaille la poitrine avec la lame fixée à son brassard. Un voile écarlate me trouble la vue.

Emika Chen | Phoenix Riders
Vie : − 40 %

Mon hoverboard vacille tandis que je recule en catastrophe. Tremaine fond sur moi. Il est si rapide que ses gestes sont flous. S'il parvient à me faire tomber de ma planche, je dégringolerai dans le vide et ressusciterai en dernière position, hors d'état de nuire pendant un moment. Je cherche frénétiquement le marteau à ma ceinture.

Roshan surgit de nulle part à l'instant où Tremaine s'apprête à me porter un deuxième coup. Il croise les avant-bras, ce qui active ses brassards ; et un gigantesque bouclier de lumière bleue se forme devant lui, qui nous protège tous les deux. L'attaque de Tremaine ricoche sur le bouclier dans une gerbe d'étincelles.

— Alors, on tient la main de la petite nouvelle ? persifle Tremaine.

— Ne sois pas jaloux, riposte Roshan.

Il décroise les bras pour frapper à son tour ; un bouclier bleu plus petit se forme autour de son poing. Il touche Tremaine avec ce qu'il faut de force pour le faire chanceler et réduire sa barre de vie de quinze pour cent. Nous effectuons tous trois une embardée pour esquiver un éperon rocheux. Je décris un large cercle, tandis que Roshan continue de lutter avec Tremaine, lequel semble déterminé à m'éliminer. Je passe en revue le parcours, à temps pour éviter de m'écraser contre une falaise.

Le commentateur parle sans reprendre son souffle :

— Les Démons envoient leur Architecte contre Emika ! Roshan vient à son secours ! Si Tremaine réussit à coincer Emika contre ce rocher… Oh, elle l'a évité ! De justesse ! À croire qu'elle connaît bien ce terrain. Roshan nous montre pourquoi il est considéré comme l'un des meilleurs Boucliers du circuit. Pas question pour lui de laisser tomber son Architecte, oh, non ! pas tant qu'il aura son mot à dire !

Je laisse passer des bonus jusqu'à ce que je repère celui que je cherche, une Pointe de Vitesse. Il brille d'un éclat jaune vif. J'oblique dans sa direction, tends le bras et m'en empare du bout des doigts.

Je m'en sers sans hésiter. Le monde donne l'impression de ralentir autour de moi, qui accélère brusquement.

La lumière change ; les monuments de glace sont frappés par des rayons dorés et projettent des ombres immenses sur les glaciers. Les falaises de glace bleue prennent des reflets plus sombres, presque inquiétants, qui donnent aux créatures à l'intérieur l'apparence de la vie. En réalité, le soleil se couche. Nous aurons peut-être besoin de bonus pour éclairer le chemin.

Je regarde devant moi, à la recherche de Ren. Asher a confié notre artefact à Hammie, qui file loin en tête. Ren et lui se déportent à présent vers Jena, protégée de chaque côté par Tremaine et Ziggy.

— On dirait que nous sommes sur le point d'assister au premier affrontement direct entre les capitaines ! s'exclame le commentateur.

Jena voit arriver Asher. Elle s'accroupit sur sa planche et plonge. Ses coéquipiers plongent avec elle. Un instant ils semblent sur le point de s'écraser mais redressent leur trajectoire en souplesse, rasant le glacier. Asher et Ren ne les lâchent pas ; ils soulèvent des panaches de poudreuse derrière eux.

Je reprends un peu de hauteur pour me protéger de toute cette neige qui vole. Plus loin devant, Hammie bascule sa planche pour virer sur la droite. Ses mouvements sont si rapides que j'ai du mal à la suivre du regard. Elle attrape un autre bonus, une sphère bleue, puis effectue une volte-face à couper le souffle pour en saisir un troisième : une Pointe de Vitesse. Elle me le jette avant de se rapprocher insensiblement de Tremaine.

Je regarde les deux groupes qui se poursuivent à la surface du glacier. Il se trouve assez d'obstacles entre eux et l'horizon pour me permettre de les piéger. Tremaine doit se faire la même réflexion. Je pointe mon hoverboard vers le bas et m'engouffre dans leur sillage, au ras du sol.

— Emi, m'appelle Asher sur le réseau sécurisé. L'arche que tu vois devant. Fais-la sauter.

— Compris.

— Ren et moi, on s'écartera à la dernière seconde pour nous retrouver derrière Jena. Quand elle et son équipe voudront éviter les débris, on leur tombera dessus par-derrière et on lui arrachera son artefact.

— Je m'en occupe ! C'est comme si c'était f…

Je m'interromps ; une forme gigantesque jaillit de la falaise dans une explosion de glace.

Un ours polaire préhistorique de la taille d'un gratte-ciel. Sa gueule béante dévoile deux rangées de crocs aussi longs que la structure de glace la plus proche. Ses yeux rouges flamboient. Il pousse un rugissement dévastateur et se jette sur le premier joueur qui lui tombe sous la main.

C'est-à-dire moi.

Je réagis d'instinct, j'écrase le pied arrière sur le frein en braquant sèchement sur la gauche. Je pivote de cent quatre-vingts degrés et repars en sens inverse. La gueule de l'ours s'avance sur moi en tenailles. *Ça va être juste.* Je jaillis hors de sa gueule à l'instant où ses crocs claquent derrière moi ; son souffle me propulse en avant. Les pattes de l'ours retombent, faisant trembler le sol.

Roshan apparaît dans le nuage de neige et me fonce dessus. Je lève les bras, puis j'amorce un virage pour tenter de me sauver.

Nous évitons la collision de justesse. Au passage, il m'attrape le bras et redresse sa course tandis que l'ours nous menace encore. Avant que je puisse protester, il emploie toute son énergie à me lancer le plus haut possible, et je me retrouve à filer en direction de l'arche indiquée par Asher. Derrière moi, les mâchoires de l'ours se referment sur Roshan.

Roshan Ahmadi | Phoenix Riders
Vie : − 100 % | Strike !

Plus loin devant, une autre bête monstrueuse jaillit d'une falaise. Le loup blanc borgne. Les joueurs se dispersent pour l'éviter mais il parvient à happer Ziggy, qui disparaît dans sa gueule et ressuscite cinquante mètres en arrière, près de Roshan.

Ren vacille sur sa planche, il multiplie les évolutions pour échapper au loup. C'est l'occasion que j'attendais. Je décris un virage serré et plonge sur lui. Il me voit arriver une fraction de seconde avant que je ne lui rentre dedans et nous envoie tous les deux hors de portée du loup. Je cherche son poignet et referme la main dessus.

Le collet s'active. Je le vois briller comme un cordon doré avant de disparaître. Un flash bleuté enveloppe Ren. L'instant d'après, un de ses fichiers apparaît devant moi. *Je t'ai eu.*

— Lâche-moi ! s'écrie Ren en se débattant.

Son geste nous fait tomber de nos planches. Tout s'illumine un instant autour de moi. L'instant d'après, je ressuscite une longueur derrière les autres.

— Et nos deux wild cards se retrouvent au tapis à cause d'une erreur de débutante ! s'exclame le commentateur.

Ren me lance un regard venimeux ; Asher m'engueule sur le réseau. Je m'en fiche, le piège d'Hideo est en place. J'oublie momentanément Ren et reviens au jeu.

Je cherche frénétiquement mes coéquipiers sur la carte. Je repère Asher et Hammie à proximité de l'arche ; ils volent en cercles serrés pour échapper à deux autres monstres. Plusieurs Demons convergent dans leur direction.

J'attrape un bâton de dynamite et m'élance vers le sommet de l'arche où je colle l'explosif contre la structure de glace. Je redescends le plus vite possible. Une nouvelle explosion cataclysmique retentit ; l'impact secoue ma planche, et de la neige vole partout autour de moi. Il ne me reste plus qu'un bâton de dynamite.

Derrière moi, Ren émerge du nuage de poudreuse avec Asher et Hammie dans son sillage. Notre artefact brille toujours au-dessus de la tête d'Hammie. Je l'appelle et lui lance mon marteau. Elle l'attrape au vol, m'adresse un clin d'œil puis fonce vers le monstre le plus proche pour lui lancer le marteau dans l'œil, de toutes ses forces. Elle fait mouche : la créature recule avec un rugissement de douleur.

Les Demons se sont positionnés au-dessus de nous. Ils ont l'avantage, maintenant. D'ici, je peux voir que Jena affiche un grand sourire. Son artefact argenté scintille. Elle donne des instructions à son équipe.

— Ham, dit Asher sur le réseau alors que nous progressons à travers un paysage de plus en plus sombre. Repasse-moi l'artefact. Éteins les lumières de ta planche. (Son regard ne lâche pas Jena.) Et va chercher le *sien*.

Hammie s'exécute. Dans le crépuscule, notre diamant et celui de l'adversaire s'entourent d'un halo bleuté.

— À vos ordres, capitaine !

— Roshan, tu l'accompagnes. Ren, tiens les autres à distance. Et toi, Emi…

Asher n'a pas le temps de m'expliquer ce qu'il voudrait que je fasse. Une explosion se déclenche, qui nous force à nous disperser. Tremaine vient de balancer un bâton de dynamite près de nous. Une forme indistincte nous dépasse en un éclair pour se jeter sur Ren. C'est Max. Ren pousse un cri rageur et repousse violemment l'autre Guerrier. Hammie a filé ; je ne distingue plus que les flammes de ses tuyères au loin. Avant que je puisse me demander où elle va, Jena plonge sur nous, encadrée par Darren et Ziggy ; elle pique droit sur Asher. Ce dernier montre les dents, éclate de rire et s'élance à sa rencontre.

Dans le glacier en contrebas, un dragon blanc s'anime et fend la glace qui l'enserre. Je plisse les yeux. *Si seulement je pouvais en prendre le contrôle...* J'attrape la corde accrochée à ma ceinture et je pique vers le dragon.

Des lumières me suivent de près. *C'est Tremaine.* Il se rapproche à toute vitesse ; me rentre dedans. Nous roulons pêle-mêle sur le glacier et dégringolons de nos planches.

Le monde tourbillonne autour de moi, et pendant un instant je ne vois plus que de la neige et le ciel crépusculaire. Puis tout s'éteint et la seconde d'après Tremaine et moi ressuscitons cinquante mètres derrière les autres.

Tremaine me lance un regard assassin. Le bonus jaune de Pointe de Vitesse d'Hammie figure toujours dans mon inventaire, c'est l'occasion de m'en servir. Tout s'accélère alors autour de moi. À l'instant où je boucle un nœud coulant au bout de ma corde, le dragon s'échappe enfin de la glace. Sa gueule béante se dresse vers le ciel.

Je lance ma corde pour tenter de le prendre au lasso. Premier essai. Puis un autre. À ma troisième tentative, je parviens à lui passer ma corde autour du cou. Le dragon tourne la tête dans ma direction et pousse un hurlement furieux. Une gerbe de flammes fuse hors de sa gueule. Je me sers de son élan pour me hisser sur son dos ; ma corde devient une longe. En contrebas, Asher et Max sont aux prises avec nos adversaires. Sur notre ligne sécurisée, je leur crie :

— En arrière !

Asher lève les yeux. Pas besoin de lui faire un dessin.

Alors qu'il rompt le contact et bat en retraite, je tire d'un coup sec sur ma longe pour que le dragon baisse la tête. La créature, enragée, plonge sur Jena, qui est la plus proche. Elle a tout juste le temps de lever les bras avant de se faire dévorer.

**Jena MacNeil | Demon Brigade
Vie : — 100 % | Strike !**

Le public explose, ravi. J'entends à peine la voix du speaker par-dessus le vacarme.

Jena ressuscite cinquante mètres en arrière. Asher a reculé pour l'attendre. Il fond sur elle. Avant qu'elle puisse comprendre ce qui lui arrive, il s'empare de son artefact.

Et c'est fini.

Le monde est englouti dans un déluge d'or et d'écarlate tandis qu'un immense phénix s'embrase dans le ciel.

Le public applaudit à tout rompre.

— Je n'en reviens pas ! hurlent les commentateurs surexcités. C'est *terminé* ! Jena MacNeil et sa Demon Brigade, que tout le monde croyait irrésistibles, se font cueillir à froid par les Phoenix Riders dès l'ouverture du championnat ! *Incroyable !* Les Phoenix Riders ont gagné !

Asher rejette la tête en arrière, pousse un hurlement de triomphe et brandit le poing bien haut.

C'est alors que je revois la silhouette noire. Debout au sommet d'un monument de glace, elle porte la même armure que dans le Dark World.

Zéro.

Un frisson me saisit. Pourquoi puis-je le voir ? Que fait-il là ?

Le temps s'arrête autour de nous. Le dragon que je chevauche s'immobilise en plein vol, puis s'estompe et disparaît. Tout devient noir. Je cligne des paupières, et le Tokyo Dome réapparaît sous mes yeux, ainsi que les cinquante mille spectateurs qui nous acclament à pleins poumons. Mes coéquipiers sortent de leurs cabines.

— C'est le coup le plus badass auquel j'ai jamais assisté ! s'exclame Roshan, le premier à me rejoindre, en me donnant une grande tape dans le dos.

J'ouvre la bouche pour le remercier de m'avoir protégée, quand Hammie surgit et nous serre tous les deux dans ses bras. Le reste de l'équipe vient faire corps avec nous ; je me retrouve écrasée sous une masse de bras et de jambes en délire. Le sang gronde à mes oreilles. De l'autre côté de l'arène, les Demons s'engueulent. Tremaine tourne le dos à Jena et s'éloigne d'un pas furieux sans un regard pour le public.

Ma première victoire officielle dans un match de championnat. Pourtant, je ne la savoure pas complètement. *Zéro était là.* Je l'ai vu. Je cherche Ren du regard. Il exulte et s'esclaffe avec l'équipe, mais son expression a quelque chose de forcé. Ses yeux ne sourient pas. Il jette un regard furtif derrière lui. Sa tension se dissipe, et il se remet à sourire et à nous serrer dans ses bras. *Il a vu la silhouette, lui aussi.*

Tout en sautant de joie avec les autres, j'examine le fichier que j'ai réussi à dérober à Ren. Il ne contient pas grand-chose, comme si le téléchargement n'avait pas pu s'exécuter jusqu'au bout. Mais j'ai quand même récupéré quelques mots, peut-être une indication de ce que Zéro communiquait à Ren. Le nom d'un programme.

```
proj_ice_HT1.0
```

Hein ? Je fronce les sourcils, réfléchissant à toute vitesse, tâchant de deviner ce que ça peut vouloir dire. *Proj_ice...* Projet Glace ? Y aurait-il un lien avec le monde Blanc de notre match ? *HT...* Hideo Tanaka ? Projet Glace Hideo Tanaka. Il pourrait s'agir d'un fichier en rapport avec Hideo et le monde de jeu. Ou alors...

Mon pouls s'emballe tandis que je pense avec effroi à une autre interprétation possible du mot *ice*. En anglais, ça correspond aussi au verbe « refroidir ».

Oh, non !

Zéro projette d'assassiner Hideo.

C'est alors que les lumières s'éteignent dans le stade.

20

Le Tokyo Dome se retrouve plongé dans le noir. Des cris inquiets montent du public. Dans la confusion, le speaker tente de maintenir un semblant d'ordre.

— Que chacun reste assis à sa place, dit-il d'un ton enjoué. Il semble que nous connaissions une petite défaillance technique, qui sera bientôt réparée.

Un message d'erreur rougeoyant s'affiche devant mes yeux.

Accès non autorisé

Le fichier que j'avais ouvert jette un flash et s'autodétruit. Il ne m'en reste plus qu'une coquille vide, seule trace de ce que j'avais réussi à récupérer au cours du jeu. Le fichier était programmé pour s'effacer de lui-même en cas d'ouverture par le mauvais utilisateur. Est-ce pour ça que Zéro s'amuse à pirater les niveaux de Warcross ? parce qu'il s'en sert pour passer des informations à ses complices ? Si c'est le cas, qui d'autre dans le jeu travaille pour lui ?

Pour l'instant, tout cela n'a pas d'importance. Pendant qu'Hideo et moi nous occupions de soutirer quelques infos à Ren, Zéro s'employait à pirater l'arène. Il a coupé l'électricité.

Les portes de la tribune officielle sont donc déverrouillées.

Cette révélation me coupe le souffle. J'appelle Hideo.

— Tirez-vous de là, dis-je sans préambule. Vous êtes en danger. *Tout de suite !* Allez…

Pas le temps de terminer ma phrase. Un flash lumineux crépite dans la tribune officielle. Une fois, deux fois, puis tout redevient noir. Dans le public, les gens lèvent la tête vers la tribune d'un air perplexe. Pour moi ça ne fait aucun doute.

Des coups de feu.

— Hideo ? Hideo !

Mais nous avons été coupés. Je lâche un juron et tâtonne dans l'obscurité. Les équipes de sécurité ont sorti des lampes torches et de minces rayons de lumière zèbrent l'arène. La connexion NeuroLink semble hors service aussi, ce qui signifie que personne ne peut afficher de plan virtuel pour s'orienter. Je me rappelle à peu près la disposition du stade, alors, avant que quiconque ne puisse m'en empêcher, je fonce dans le noir. Les gens protestent quand je les bouscule. Je mets une éternité à atteindre un escalier. Je grimpe les marches quatre à quatre. En même temps, j'essaie de recontacter Hideo.

Pas de réponse.

Quand j'arrive au premier palier, l'éclairage de secours du stade s'allume. Même si sa lumière rouge est faiblarde, après le noir complet elle m'éblouit. Les caméras de sécurité clignotent. La connexion NeuroLink reprend ses droits ; je vois mon profil redémarrer dans un coin de mon champ visuel.

La voix du speaker résonne dans les haut-parleurs pour essayer d'organiser l'évacuation.

— Attention où vous marchez, messieurs-dames !

Le public ne semble pas se rendre compte qu'il y avait un tireur là-haut.

En arrivant devant la tribune officielle, je vois les vigiles déployés tout autour. Je cherche frénétiquement le visage familier d'Hideo.

Quelle émotion et quel soulagement ! Hideo est accroupi dans un coin, entouré de ses gardes du corps et de ses collègues. Il n'a pas l'air blessé. À côté de lui, Kenn donne des instructions urgentes aux agents de sécurité.

— Que s'est-il passé ? dis-je en m'approchant. Où est le tireur ?

Kenn me reconnaît et m'adresse un regard soucieux.

— Les caméras de sécurité repassaient des vieilles bandes en boucle, m'explique-t-il. Nos agents s'efforcent de mettre la main sur lui.

Je tourne mon attention vers Hideo. L'un de ses gardes du corps est au sol, à se tenir l'épaule en faisant la grimace. Il a les doigts rougis de sang. Je le reconnais : c'est l'un de ceux qui suivent Hideo partout comme son ombre. Hideo semble très inquiet ; je vois briller dans ses yeux la même fureur noire que dans son souvenir. Il parle à voix basse au blessé, lequel secoue la tête et tente de s'asseoir. À côté de lui, un autre garde du corps écoute ce que son oreillette lui transmet.

— La police a perdu sa trace à l'extérieur, monsieur, annonce-t-il.

— Continuez à chercher, ordonne Hideo sans détacher les yeux du blessé.

Sa voix est d'une douceur effrayante.

Le garde du corps touche son oreillette.

— Ils disent qu'il les a semés dans le parking...

— Alors, démontez le parking pierre par pierre, aboie Hideo.

L'homme n'hésite pas cette fois : quand Hideo le regarde en haussant les sourcils, il s'incline promptement.

— Bien, monsieur.

Il s'éloigne avec deux collègues.

— Tu ne devrais pas rester là, plaide Kenn auprès d'Hideo. Je vais gérer la situation ici. Rentre chez toi.

— Je peux parfaitement m'en occuper moi-même.

— Tu te rends compte qu'on vient d'essayer de te tuer ? s'emporte Kenn. Il ne s'agit pas juste d'un bug dans le jeu ; c'est de ta *vie* qu'il est question.

— Eh bien, je suis toujours en vie, non ? rétorque Hideo. (Il regarde son ami avec fermeté.) Ça va aller. Nous parlerons de tout ça demain.

J'ai l'impression d'assister à une vieille discussion dans laquelle Kenn n'a jamais eu le dessus, et je comprends que ce n'est sans doute pas la première fois qu'on essaie d'assassiner Hideo. Kenn lâche un grognement agacé et lève les mains en l'air.

— Tu ne m'écoutais déjà pas à l'université, de toute manière.

Hideo se redresse en me voyant.

— Sans votre appel, me dit-il, c'est moi qui serais allongé là.

Je frissonne. Voilà que tout à coup mon travail, qui devait être une chasse excitante, a pris une tournure passablement sinistre. J'avais l'impression de progresser, de me rapprocher du but... En fait, c'est encore plus grave que je ne pensais. Les autres chasseurs de primes ont-ils vu ce qui s'est passé ? Je fixe le sang sur l'épaule du garde du corps. Une légère odeur métallique flotte dans l'air. Je sens monter en moi des réminiscences d'une panique ancienne, ce besoin désespéré de *résoudre* le problème. *Il y a toujours une solution. Pourquoi est-ce que je n'arrive pas à la trouver ?*

Hideo aide son garde du corps à se relever et lui parle à voix basse, tandis qu'un de ses collègues lui met sa veste sur le dos pour masquer le sang. Je ne sais pas ce qu'a pu lui dire Hideo, il a parlé trop bas pour mon traducteur automatique, mais le blessé lui retourne un regard reconnaissant.

— Évitons d'ébruiter cette affaire, déclare Hideo en s'adressant à nous tous. L'attentat a échoué. Le suspect est en fuite. Inutile de semer la panique.

— Hideo…

— Allez rejoindre votre équipe, me dit-il avec douceur. Célébrez votre victoire. Nous parlerons plus tard dans la soirée.

— Vous allez vous mettre en sécurité ?

Il hoche la tête en regardant plusieurs gardes du corps entraîner leur camarade blessé vers un escalier privé. Je l'observe : il se tient droit, les épaules relâchées, mais son regard est tendu, très loin d'ici. Il n'arrête pas de serrer et desserrer les poings. On sent bien qu'il a été secoué.

Kenn croise mon regard et le soutient un moment. *Parlez-lui,* semble-t-il dire. Comme la supplication muette d'un ami qui connaît suffisamment bien Hideo pour savoir à quel point il peut se montrer têtu.

— Hideo, dis-je doucement. Vous devriez partir loin d'ici. Quitter Tokyo. Aller dans un endroit où vous serez moins exposé.

Les lumières du stade se rallument enfin, avec une clarté aveuglante. Plus bas, des murmures confus s'élèvent de la foule qui se dirige vers les sorties. Cependant, les discussions prennent vite une tonalité plus joyeuse à mesure que les gens repensent au match. Personne ne sait ce qui s'est passé. Dans les haut-parleurs, le service de sécurité rassure la foule :

— Un transistor avait disjoncté sous le dôme. L'incident est clos maintenant. Merci de continuer à descendre dans le calme et de bien vouloir suivre les panneaux de sortie.

Alors que les gradins se vident, Hideo se tourne vers moi. Il a toujours cette flamme sombre dans les yeux ; son regard froid, furieux, résolu.

— Je n'irai nulle part, dit-il.

Puis il s'éloigne avec ses gardes du corps.

21

J e trouvais qu'on parlait un peu trop de moi dans la presse, manifestement je dois me résoudre à pire après cette victoire. Nous sommes à peine sortis du Tokyo Dome que les premières unes en caractères géants apparaissent sur le flanc des immeubles qui bordent le stade.

LA RECRUE EMIKA CHEN
MÈNE ASHER WING ET LES PHOENIX RIDERS
À UNE VICTOIRE SPECTACULAIRE

Plusieurs extraits illustrent ces gros titres. On m'y voit cheveux au vent, à califourchon sur une créature gigantesque, l'obligeant à courber la tête pour piquer sur Jena. Au-dessus du stade, les emblèmes des deux équipes ont été remplacés par le seul phénix, les ailes largement déployées et la tête dressée triomphalement vers le ciel.

Mon niveau a fait un bond, de 28 à 49.

Pourtant, je n'arrive pas à m'enlever de la tête qu'Hideo a failli mourir ce soir. Et que personne ne le sait. Je n'arrête pas de repenser à ce qu'a dit Kenn avant de me laisser partir. *Parlez-lui. Il vous écoutera, vous.* Qu'est-ce qu'Hideo a bien pu lui dire pour lui faire penser ça ?

Une meute de journalistes s'abat sur nous alors que nos gardes du corps nous escortent jusqu'aux voitures, et soudain je ne vois plus qu'un mur de flashs et de micros.

— Pas d'entraînement ce soir ! crie Asher dans la bousculade alors que nous atteignons enfin notre limousine.

Les autres l'acclament tandis qu'il ordonne à la voiture de nous conduire dans Shibuya au lieu de nous ramener à la résidence. Derrière nous, une équipe de gardes du corps embarque dans une deuxième voiture et nous suit. Des camionnettes de journalistes nous prennent en filature. Mais je n'oublie pas Ren, et au lieu de me tourner vers la vitre et de sourire aux journalistes comme Asher, je le regarde donner une bourrade amicale à Roshan.

Un message s'affiche dans mon champ de vision. Ça vient de Kenn.

> **Pouvez-vous vous libérer ce soir ?
> Pour aller voir Hideo ?**

> **Même vous, il ne vous écoute pas.**

> **Il ne m'écoute jamais, pas quand il
> a une idée dans le crâne. Mais je ne
> suis pas son chasseur de primes et,
> plus précisément, je ne suis pas vous.**

> **Pourquoi m'écouterait-il ?**

La frustration de Kenn est presque palpable dans sa réponse.

> **Je peux compter sur les doigts d'une main les personnes en qui il a toute confiance. Mais vous, il vous parle souvent. Il vous emmène dîner sans prévenir.**

> **Je ne suis pas son garde du corps. Je ne peux pas le forcer à se protéger.**

> **Vous êtes sa chasseuse de primes. Il vous a embauchée pour lui dire ce qu'il a besoin de savoir. Vous avez le droit d'insister pour qu'il veille à sa sécurité. Il ne vous fermera pas sa porte.**

Je m'extrais de la conversation pour me tourner vers mes coéquipiers, qui viennent d'éclater de rire. Cette soirée est la nôtre, ils s'attendent à me voir manifester autant d'enthousiasme qu'eux. Si je m'en vais trop tôt, je risque de piquer leur curiosité et Ren se doutera de quelque chose.

— Hé ! me lance Hammie avec un regard intrigué, les joues encore rougies par l'excitation. Ça va ?

C'est étrange pour moi que personne d'autre dans le stade ne sache ce qui s'est passé, que les gens puissent vraiment croire que ces deux flashs dans la tribune provenaient d'un transistor grillé et non de coups de feu. Mon inquiétude doit se lire sur mon visage. Je lui adresse mon sourire le plus convaincant.

— Impeccable. Je suis juste encore un peu sous le choc.

Hammie sourit et lève le poing en l'air.

— Karaoké, baby ! s'exclame-t-elle, et les autres se mettent à crier tous à la fois.

Je me joins à eux, hurlant le plus fort possible pour étouffer la tempête sous mon crâne. J'y mets une telle conviction que je pourrais presque y croire moi-même.

Bientôt, nous débouchons dans un bar à karaoké au cœur du quartier de Roppongi, avec des hommes en noir postés à toutes les issues. Les couloirs sont tapissés de miroirs où se reflètent les chandeliers accrochés au plafond ; les portes des différents salons privés sont peintes en or. Devant chaque porte, des hôtesses virtuelles nous sourient et nous félicitent en nous appelant par nos noms. Avant d'entrer dans le salon qui nous est réservé, je jette un dernier coup d'œil dans le couloir et mémorise le trajet jusqu'à la sortie.

À l'intérieur, la musique retentit déjà à plein volume. Ren éclate de rire en passant en revue la liste des chansons avec Roshan. Chaque fois qu'ils font défiler une nouvelle piste, le décor se modifie en conséquence : *My Heart Will Go On* transforme la pièce en pont avant du *Titanic*, tandis qu'avec *Thriller* on se retrouve dans une ruelle sombre au milieu d'une bande de zombies vêtus de cuir. Roshan, d'ordinaire plus réservé, ne peut s'empêcher de pouffer quand Ren lui dit quelque chose en français avant d'imiter le pas traînant des zombies.

J'observe Ren du coin de l'œil du canapé où je suis prise en sandwich entre Hammie et Asher. Suis-je donc la seule à avoir remarqué son expression à la fin de la partie ? Même maintenant, il est encore tendu, comme si les choses ne s'étaient pas déroulées aussi bien pour lui que pour le reste de notre équipe.

— À Roshan ! s'exclame Hammie, m'arrachant à mes ruminations. Le meilleur joueur du monde quand il s'agit d'écraser Tremaine !

Roshan tique un peu à la mention de Tremaine, mais il parvient à dissimuler son trouble derrière un sourire.

— À Ham ! riposte-t-il, la plus grande Voleuse de bonus de tous les temps !

— À Emika ! s'écrie Asher. (Il a les joues écarlates, fendues par un large sourire. Il secoue la tête.) La plus imprévisible de toutes les wild cards.

— À Emika !

— À Emika !

Ils m'acclament tous les uns après les autres. *Je dois trouver un moyen de me sauver*, me dis-je, en riant pour donner le change. C'est peut-être un effet de mon imagination, mais le sourire de Ren me semble un peu forcé ; son entrain manque de sincérité.

Peu après, le chaos qui règne dans la pièce atteint des sommets. Asher se glisse tout contre Hammie et lui répète avec insistance qu'il est amoureux d'elle. Elle lui murmure des choses à l'oreille. Le micro du karaoké émet un couinement de protestation devant une fausse note de Ren beuglée à pleins poumons. Roshan fait la grimace. Profitant que tout le monde hurle de rire encore une fois, j'attrape mon téléphone et adresse un message à Hideo.

Où êtes-vous maintenant ?

Quelques secondes s'écoulent sans réponse. Kenn a surestimé mon influence ou sous-estimé l'entêtement de son patron. Je me mords la lèvre, puis envoie un deuxième message.

> J'ai des infos pour vous. Je préférerais vous en parler de vive voix. C'est urgent.

Lui faire miroiter des infos. C'est tout ce que j'ai trouvé pour le convaincre de me recevoir.

Un long moment s'écoule encore. Alors que je commence à me dire que Kenn s'est fourvoyé, un message crypté apparaît. Je confirme mon identité pour pouvoir le lire et, en retour, j'obtiens une adresse. Celle d'Hideo. Je pousse un soupir de soulagement. Puis j'enregistre l'adresse dans mon GPS avant d'effacer le message.

À côté de moi, Asher s'écrie :

— Ça tente quelqu'un, un concours de saké ? Par contre, il faudra attendre le retour du serveur.

Je me lève d'un bond.

— Je vais le chercher ! dis-je, avant de filer vers la porte.

C'est parfait. Le temps que le serveur leur amène leur saké, ils seront trop occupés à s'amuser pour s'apercevoir de mon départ. Je pourrai toujours inventer une excuse après coup. Je sors de la pièce et remonte le couloir d'un pas rapide. En même temps, j'affiche le plan qui me montre l'emplacement actuel d'Hideo.

Un point doré s'allume quelque part dans la partie nord de la ville. J'emprunte un couloir secondaire. Quelques instants plus tard, je débouche dans une ruelle derrière l'immeuble, au milieu des poubelles.

Un léger crachin fait briller les trottoirs. Quand je m'avance à l'extérieur, un vent glacial s'engouffre dans mon blouson. Les enseignes au néon se reflètent sur le sol mouillé. Le numéro du pâté de maisons – 16 – scintille devant moi en chiffres jaune vif, tandis qu'une ligne dorée part de mes pieds pour tourner au premier carrefour et disparaître sur ma droite. Un message « Départ » et une estimation de l'heure d'arrivée s'affichent au centre de mon champ de vision. Je n'ai plus qu'à suivre le plan. Je devrais en avoir pour trente minutes.

Je frissonne, resserre le cordon de ma capuche pour recouvrir entièrement mes cheveux et mets un masque noir. Je me télécharge aussi un visage virtuel. Les passants connectés au NeuroLink que je pourrais croiser me verront sous les traits d'une parfaite inconnue. C'est mieux que rien. Puis je pose mon skateboard électrique devant moi et saute dessus. Il m'emporte à toute vitesse le long de la ligne dorée.

Une demi-heure plus tard, me voilà dans un quartier chic et tranquille sur une colline d'où l'on domine le reste de la ville. Le crachin est devenu une pluie régulière ; ma capuche est trempée, mes cheveux ruissellent. Je n'arrête pas de claquer des dents.

Je suis enfin arrivée à destination. La ligne dorée s'arrête devant le portail d'une résidence chaleureuse et bien éclairée, bordée d'un mur haut, avec deux lions de pierre de chaque côté du perron. Je ne sais pas combien de gardes du corps surveillent en permanence la maison d'Hideo, mais ce soir, il y a au moins cinq voitures dans l'allée et deux hommes au portail. D'autres ont l'air de patrouiller dans l'enceinte de la résidence.

L'un des portiers s'avance vers moi et me demande de lever les bras. J'éteins mon visage virtuel et fais ce qu'il me dit. Il me palpe de la tête aux pieds et prend même le temps d'examiner ma planche. Satisfait, il tend un parapluie au-dessus de ma tête et me fait passer le portail.

— Ça ira, plus besoin de parapluie au point où j'en suis, dis-je à l'homme. (Voyant qu'il me dévisage sans comprendre, je lui indique mes vêtements trempés.) Je vous assure.

Il pose son parapluie à contrecœur et nous remontons l'allée en silence. J'entends un chien aboyer dans la maison.

Hideo vient ouvrir en personne. À voir l'expression étonnée de son garde du corps, on devine que ce n'est pas monnaie courante. Il porte les mêmes habits qu'au stade, mais a remonté l'une de ses manches et est en train de défaire le bouton de manchette de l'autre. Il a relevé son col, ouvert le dernier bouton et rejeté sa cravate noire sur l'épaule. Quelques gouttes de pluie brillent dans ses cheveux. Il a l'air soucieux, un peu hagard, et je me rappelle tout à coup qu'il n'est pas beaucoup plus vieux que moi. On l'oublie si facilement.

— Vous êtes trempée.

— Et vous, toujours en vie. C'est bien.

Le garde du corps nous laisse tous les deux. Hideo ouvre grand la porte et me fait signe d'entrer. Derrière lui, un petit chien roux et blanc avec de grandes oreilles de renard s'approche en trottinant. Il s'arrête devant moi, agite son moignon de queue et lève les yeux en haletant. Après l'avoir caressé vigoureusement, j'abandonne sur le seuil mes chaussures détrempées.

La maison est d'une propreté impeccable, très haute de plafond, avec un mobilier moderne de toute beauté.

Des haut-parleurs invisibles diffusent une musique douce. À ma grande surprise, je ne vois aucun caractère, aucune couleur ni aucun chiffre virtuel nulle part. Tout est réel. Combien peut coûter une maison aussi belle, dans une ville aussi chère que Tokyo ?

— Vous grelottez, remarque Hideo.

Je hausse les épaules.

— Le temps d'enlever mes fringues et ça ira tout de suite mieux. (Puis je m'aperçois de ce que je viens de dire, et la chaleur me monte aux joues.) Oui, enfin, c'est-à-dire…

Un petit sourire creuse le coin des lèvres d'Hideo, fissurant sa façade sévère. Il me fait signe de le suivre.

— Je vais vous apporter des vêtements secs.

— Je n'ai eu qu'un bref aperçu d'un fichier de Ren. (Je mentionne le nom du fichier.) De toute évidence, Zéro avait l'intention de, eh bien… de tenter de vous assassiner aujourd'hui. Comment va votre garde du corps ?

— Il s'en sortira. Nous avons connu des attentats pires que celui-là.

Des attentats pires que celui-là.

— Pas de nouvelles du tireur ?

Hideo secoue la tête. Il a l'air fatigué, marqué par ce qui s'est passé.

— D'après Kenn, le courant a été coupé par un expert. Qui a profité de la confusion pour se mêler à la foule et disparaître. Nous allons fouiller le stade de fond en comble, à la recherche d'indices, mais je ne vais pas vous mentir : ils avaient bien préparé leur coup.

Donc le coupable court toujours.

— Le fait qu'ils vous aient raté aujourd'hui ne veut pas dire que Zéro va en rester là. Nous ne savons rien de son plan. (Je prends une grande inspiration.) Ils vont réessayer.

Ils ont peut-être essayé avant ce soir, d'ailleurs. Et vous ne serez pas toujours aussi bien protégé qu'au stade.

À la mention de sa sécurité, Hideo pince les lèvres. Il s'arrête un instant pour me dévisager.

— Croyez-vous qu'il ait récupéré des infos sur vous ?

J'hésite. Je n'avais pas envisagé la possibilité que Zéro puisse retourner notre piège contre moi. Cette idée me fait froid dans le dos, même si l'inquiétude d'Hideo me fait chaud au cœur.

— Ça m'étonnerait, dis-je. Ne vous en faites pas pour moi. Ce n'est pas moi qui suis visée. Plus j'avance dans mon enquête, plus cette histoire me paraît inquiétante.

— Mon service de sécurité a l'habitude de ce genre de situations. Après votre avertissement, la maison a été entièrement passée au crible. Vous n'avez rien à craindre.

— Ce n'est pas ce que je voulais dire. Hideo, vous avez failli *mourir* ce soir. Vous en êtes conscient, quand même ?

— Je suis bien protégé ici. J'ai huit gardes du corps autour de la maison, dit-il avec un signe de tête en direction de l'entrée. J'ai l'impression que vous n'êtes plus très loin de la solution, de toute façon.

— Je ne comprends pas comment vous parvenez à rester si calme, dis-je, en proie à une frustration grandissante. (Pas étonnant que Kenn ait paru aussi exaspéré.) Vous devriez quitter Tokyo. Vous n'êtes pas en sécurité ici. C'est trop dangereux.

Hideo me dévisage avec sérieux.

— Je ne vais pas m'enfuir de chez moi pour une vague menace, réplique-t-il avec une pointe de colère dans la voix. Ce n'est pas la première fois qu'on s'attaque à moi et ce ne sera pas la dernière.

J'ouvre la bouche pour hausser la voix, mais un éternuement m'en empêche. La fraîcheur qui règne dans la maison a pénétré mes habits trempés, et je m'aperçois que je claque des dents.

Hideo adopte une expression pincée.

— Nous continuerons cette conversation quand vous serez réchauffée. Suivez-moi.

Il me conduit dans une chambre spacieuse dont les murs de verre donnent sur un jardin zen orné de lampions.

— Prenez votre temps, dit Hideo en m'indiquant la salle de bains au fond. Rejoignez-moi quand vous serez prête. Aimeriez-vous un peu de thé ?

Une bonne tasse de thé après votre tentative d'assassinat. Bien sûr. Trop transie pour discuter, je hoche la tête.

— J'adorerais.

Hideo referme la porte de la chambre et me laisse seule. Jusqu'ici, on ne peut pas dire que je l'aie vraiment convaincu de la réalité du danger. Je pousse un soupir et retire mon blouson, mon jean, mes sous-vêtements, que je mets à sécher sur le bord de la baignoire. Du coin de l'œil, je remarque mon reflet dans le miroir ; mon maquillage du tournoi a coulé sous la pluie, et mes cheveux arc-en-ciel pendent en mèches ternes. Pas étonnant qu'Hideo ne m'écoute pas, j'ai l'air à moitié folle. J'examine le reste de la salle de bains. La douche est gigantesque, avec une pomme installée directement dans le plafond. Je tourne le robinet et laisse l'eau chaude fumer un peu avant de me glisser dessous.

La douche m'éclaircit les idées et j'en sors un peu plus détendue. Je m'enveloppe dans une serviette, rassemble mes cheveux humides en deux nattes grossières, puis sors de la salle de bains.

Des vêtements propres m'attendent sur le lit. Un pull blanc crème. Un pantalon de pyjama. J'enfile le pull, qui sent le parfum d'Hideo et me descend pratiquement jusqu'aux genoux. Le col glisse sur le côté, dénudant une de mes épaules. Je ne me donne même pas la peine d'essayer le pantalon. Il est beaucoup trop grand.

Je gagne la porte de la chambre, l'entrouvre et sors la tête dans le couloir pour lui dire qu'il me faudrait quelque chose de plus petit.

Sauf qu'il est déjà là, une tasse de thé dans une main, l'autre en l'air, sur le point de frapper à la porte.

— Emi…

Un ange passe.

Hideo cligne des paupières. Son regard tombe sur le pull blanc trop grand pour moi puis se détourne aussitôt.

Mon épaule et mes jambes me paraissent subitement très découvertes, et je sens que la rougeur de mes joues atteint un niveau magmatique. Je bredouille :

— Désolée, je… je voulais vous demander si vous n'aviez pas, heu… un pantalon plus petit. (Mauvaise formulation.) Je veux dire, je me doute bien que vous n'avez pas de pantalon assez petit pour moi… (Je m'enfonce.) Le truc, c'est que votre pantalon n'arrête pas de glisser…

Décidément, je les accumule. Je secoue la tête et décide de me taire. Je fais plutôt des vagues moulinets avec les mains, comme s'il pouvait y comprendre quelque chose.

Hideo rit doucement. À moins que mon imagination ne me joue des tours, j'ai l'impression que ses joues rosissent un peu.

Je sors de mon inertie pour lui claquer la porte au nez.

Après un silence, la voix d'Hideo s'élève :

— Pardon. Je vais vous chercher autre chose.

J'entends ses pas s'éloigner dans le couloir.

Je me laisse tomber sur le lit, m'enfouis le visage dans les draps et pousse un couinement.

Quelques instants plus tard, Hideo entrebâille la porte et passe la main à l'intérieur pour me tendre un short. Je l'essaie. Je flotte un peu dedans, mais au moins il ne me tombe pas sur les chevilles.

Je rejoins Hideo dans le salon, où il est en train de lire devant un feu de cheminée. Allongé à ses pieds, son chien ronfle doucement. Les fenêtres donnent sur le jardin. On entend la pluie crépiter doucement contre les carreaux. Les murs sont ornés de portraits et garnis d'étagères de livres, rien que des éditions originales en excellent état, soigneusement rangées et disposées avec art. Sur d'autres étagères, je vois des jeux vidéo et des consoles d'époque, ainsi que différents prototypes de NeuroLink. Les plus anciens ont l'air lourds comme des briques, mais ils s'affinent et s'allègent progressivement, jusqu'à la première édition officielle de ses lunettes.

Hideo lève la tête de son livre.

— Ma mère a toujours pris soin de mes premiers prototypes de NeuroLink, m'explique-t-il. Mon père et elle ont tenu à les conserver.

Sa mère neurologue et son père réparateur informatique.

— Ils ont l'air en parfait état, dis-je en admirant les prototypes.

— Mes parents pensent que les objets ont une âme. Et que plus on met d'amour dedans, plus ils embellissent.

Je souris devant l'affection qu'on entend dans sa voix.

— Ils doivent être sacrément fiers de vos créations.

Hideo hausse les épaules, mais il a l'air ravi.

— J'ai remarqué qu'il n'y avait pas de réalité augmentée chez vous, dis-je en m'asseyant à côté de lui.

Hideo secoue la tête.

— Je préfère habiter dans le réel. Il est si facile de se perdre dans l'illusion.

Je suis soudain très sensible à notre proximité physique.

Je prends une grande inspiration.

— Avez-vous des ennemis en dehors de Zéro ? Quelqu'un qui pourrait vouloir votre mort ? Un ancien employé, peut-être ? Ou un ex-associé ?

Hideo se détourne. Au bout d'un moment, il répond :

— Il y a beaucoup de gens qui n'aiment pas Warcross ni le NeuroLink. Tout le monde n'apprécie pas la nouveauté. Certains en ont peur.

— C'est absurde que Zéro en ait peur, mais n'hésite pas à recourir à la technologie pour essayer de vous stopper.

— Je n'ai pas l'impression qu'il s'embarrasse de logique.

— Et Ren ? Vous devriez le disqualifier. Il est clair qu'il est impliqué dans cette affaire. Peut-être même qu'il a joué un rôle dans la tentative de ce soir. Et si le fichier que j'ai récupéré aujourd'hui lui était précisément destiné ? S'il avait envoyé un signal dans le jeu à la personne qui a essayé de vous tuer ?

Hideo réfléchit un moment, avant de secouer la tête.

— C'est une source d'informations précieuse, et il pourrait nous conduire à d'autres indices. Si je le renvoyais maintenant, Zéro saurait tout de suite que nous sommes sur sa piste. Il risquerait de vous soupçonner.

Il n'a pas tort.

— Pourquoi refusez-vous de quitter Tokyo ? Vous avez failli mourir aujourd'hui.

Hideo me regarde. Ses yeux brillent à la lueur du feu.

— Et montrer à Zéro qu'il a gagné ? Non. Si son plan est uniquement dirigé contre moi, je serai soulagé.

Il y a un blanc dans la conversation. J'essaie de trouver quelque chose à dire, mais tout ce qui me vient ne paraît pas approprié ; alors je me tais, laissant le silence se prolonger. Je promène mon regard sur les étagères, puis sur les portraits accrochés aux murs. Ce sont des photos d'Hideo dans son enfance et son adolescence, en train d'aider son père dans sa boutique, de lire près de la fenêtre, de jouer, de prendre la pose avec une brassée de médailles autour du cou, souriant à l'objectif pour ses premières photos de presse. Curieux. Quand il était petit, Hideo n'avait pas cette mèche blanche dans ses cheveux, ni les quelques cils blancs qu'il a aujourd'hui.

Puis mes yeux s'arrêtent sur une photo. On y voit *deux* garçons.

— Vous avez un frère ? dis-je sans réfléchir.

Hideo reste silencieux. Aussitôt, je me souviens de l'avertissement que j'ai reçu juste avant notre première entrevue. « *M. Tanaka ne répond à aucune question concernant sa vie privée ou sa famille. Je dois vous demander de ne pas aborder ces sujets avec lui.* » J'ouvre la bouche pour m'excuser, mais je m'interromps en voyant son expression. On dirait qu'il a *peur*. Comme si j'avais rouvert une vieille blessure.

Au bout d'un long moment, Hideo baisse les yeux et se tourne vers les fenêtres ruisselantes de pluie.

— J'*avais* un frère, répond-il.

« *M. Tanaka ne répond à aucune question concernant sa famille.* » Il vient pourtant de le faire à l'instant. Il s'est ouvert à moi, ne serait-ce que brièvement. J'entends bien à quel point ces mots lui sont peu familiers, l'effort que ça lui a coûté de les prononcer. Cela veut-il dire qu'il n'invite jamais non plus personne chez lui, personne qui pourrait voir sa vulnérabilité accrochée au mur ? Je le regarde en silence, attendant qu'il développe. Mais comme il ne le fait pas, je dis la seule chose possible :

— Je suis désolée.

Hideo me tire d'affaire en se penchant vers la table basse.

— Vous aviez dit oui pour un thé, me rappelle-t-il, esquivant mes questions comme il l'a fait le soir où je l'ai retrouvé au siège de sa compagnie.

Le moment de faiblesse qu'il m'a offert a déjà disparu, dissous derrière son bouclier.

C'est ça, le drame personnel qui le hante, me dis-je en me rappelant le chagrin qu'il a laissé percer quand je lui ai parlé de mon père. Quoi qu'il se soit passé, il n'en a toujours pas fait son deuil. Ça pourrait même expliquer son refus obstiné de se mettre en sécurité.

Il me tend une tasse de thé et je savoure la chaleur et les arômes qui s'en dégagent.

J'essaie une autre approche. J'évite soigneusement de revenir sur le mystère douloureux qu'il porte en lui. Malgré moi, je pose les yeux sur ses phalanges couturées de cicatrices.

— Hideo, je ne voudrais pas qu'il vous arrive quoi que ce soit. Vous n'étiez pas avec moi au Repaire des Pirates, vous n'avez pas ressenti la présence de ce type. J'ignore ce qu'il mijote exactement, mais je sais qu'il est dangereux. Vous ne devriez pas jouer avec votre vie comme ça.

Hideo m'adresse un petit sourire.

— Vous avez fait tout ce chemin ce soir pour me persuader de quitter Tokyo, n'est-ce pas ?

Son ton moqueur me fait rougir, ce qui m'embarrasse encore plus. Je pose ma tasse et hausse les épaules.

— Disons que je préférais vous en parler face à face. Et je voulais vous avertir sans courir le risque que mes coéquipiers nous entendent.

— Emika, dit-il. Vous n'avez aucune justification à me donner. J'apprécie le fait que vous veilliez sur moi. Vous m'avez sauvé la vie aujourd'hui, vous savez ?

J'oublie ce que j'allais dire au moment où je croise son regard. Il pose sa tasse à son tour et se rapproche de moi. Je sens un frisson me remonter dans le dos.

— Je suis content que vous soyez là, conclut-il.

Je le regarde droit dans les yeux, m'efforçant de calmer les battements de mon cœur.

— Ah bon ?

— J'ai peut-être été trop subtil.

Jusqu'à présent, j'avais toujours considéré ma façon d'interpréter les paroles d'Hideo comme une exagération ; mais là, ça paraît quand même assez clair. « *Il parle de vous sans arrêt* », m'a dit Kenn. Je ne cherche pas à me dérober.

— À propos de quoi ? dis-je dans un murmure.

Son regard se trouble. Il hésite. Puis il esquisse un petit geste et une fenêtre de texte translucide apparaît dans mon champ de vision.

Connexion avec Hideo ?

— Laissez-moi vous montrer quelque chose, suggère-t-il. C'est un nouveau système de communication sur lequel je travaille en ce moment. Qui vous permettra de me contacter en toute sécurité.

Je contemple la fenêtre un moment, et j'accepte. Un éclair bleu ciel illumine les bords de mon champ de vision.

— Comment ça marche ? dis-je.

Envoyez-moi une pensée, Emika.

C'est la voix d'Hideo, douce, chaude et grave, que j'entends résonner dans ma tête. La surprise me fait sursauter. Il n'a pas ouvert la bouche ni esquissé le moindre geste. C'est de la *télépathie* par NeuroLink, la dernière étape de la messagerie directe. Une connexion secrète, intime, rien qu'entre nous deux. La nouveauté de la chose me laisse d'abord ébahie ; puis je lui adresse une pensée hésitante.

Vous êtes dans ma tête ?

Seulement si vous le voulez bien. Vous pouvez interrompre la connexion à tout moment.

Je ne peux m'empêcher de sourire, partagée entre la gêne et l'excitation. Voilà plus de dix ans que l'invention d'Hideo a changé le monde, et il continue à explorer d'autres pistes, année après année. Je secoue la tête avec incrédulité.

C'est dingue.

Hideo sourit, oubliant momentanément son humeur maussade. *Je ne crois pas que vous compreniez à quel point j'apprécie votre compagnie. Alors, j'ai eu envie de vous confier un secret.*

Soudain, je m'aperçois que non seulement je l'entends dans ma tête… mais je peux aussi le sentir. Je perçois un peu de ses émotions. *Oh !* fais-je sans même m'en rendre compte, le souffle coupé.

Je sens le désir qui couve en lui, intense, brûlant. Pour moi.

J'ai envie de vous embrasser, m'avoue Hideo en se penchant tout près, *depuis le soir où je vous ai vue dans cette robe blanche.*

Depuis la soirée au Sound Museum Vision. Mon épaule découverte me paraît soudain très, très nue. La force des émotions que je perçois chez lui me trouble terriblement, et je me demande s'il ressent cela chez moi ; s'il est sensible à mon pouls précipité, à la chaleur qui me coule dans les veines. Sans aucun doute, parce que je le vois esquisser un sourire.

Je me sens soudain pleine d'assurance dans cet éclairage tamisé, cette connexion nouvelle, cette pièce devenue tout à coup beaucoup trop chaude. *Et alors ?* dis-je.

Et alors, répète-t-il en posant les yeux sur mes lèvres, *il serait peut-être temps de faire quelque chose à ce sujet.*

Je ne pense plus à rien d'autre qu'à sa proximité, ses yeux noirs, son souffle sur ma peau. Il y a une lueur dans son regard, un appétit féroce, dévorant. Il hésite encore, pendant une seconde interminable. Puis sa tête se penche vers moi. Ses lèvres douces se pressent contre les miennes et, avant que j'aie le temps de comprendre ce qui m'arrive, il est en train de m'embrasser.

Mes yeux se ferment. Il se montre d'abord très doux, tout en contrôle, à me prendre le visage dans sa main. Je m'abandonne à sa caresse pour lui faire comprendre que je veux plus, tout en imaginant ce qu'il pourrait faire ensuite. *Est-ce que tu peux sentir ce que je veux ?* Comme en réponse, il pousse un grognement de plaisir. Puis il se colle contre moi, me renverse sur le canapé et m'embrasse avec fougue. La connexion décuple nos émotions. Je lutte pour respirer, submergée tant par la violence de son désir que je sens passer entre nous que par la passion que je lui renvoie en retour. Je peux sentir ses pensées, percevoir ce qu'il éprouve à me toucher, à faire remonter ses mains le long de mes cuisses. J'en ai des frissons sur tout le corps. Il plonge ses doigts dans mes cheveux, me soulève la tête. À travers le brouillard de mes émotions, je me rends compte que j'ai noué mes bras derrière sa nuque et que je le serre de toutes mes forces, jusqu'à ce que mon corps soit entièrement plaqué contre le sien. Il est si chaud, ses muscles sont si fermes sous sa chemise.

Pendant ce temps, la pluie continue de frapper discrètement au carreau.

Hideo se détache de moi une seconde, ses lèvres juste au-dessus des miennes. Il a le souffle court, le front plissé, les yeux brillants. Ses émotions s'entrechoquent avec les miennes, elles se mêlent et se confondent, et pendant un instant l'Hideo distant, courtois et réservé que je connais s'efface pour dévoiler une part de lui instinctive et sauvage. Je suis secouée par un tourbillon de sensations confuses que je voudrais absorber toutes à la fois. Je cherche mes mots.

D'accord, finis-je par dire. *Tu étais vraiment trop subtil.*

Son petit sourire réapparaît.

— Je te promets de me rattraper, me murmure-t-il à l'oreille, et il m'embrasse de nouveau.

Je lui mordille légèrement la lèvre. Il lâche une exclamation de surprise, puis ses lèvres descendent dans mon cou. Je frissonne. Sa main chaude s'est glissée sous mon pull et remonte au creux de mon dos nu. Je sens les cals qu'il a au bout des doigts, rugueux contre ma peau. Mille pensées me viennent à l'esprit. J'arrondis le dos. Je comprends vaguement que j'ai glissé sur le canapé et que j'ai à présent la tête contre l'accoudoir, avec Hideo couché sur moi de tout son poids. Ses lèvres m'effleurent la clavicule, suivent mes tatouages, frôlent mon épaule nue.

Et puis, brusquement, une émotion discordante vient interrompre cette fièvre. Une pointe d'inquiétude chez lui. À ma grande déception, Hideo dépose un dernier baiser sur ma peau. Il soupire, jure doucement à mon oreille et se détache de moi. J'ai froid, tout à coup, encore sonnée par ce qui vient de se passer. Lentement, je me redresse sur les coudes et le regarde. Il m'aide à me relever et garde un instant mes mains dans les siennes. La connexion qui nous relie l'un à l'autre s'apaise. Le calme revient.

— Tu n'avais pas signé pour ça, dit-il enfin.

Je fronce les sourcils, essoufflée.

— Oh ! je ne me plains pas. (Je me serre contre lui.) Je le trouverai, ton Zéro, tu sais. Je vais finir le travail pour lequel tu m'as engagée.

Il me dévisage puis secoue la tête et sourit. Le bouclier qu'il érige en permanence autour de lui est tombé, le laissant vulnérable. Il a envie de me dire quelque chose. Je lis un conflit sur son visage.

— Je ne vais pas te retenir plus longtemps, dit-il. (Le cœur bat en retraite derrière le bouclier.) Tes coéquipiers doivent se demander où tu es passée.

Là-dessus, il lève la main et coupe notre connexion. L'interruption soudaine du flot d'émotions sous-jacentes et de sa voix dans ma tête me laisse un grand vide. Il reste tout de même ce minuscule bouton au coin de mon champ de vision, sur lequel je n'aurai qu'à appuyer pour nous reconnecter.

Je lui cache ma déception.

— Exact, dis-je en marmonnant. La fête. Je ferais mieux d'y retourner.

Il m'embrasse sur la joue.

— Je t'appelle demain, dit-il.

Mais alors qu'il se lève, je comprends que l'air entre nous ne sera plus jamais le même.

Je dodeline de la tête, comme dans un rêve, comme une droguée qui voit s'éloigner sa came.

— D'accord.

22

Au cours des jours qui suivent, les autres équipes officielles s'affrontent à leur tour. Les Andromedans écrasent les Bloodhounds en un temps record dans un univers de catacombes en flammes. Les Winter Dragons battent les Titans au cœur d'une jungle truffée de pièges. Les Stormchasers l'emportent face aux Royal Bastards dans les rues futuristes d'un spatioport. Les Gyrfalcons progressent face aux Phantoms, les Castle Raiders prennent le meilleur sur les Windwalkers, les Cloud Knights massacrent les Sorcerers, et à la surprise générale, les Zombie Vikings battent les Sharpshooters.

Je regarde et j'analyse chaque match en compagnie de mes coéquipiers. Je m'entraîne avec eux en vue du deuxième tour. Nous battons les Stormchasers à l'issue d'une partie expéditive, qui s'achève par un duel au sommet d'une tour entre Asher et Malakai, leur capitaine, tandis que le reste d'entre nous s'affronte sur les flancs de la tour.

Chaque jour, j'absorbe une grosse quantité de données sur les autres joueurs. Je surveille les déplacements de Ren dans la résidence. Il évite mon regard, je me demande s'il a des soupçons.

La nuit, je rêve que je suis dans le lit d'Hideo, entortillée dans ses draps, mes mains au creux de son dos nu, les siennes sur mes hanches. Je rêve que quelqu'un s'introduit chez lui pendant que nous dormons, que j'ouvre les yeux à côté de lui et qu'une silhouette noire sans visage se dresse au pied du lit ; et que le lendemain matin, aux nouvelles, j'apprends qu'Hideo est mort. Ça me réveille en sursaut chaque fois.

• • • • •

Bonjour, ma belle.

J'émerge du sommeil par une matinée lugubre et plombée d'un ciel d'orage, et trouve le message d'Hideo sur mon téléphone. Une lumière grisâtre pénètre dans ma chambre. J'ai encore le cœur qui tambourine à cause de mon cauchemar. Je relis son message plusieurs fois pour me convaincre qu'il est toujours en vie et qu'il va bien. Puis je repose ma tête sur l'oreiller et pousse un long soupir de soulagement. Ses mots m'arrachent un sourire.

Bonjour.

Je m'assieds, passe un T-shirt et me rends dans la salle de bains pour mettre mes lentilles. Un signal clignote alors au coin de mon champ de vision : une demande de connexion d'Hideo. J'accepte. Un instant plus tard il apparaît dans ma chambre sous forme virtuelle, en train d'enfiler un T-shirt lui aussi. Je souris, tentée de lui suggérer de rester torse nu. Il se verse une tasse de café pendant que son chien frétille joyeusement autour de ses jambes. C'est agréable de le voir comme ça, juvénile, détendu, sans défenses, les cheveux encore mouillés après la douche, le pantalon de jogging bas sur les hanches. Le jour pâle qui pénètre par ses fenêtres accentue les contours de son visage.

Il me sourit.

— Avant que tu ne me poses la question, dit-il en faisant un signe de la tête, mon garde du corps est juste derrière la porte.

Je lui souris en retour.

— Contente de voir que tu prends enfin ta sécurité au sérieux. (Puis je redeviens grave.) Je suppose que tu n'es toujours pas décidé à quitter Tokyo ?

Hideo prend une gorgée de café.

— Le deuxième tour du championnat vient tout juste de commencer. Si je m'absente, les gens risquent de se poser des questions.

Je soupire.

— Essaie d'y penser. D'accord ?

Un garde du corps l'appelle. Hideo se tourne vers lui.

— Monsieur Tanaka, lis-je en sous-titres. Les journalistes sont prêts pour votre interview.

Hideo lui fait un signe.

— J'arrive dans un moment.

Il s'approche tout près de moi. S'il se tenait dans ma chambre en ce moment, je pourrais sentir son souffle me chatouiller le cou.

— Je te promets d'y réfléchir, murmure-t-il. Mais essaie de comprendre à quel point ce serait dur, alors que toi tu resterais coincée en ville.

Mes orteils se recroquevillent, je frissonne de plaisir. Mes émotions lui parviennent par le biais de notre connexion. *Tu es incorrigible*, lui dis-je par la pensée.

Seulement le matin.

Oh ! tu n'étais pas beaucoup plus sage le soir où je suis venue chez toi.

Il baisse les yeux, et ses cils accrochent la lumière. Un sourire passe sur ses lèvres. *J'aimerais t'embrasser, là, maintenant.*

Et si je ne voulais pas ? dis-je pour le taquiner.

Tu me fais de la peine, Emika.

Je ris. *J'ai peut-être envie d'embrasser quelqu'un d'autre.*

La jalousie assombrit son visage, et ses yeux jettent des éclairs. Malgré la distance physique qui nous sépare, je peux percevoir ses émotions, sentir son désir délicieux. *Viens me retrouver. Ce soir.*

Une chaleur se diffuse au creux de mon ventre. *Mais, mes coéquipiers…*

Je ferai en sorte que ça en vaille la peine.

La chaleur devient brûlure.

— Chez toi ? dis-je à voix basse, incapable de réprimer un sourire.

Il hésite. Le revoilà en proie à l'incertitude. Je crains qu'il ne secoue la tête et ne change d'avis encore une fois. Pourtant, après réflexion, il me surprend à dire oui. *Viens chez moi ce soir. Je te montrerai mon ancienne maison.*

Mon pouls s'accélère. Il s'apprête à me dévoiler un autre pan secret de son passé ; je l'entends dans sa voix, je le perçois. J'acquiesce de la tête. *D'accord.*

On se déconnecte tous les deux. Je soupire, puis je me lève et sors de ma chambre.

Il pleut des cordes à l'extérieur. Hammie et Asher sont dans un canapé, ils discutent tranquillement de la meilleure manière de tromper la défense des Cloud Knights. Asher a le bras posé sur le dossier du canapé, la main en contact avec l'épaule d'Hammie, et celle-ci ne cherche pas à s'écarter. Roshan est en train de jouer, diffusant sa partie en direct sur les réseaux sociaux. Ren n'est pas là. Pour le reste, le calme règne dans le bâtiment ; on n'entend que le crépitement de la pluie sur le plafond de verre de l'atrium.

— Emika ?

La voix de Ren me fait frôler la crise cardiaque. Mon poing se lève de lui-même. Je pivote et le vois debout derrière moi dans le couloir, à moitié tourné, comme s'il repartait vers sa chambre. Je relâche mon souffle et baisse le poing. J'aurais dû sentir sa présence ; je suis censée avoir l'œil pour ce genre de choses. Je m'exclame :

— Tu m'as fait peur !

Il hausse un sourcil devant ma réaction, puis me pose une question en français. Le sous-titrage apparaît devant moi en caractères blancs translucides.

— Et tu as toujours envie de cogner ceux qui te sur-prennent ?

Je suppose que les soupçons que j'ai sur lui après ces deux semaines de filature me rendent nerveuse.

— Seulement ceux qui rôdent dans les couloirs.

— Tu as une minute ? dit-il en me faisant signe de le suivre. Je voudrais te demander un truc.

— À propos de quoi ?

Ren me dévisage avec nonchalance.

— À propos d'Hideo.

Je bats des cils, prise au dépourvu, et je regarde Ren droit dans les yeux. Il m'observe. Qu'a-t-il remarqué dans mon expression ? A-t-il répondu ça pour me déstabiliser, pour voir ma réaction ? Je me reprends et lâche un rire forcé.

— Quoi ? ça y est, je me retrouve à la une des tabloïds ? dis-je sur un ton sarcastique.

Ren sourit en retour.

— Quelque chose comme ça, admet-il.

Sa réponse me fait frissonner.

— Amène-toi. On pourra discuter dans ma chambre.

Si je refuse de l'accompagner, ça aura l'air suspect. Alors je lui emboîte le pas dans le couloir. *Ce n'est rien*, me dis-je. Et puis, ce sera peut-être l'occasion d'essayer une chose que j'ai rarement l'occasion de faire au cours de mes chasses : parler directement à l'une de mes cibles potentielles.

Je n'étais encore jamais entrée dans sa chambre. On ne peut pas se tromper : il s'en échappe un rythme sourd, saccadé, qu'on entend du couloir. La porte s'ouvre en coulissant à l'approche de Ren et dévoile une grande suite à l'éclairage bleuté. Il entre sans ralentir. J'hésite un instant avant de le suivre.

La chambre de Ren est radicalement différente de la mienne. Il l'a personnalisée en fonction de ses besoins. Des carrés de mousse épaisse tapissent les murs. Le centre de la pièce est occupé par une table en arc de cercle au-dessus de laquelle flottent différents écrans, certains affichant des sonomètres et d'autres des portées, des graphiques auxquels je ne comprends rien. Un clavier et une table de mixage sont installés sous les écrans, le casque à ailettes de Ren est posé juste à côté. Une musique forte, entêtante, résonne à travers la pièce ; elle fait vibrer le sol et battre mon cœur en rythme. Impressionnée, je regarde autour de moi en quête d'indices. J'ouvre discrètement le profil de Ren et j'affiche ses infos en caractères transparents autour de lui.

— Tu voulais me parler d'Hideo ?

Il hoche la tête puis s'assied dans son fauteuil et pivote sur lui-même. Il accroche son casque autour de son cou.

— Oui. Quand on s'est rencontrés la première fois, tu m'as dit que tu connaissais déjà ma musique, exact ?

Je fais oui de la tête.

— Je suis devenue fan à ta première apparition sur la scène underground en France.

— Waouh ! (Il m'adresse un sourire dont je ne saurais pas dire s'il est sincère ou non puis joue machinalement quelques notes sur son clavier.) On dirait que je suis sur tes écrans radar depuis un sacré bout de temps.

« *Je suis sur tes écrans radar depuis un sacré bout de temps.* » Une alerte retentit dans ma tête.

— Il faut dire que tu te faisais plutôt discret, dis-je en soupesant chaque mot avec prudence. Comme si tu n'avais pas envie d'être découvert trop vite.

Ren bascule en arrière dans son fauteuil et croise les pieds sur son bureau.

— Mes premières compos étaient toutes en français. Je ne savais pas que tu parlais ma langue.

Je le regarde poser son casque sur ses oreilles. Mon pouls commence à s'emballer. « *Je ne savais pas que tu parlais ma langue.* » Fait-il allusion au français ou au codage ?

— Quel rapport avec Hideo ? dis-je pour tenter d'en revenir au sujet initial. C'est un de tes fans, lui aussi ?

— Je travaille sur une composition dont j'ai l'intention de lui faire cadeau, une fois que tout sera terminé, répond Ren d'un ton léger. Pour le remercier de m'avoir inscrit à la Wardraft. J'aurais voulu avoir l'avis de quelqu'un qui le connaît bien, et qui connaît aussi ma musique. Pour savoir si ça a des chances de lui plaire, tu vois ? (Il lève vers moi un regard inquisiteur.) Vous avez l'air plutôt proches, tous les deux.

Il est au courant. Est-ce qu'il est au courant ? Je hausse les épaules avec un sourire crispé.

— Ah bon ? dis-je en affectant la même nonchalance que lui.

— En tout cas, c'est ce que racontent les tabloïds.

— Eh bien, dis-je en le défiant du regard. On a tous des amis haut placés, pas vrai ?

Ren soutient mon regard un moment puis finit par se détourner.

— Tiens. Écoute-moi ça. Ça pourrait m'aider.

Ren a déclaré un jour dans une interview qu'il n'appréciait pas les commentaires extérieurs sur son travail. Et le voilà qui me tend ses écouteurs ? J'hésite. Devant son sourire encourageant, je les accepte et me les mets sur les oreilles.

J'entends une basse puissante, omniprésente, un violon délicat qui s'en détache par instants et ce qui ressemble à un carillon. Une voix féminine se met à chanter : « *Et si on retournait Tokyo, comme si le temps nous était compté* », susurre-t-elle. Je jette un coup d'œil à Ren. Une chanson sur Tokyo.

Puis vient un couplet qui me fait sursauter : « *Et si on terminait en apothéose / Ouais, si on terminait en apothéose.* »

C'est la chanson qui a été diffusée pendant une seconde au Repaire des Pirates.

Il essaie de me tendre un piège. Ren me dévisage d'un air pensif. C'est lui qui a composé la musique qui est passée brièvement pendant la partie de Darkcross, et il me la fait écouter maintenant pour voir si je la reconnais. À en juger par son expression, il a compris que je l'ai déjà entendue. Ce qui veut dire qu'il sait que j'étais là, au Repaire des Pirates, en même temps que lui.

Il est au courant que je le surveille. Il sait que je suis sur la piste de Zéro.

Ren récupère son casque, sans me quitter des yeux un seul instant.

— Alors ? Tu crois qu'Hideo devrait aimer ?

Malgré le double sens que je perçois maintenant derrière chacune de ses paroles, je m'applique à ne rien laisser transparaître.

— C'est vraiment bon. Peut-être qu'il voudra le passer au championnat l'an prochain.

— Ou même pour la finale du championnat de cette année, rétorque Ren avec un sourire. (Il se penche en avant, coudes en appui sur les genoux, et me regarde droit dans les yeux.) Histoire de terminer en apothéose. Non ?

Je souris en hochant la tête, pourtant cela ressemble à une menace à peine voilée. Mon cœur bat à tout rompre. « *Et si on terminait en apothéose.* » Toujours cette même phrase qui revient depuis le Repaire des Pirates. Ça ne veut peut-être rien dire, cependant je ne crois pas. J'ignore ce que prévoient Zéro et ses complices, qui implique toutes ces grandes villes à travers le monde, qui implique la vie d'Hideo, mais je pense que ça aura lieu le jour de la finale.

Et maintenant, Ren sait que je suis sur le coup.

23

Quelques heures plus tard, quand je retrouve Hideo à l'intérieur de sa voiture privée, je suis encore en train de ressasser ma discussion avec Ren. *Il parlait peut-être sans arrière-pensées.* N'empêche que le choix de cette chanson n'était pas innocent. Il sait que je l'ai suivi dans le Dark World, du moins que je me trouvais au Repaire des Pirates en même temps que lui.

Si Hideo remarque que je suis préoccupée, il ne m'en parle pas. Lui aussi semble avoir la tête ailleurs. Bien que sans connexion directe avec lui, je sens un certain malaise chez lui, un trouble qui le fait regarder dans le vague, le même souci qui l'a fait s'éloigner de moi ce soir-là, chez lui. J'hésite à lui parler de Ren et m'en abstiens. Je n'ai rien de précis à lui raconter. Je dois d'abord creuser davantage.

Nous roulons lentement sous la pluie. Après deux heures de route, nous parvenons dans une banlieue de Tokyo où la ville cède la place à des collines boisées, de jolies maisons aux toits recourbés peints en rouge et noir, et des rues étroites bordées de sapins. Je n'aperçois qu'un seul piéton sur le trottoir et un homme en train de tailler sa haie dans son jardin. Mais en dehors du « clac-clac » discret de ses cisailles, le quartier est silencieux. La voiture s'arrête devant une maison au bout d'une impasse. L'allée qui serpente entre des buissons ronds et des rochers est jalonnée de pots de fleurs. La lumière à l'entrée est allumée, bien qu'on ne soit qu'en fin d'après-midi.

Hideo fait sonner la cloche. Une voix féminine assourdie nous parvient de l'intérieur. Un instant plus tard, la porte s'ouvre sur une femme portant chandail, pantalon et chaussons. Elle nous regarde à travers d'épaisses lunettes qui lui font des yeux énormes. Puis son visage se plisse de bonheur à la vue d'Hideo ; elle pousse un petit cri, appelle quelqu'un en japonais à l'intérieur et tend les bras vers son visiteur.

Hideo s'incline très bas, plus bas que je ne l'ai jamais vu faire.

— *Oka-san*, dit-il, avant de serrer la femme dans ses bras.

Il m'adresse un sourire gêné tandis qu'elle lui pince les deux joues comme s'il était encore un enfant.

— C'est ma mère.

Sa mère ! Une chaleur douce m'envahit, apportant avec elle une foule d'émotions agréables. Je rougis et suis l'exemple d'Hideo en m'inclinant le plus bas possible. Hideo hoche la tête dans ma direction.

— *Oka-san*, dit-il à sa mère. *Kochira wa Emika-san desu.*

« Je te présente Emika », d'après le sous-titre.

Je murmure un « hello » timide et incline respectueusement la tête. La mère d'Hideo me sourit avec affection, me tapote les joues et me complimente à propos de mes cheveux. Puis elle nous fait entrer tous les deux, à l'abri du monde.

Nous laissons nos chaussures à l'entrée et enfilons des chaussons que nous offre la mère d'Hideo. L'intérieur de la maison est ensoleillé, chaleureux et impeccablement rangé. Des photos encadrées, des plantes vertes, des poteries et de curieuses sculptures métalliques composent la décoration. Une natte en bambou recouvre le sol du salon, où une théière et des tasses sont disposées sur une table basse. Une porte coulissante est ouverte sur un jardin zen. Je comprends maintenant où Hideo a puisé son inspiration pour sa maison de Tokyo : elle doit lui rappeler celle-ci, son vrai foyer. Je suis sur le point de leur dire à quel point je trouve leur maison charmante quand une voix électronique sort de haut-parleurs dissimulés dans le plafond.

— Bienvenue, Hideo-*san*, dit la voix.

Dans la cuisine, le feu s'allume sous une bouilloire sans que personne y ait touché.

Son père vient nous saluer quelques instants plus tard. Non sans une pointe d'envie, je les regarde s'extasier sur leur fils avec l'enthousiasme de parents qui ne voient pas leur enfant aussi souvent qu'ils le voudraient.

La mère d'Hideo s'exclame qu'elle va nous préparer à manger et quitte la pièce en oubliant ses lunettes sur la table. Hideo les ramasse aussitôt, rejoint sa mère dans la cuisine et lui rappelle avec douceur de les mettre sur son nez. Puis il ouvre la porte du réfrigérateur et constate qu'il est pratiquement vide. Sa mère fronce les sourcils d'un air confus, proteste qu'elle était sûre d'avoir de quoi nous nourrir. Hideo la rassure à voix basse, les deux mains sur ses épaules, et lui promet qu'il va tout de suite envoyer quelqu'un faire les courses. Son père observe la scène du couloir en toussotant un peu – une mauvaise toux, signe d'un problème chronique. Les parents d'Hideo ne sont pas vieux, pourtant ils n'ont pas l'air en bonne santé. Cela réveille de mauvais souvenirs chez moi.

Quand Hideo revient et voit mon expression, il hausse les épaules.

— Si ce n'est pas moi qui le lui rappelle, dit-il, la maison s'en chargera. C'est elle qui veille sur eux en mon absence. Ils ne veulent pas entendre parler de domestiques.

Il dit ça d'un ton léger, or je connais assez bien sa voix pour percevoir une grande tristesse au fond.

— Tes parents ont-ils toujours vécu ici ? dis-je.

— Depuis notre retour de Londres. (Hideo m'indique les différents objets qui décorent le salon.) Ma mère s'est mise à la poterie quand elle a arrêté de travailler. Et les sculptures métalliques, c'est mon père qui les a soudées avec des pièces récupérées dans sa boutique.

Je prends le temps d'admirer les sculptures. Je remarque alors que, sous leur forme géométrique, abstraite, elles représentent des aspects de leur vie personnelle. Un couple qui se promène bras dessus, bras dessous. Des scènes de famille. Certaines montrent ses parents en compagnie de deux garçons. Je repense à la photo que j'ai vue chez Hideo.

— Je les trouve magnifiques.

Hideo paraît ravi, mais plus nous restons là, plus je sens revenir en force son côté sombre et tourmenté ; comme si ce dernier se nourrissait de ses visites à ses parents. Hideo regarde un moment par la fenêtre. Puis il se tourne vers moi.

— Alors, Emika, me dit-il avec un petit sourire. As-tu déjà eu l'occasion d'essayer un *onsen* depuis que tu es au Japon ?

— Un *onsen* ?

— Un bain thermal.

— Oh ! fais-je. (Je me racle la gorge, les joues en feu.) Pas encore.

Hideo hoche la tête en direction de la porte.

— Ça te tente ?

● ● ● ● ○

Alors que le soleil se couche, Hideo me conduit dans un endroit au cœur des montagnes où une maison de bain se dresse au milieu de cerisiers en fleur. Je l'observe avec attention. Son humeur s'est sensiblement améliorée, mais il n'est pas redevenu tout à fait lui-même. Je l'accompagne en silence jusqu'à l'entrée de l'établissement, me demandant comment faire pour le dérider.

— Tu viens souvent ici ? dis-je.

— Cet *onsen* m'appartient.

Les eaux de la source chaude sont lisses comme un miroir. Un nuage de vapeur s'en élève. Le bord du bassin est entouré de rochers, et quelques pétales de fleurs de cerisier dégringolent des arbres pour venir se poser à la surface. D'un côté le bain donne sur les montagnes, dont les pics accrochent les derniers rayons du soleil ; de l'autre il surplombe une rivière.

Le temps que je revienne en peignoir au bord du bassin, Hideo est déjà dans l'eau. Je suis bien contente qu'elle soit chaude ; ça justifiera le rouge qui me vient aux joues tandis que je détaille ses cheveux mouillés et ses muscles saillants. Je toussote, et Hideo se détourne poliment le temps que je retire mon peignoir et me glisse dans l'eau chaude. Je ferme les yeux et pousse un soupir d'extase.

— Oh ! je veux rester là pour toujours, dis-je dans un souffle.

Hideo se rapproche. Il repousse mes cheveux derrière mes épaules puis nous entraîne dans un coin et pose les deux mains sur le rebord du bassin, de part et d'autre de moi. J'ai le visage en feu, maintenant, et je prends pleinement conscience de sa peau nue contre la mienne.

— Ça représente quoi, ces tatouages ? murmure Hideo en effleurant mon bras.

Ses doigts laissent des gouttes sur ma peau.

La tête légère, je baisse les yeux et lève mon bras pour lui montrer.

— Eh bien, dis-je, il y a d'abord une pivoine, parce que c'étaient les fleurs préférées de mon père.

Je remonte au-dessus de mon poignet, et les doigts d'Hideo suivent les miens.

— Les vagues me rappellent la Californie, où je suis née. À San Francisco.

La main d'Hideo s'arrête près de mon coude, où une sculpture géométrique complexe s'élève hors des vagues.

— Et ça ?

— Un dessin d'Escher, dis-je. J'adore.

Hideo sourit.

— Bon choix.

Je souris moi aussi, grisée par le contact de sa main sur mon bras. Je remonte plus haut sur mon bras, m'arrête brièvement sur des plumes stylisées qui flottent dans le ciel, puis passe au ciel lui-même, dans lequel brillent des planètes entourées d'anneaux. Certains de ces anneaux ressemblent à de vieux disques vinyle et se transforment en partitions, sur lesquelles on peut lire une mélodie.

— L'aria de la reine de la Nuit, de Mozart, dis-je. Parce que, eh bien… c'était comme ça que je me voyais.

— Hmm. (Hideo m'embrasse dans le cou, et je frissonne.) Une chasseuse de primes qui sillonne le Dark World, murmure-t-il. Ça me paraît tout à fait approprié.

Je ferme les yeux, entrouvre les lèvres et m'abandonne à la chaleur de ses bras autour de moi, de ses baisers sur ma peau mouillée. Les cicatrices rugueuses de ses doigts frottent contre ma taille quand il m'attire tout contre lui. Une timidité pointe dans son regard, qui lui donne l'air très jeune et me fait chavirer. Je ne saurais dire à quel moment on commence à s'embrasser ni à quel moment on s'arrête, ni même quand il se laisse retomber contre moi, à bout de souffle, en murmurant mon nom. J'ai l'impression de flotter dans la vapeur et le crépuscule. Je ne sais pas où file le temps, mais le soir tombe en un clin d'œil, et bientôt nous sommes engloutis par la nuit. Silencieux, la tête appuyée contre la margelle du bassin, nous regardons les lampions semer des reflets d'or à la surface de l'eau. Au-dessus de nous, les étoiles s'allument une à une. De vraies étoiles, pas une simulation virtuelle. Je n'en avais encore jamais vu autant ; elles tapissent le ciel tout entier.

Hideo aussi a le nez levé vers les étoiles.

— Sasuke jouait avec moi dans le parc, finit-il par lâcher à voix basse.

Je me rapproche pour mieux l'entendre. Il a un air songeur, son esprit semble flotter très loin de moi.

Voilà donc pourquoi nous sommes ici. Pour qu'il me confie le secret qui pèse sur ses épaules. Je tourne la tête vers lui. Se demande-t-il si me laisser entrer dans son monde n'est pas une erreur monumentale ?

— Que s'est-il passé ? dis-je doucement.

Il soupire, ferme les yeux un moment puis esquisse un geste discret avec la main. Un écran apparaît devant nous. Hideo veut partager un de ses souvenirs avec moi.

Je l'accepte sans un mot. Aussitôt, l'*onsen* et la nuit s'effacent. Hideo et moi nous retrouvons debout au bord d'un parc, par une après-midi d'automne dorée où le soleil dessine un halo de lumière autour des arbres. Quelques voitures automatiques sont garées le long du trottoir. Des feuilles orange et rouges glissent paresseusement sur le sol, mettant quelques touches de couleurs chaudes sur l'herbe verte. Devant nous, deux jeunes garçons s'avancent dans le parc. Je reconnais l'un d'eux, c'est Hideo quand il était petit ; l'autre doit être son frère.

— Tu n'avais pas encore inventé le NeuroLink à ce moment-là, dis-je. Comment as-tu fait pour créer ce souvenir ?

— Je me rappelle cette journée dans les moindres détails, m'explique Hideo. J'avais neuf ans. Sasuke en avait sept. (Il hoche la tête en direction des deux frères.) Le plan du parc, l'emplacement de chaque arbre, les feuilles dorées, la température qu'il faisait, l'inclinaison de la lumière… Je me souviens de tout comme si c'était hier. Alors j'ai reconstitué ce souvenir de mémoire, intégralement, en y ajoutant de nouveaux détails chaque année.

Nous suivons maintenant le point de vue du jeune Hideo qui marche tranquillement, foulant les feuilles mortes, le col de son manteau remonté pour éviter de prendre froid. Il sort une écharpe bleue de son sac à dos. Sasuke, clairement le plus petit des deux, court quelques mètres devant, tout sourire, soulevant un nuage de feuilles mortes dans son sillage. Les deux garçons se parlent en japonais.

— *Yukkuri, Sasuke-kun !* crie le jeune Hideo à son frère en agitant l'écharpe bleue. (Je lis la suite dans les sous-titres anglais.) Attends-moi, Sasuke ! Mets ton écharpe. Maman va me tuer, sinon.

Sasuke ne l'écoute pas. Il porte un panier rempli d'œufs en plastique et colorés en bleu.

— D'accord, cette fois tu es le rouge, lance-t-il à Hideo sans se retourner. Je suis le bleu. Si je trouve tous tes œufs avant que le soleil n'atteigne cet arbre, là-bas (il s'arrête pour pointer du doigt l'arbre en question), tu me donneras ta voiture préférée.

Hideo lève les yeux au ciel et pousse un soupir agacé tandis que les deux garçons arrivent au centre de la pelouse.

— Mais elle fait partie d'une collection ! plaide-t-il, même s'il ne dit pas non.

Il finit par rattraper son frère. Malgré les protestations de Sasuke, Hideo l'oblige à se tenir tranquille pendant qu'il lui entoure l'écharpe autour du cou et redresse son col.

— On ne peut pas rester longtemps, prévient-il. Papa a besoin de nous à l'atelier avant le dîner, et maman rentrera tard de son labo.

Sasuke boude, comme n'importe quel petit frère.

— D'accord, grommelle-t-il.

Les garçons se séparent et s'éloignent chacun dans une direction opposée. Hideo sort de son sac à dos un sachet d'œufs en plastique rouge. Ils commencent tous les deux à les jeter autour d'eux, prenant soin de ne pas se faire voir de l'autre.

Un œuf bleu roule aux pieds d'Hideo, qui lève la tête. Sasuke lui sourit bêtement.

— Je l'ai jeté trop fort ! crie le petit frère. Tu me le relances ?

Hideo ramasse l'œuf et le jette en direction de son frère. L'œuf vole hors des limites de la clairière et disparaît entre les arbres, à l'endroit où ils bordent un minuscule ruisseau entouré de bambous. Hideo rit en voyant le sourire de Sasuke se changer en grimace de contrariété.

— Attends-moi, Hideo ! crie-t-il avant de s'enfoncer entre les arbres à la recherche de son œuf.

Hideo lui tourne le dos et continue à cacher le reste de ses œufs. Quelques minutes plus tard, il se retourne.

— C'est bon ? tu l'as trouvé ? crie-t-il.

Pas de réponse.

Hideo se redresse et s'étire, savourant la chaleur du soleil de fin d'après-midi.

— Sasuke ! appelle-t-il en direction des arbres.

Pour toute réponse, il n'entend que le murmure du ruisseau et le froissement des feuilles dorées. Une brise légère souffle dans les bambous.

Après quelques secondes, Hideo lâche un soupir et se dirige vers la lisière des arbres.

— Allez, on n'a pas toute la journée, dit-il. Sasuke ! Dépêche-toi !

Je le regarde s'enfoncer à son tour entre les arbres, ralentissant le pas quand les taillis sont trop touffus.

— Sasuke ? appelle de nouveau Hideo.

Sa voix est différente à présent : l'exaspération a disparu, remplacée par une pointe de confusion. Il s'arrête au milieu des arbres et regarde autour de lui, perplexe. De longues minutes s'écoulent au cours desquelles il fouille minutieusement le bosquet. Il appelle son frère à grands cris. Avec inquiétude, d'abord. Puis avec de la peur dans la voix. Toujours aucun signe du garçon. Comme s'il avait purement et simplement cessé d'exister.

— Sasuke ?

Le ton d'Hideo devient pressant, anxieux. Il se met à courir. Il jaillit du bosquet et retourne sur la pelouse, dans l'espoir d'y trouver son frère qui ne l'aurait pas entendu.

Mais le reste du parc est désert. On ne voit que les œufs rouges et bleus éparpillés dans l'herbe.

Hideo s'arrête au centre de la pelouse. Le souvenir vire à la panique, le monde se brouille autour d'Hideo tandis qu'il tourne sur lui-même en regardant de tous les côtés, avant de s'élancer vers l'autre côté du parc. L'image s'agite follement dans sa course. Son souffle rapide envoie des petits nuages blancs dans l'air glacial. J'aperçois le reflet de son visage sur le pare-brise d'une voiture ; il a les yeux écarquillés, les pupilles dilatées.

— Sasuke ! *Sasuke !*

Chaque appel ressemble un peu plus à un cri de terreur. Hideo continue à appeler son frère jusqu'à s'en casser la voix.

Il s'arrête enfin, hors d'haleine, pour se prendre la tête dans les mains.

— Calme-toi, murmure-t-il. Sasuke a dû rentrer à la maison. (Il hoche la tête pour se convaincre.) C'est sûrement ça. Il est rentré sans me prévenir.

Sans hésiter davantage, il s'élance au pas de course sur le trottoir, scrutant la rue devant lui à la recherche d'un petit garçon portant une écharpe bleue.

— S'il te plaît, s'il te plaît, murmure-t-il à voix basse.

La supplication s'évapore dans l'air, fragile comme un fantôme.

Il ne cesse de courir qu'en arrivant devant chez lui, une maison que je reconnais désormais. Il tambourine contre la porte jusqu'à ce que son père vienne lui ouvrir avec un air incertain.

— Hideo ? Que se passe-t-il ? (Il allonge le cou pour regarder derrière son fils.) Où est ton frère ?

À cette question, je vois Hideo vaciller, et je devine qu'il comprend à cet instant précis que son frère ne reviendra pas, qu'il lui est arrivé quelque chose de terrible. Derrière lui, le soleil se couche déjà, noyant dans le rose le paysage doré.

C'est vraiment une bien trop belle journée.

Le souvenir s'achève. Je sursaute en voyant l'*onsen* réapparaître autour de nous, avec ses eaux calmes et fumantes et la lueur des lampions sur les rochers. Je me tourne vers Hideo. Il ne dit pas un mot ; il ne me regarde pas. Il a l'air absent, perdu dans ses pensées. Apeuré. Après un moment, il ouvre un deuxième souvenir. C'est la même séquence que nous venons de regarder, sauf qu'il a légèrement modifié le paysage, le tracé du ruisseau, la disposition de certains arbres. Il en ouvre un troisième. Même séquence, mais avec les deux frères placés un peu différemment.

— Je ne saurais pas te dire combien de fois je me suis repassé cette scène dans la tête, me confie-t-il d'une voix douce.

Les souvenirs s'enchaînent, avec chaque fois des modifications mineures. Dans l'un, Hideo se retourne quelques secondes plus tôt et commence à appeler Sasuke avant d'avoir atteint les arbres. Dans un autre, il entraîne Sasuke hors du parc et le reconduit à la maison avant leur chasse aux œufs. Dans un autre encore, il l'accompagne dans le bosquet au lieu de le laisser récupérer son œuf tout seul. Mon cœur se serre un peu plus à chaque nouvelle version. Quel enfer…

— Je me souviens de presque tous les détails de cette journée, m'avoue Hideo, la mâchoire crispée. Sauf de ceux qui comptent vraiment : où il est allé, à quel moment j'ai arrêté de l'entendre marcher dans les feuilles mortes… Qui l'a emporté. Je n'arrête pas de penser à ce qui aurait pu se passer si j'avais fait ceci au lieu de cela. Si les choses avaient été différentes. Je ne sais pas. Alors, je continue mes reconstitutions.

C'est une torture qu'il s'inflige. La gorge nouée, je le vois ouvrir un nouveau souvenir ; de nuit, celui-là, avec des lampes torches qui dansent à travers le parc. Les voix de son père et de sa mère, aiguës, affolées, déchirantes. Puis la scène montre le jeune Hideo à genoux devant ses parents, en larmes, implorant leur pardon, hystérique, inconsolable, tandis qu'ils essaient de le relever. Nouvelle transition, et cette fois Hideo est couché dans son lit, recroquevillé sous ses draps, silencieux, à écouter sa mère pleurer doucement dans la chambre des parents. Puis l'image le montre qui se réveille tous les matins, se regarde dans le miroir… et observe la mèche qui blanchit peu à peu dans ses cheveux noirs. C'est donc ce traumatisme qui l'a marqué ainsi. Même si je ne suis pas à sa place, je le comprends, et même sans la connexion directe pour partager nos émotions je peux ressentir la culpabilité épouvantable, implacable, qui pèse sur lui.

J'essaie d'imaginer, si mon père avait disparu un beau jour pour ne plus jamais revenir, ce que j'aurais ressenti à le pleurer sans savoir ce qu'il était devenu, à vivre avec ce mystère permanent, cette plaie béante au cœur. Je repense à la lumière allumée devant la porte des parents d'Hideo, même en pleine journée. J'imagine cette douleur, et dans mon imagination je peux sentir mon cœur saigner.

Un long moment s'écoule après la fin de ses souvenirs, durant lequel on n'entend pas un bruit, à l'exception du clapotis de l'eau contre la pierre. Quand Hideo reprend la parole, c'est d'une voix basse, chargée d'un poids infini.

— Ils n'ont plus jamais reparlé de Sasuke après sa disparition. Ils ont tout pris sur eux, endossé le blâme et porté ce fardeau en silence. Nos voisins et la police ont cessé d'en parler, eux aussi, par respect pour mes parents. Ils ne voulaient plus voir aucune photo de lui ; je n'ai réussi à sauver que celles que j'avais. Aujourd'hui, il n'existe plus que dans leurs sculptures. Ma mère a vieilli en une nuit. Avant, elle avait une mémoire infaillible ; elle était à la tête de son équipe de neurologie. Aujourd'hui, elle ne se rappelle plus où elle a mis les choses et oublie ce qu'elle était en train de faire. Mon père s'est mis à tousser de façon chronique. Il tombe malade très souvent. (Hideo contemple la constellation des Gémeaux, dont les étoiles dessinent la silhouette de deux frères.) Quant à moi... eh bien, Sasuke adorait jouer. On s'amusait toujours ensemble, on inventait toutes sortes de jeux. C'était lui, le plus intelligent des deux, il remportait tous les tests haut la main.

Je comprends à présent.

— C'est pour ça que tu as inventé le NeuroLink. C'est ce jeu dans le parc avec ton frère qui t'a inspiré Warcross. Tu as créé Warcross pour lui.

Il se tourne vers moi, provoquant des ondulations dans l'eau.

— Tout ce que je fais, c'est pour lui.

Je lui caresse le bras. Rien de ce que je pourrais dire ne serait approprié en cet instant, alors je me tais.

— Je ne parle jamais de lui à personne, Emika, dit-il après un long silence. (Il se détourne.) Je n'en avais plus reparlé depuis des années.

Voilà Hideo dépouillé de sa fortune, de sa célébrité et de son génie. Un petit garçon, qui attend tous les jours le retour de son frère, qui refait tous les soirs le même cauchemar, condamné à se demander éternellement s'il n'aurait pas pu faire quelque chose pour éviter cela. C'est difficile de décrire un tel chagrin à quelqu'un qui n'en a jamais fait l'expérience, impossible d'expliquer tous les changements qu'il peut induire en vous. Mais pour ceux qui l'ont connu, il n'y a pas besoin de mots.

Hideo se repousse contre la margelle et m'indique d'un signe de tête les marches qui mènent en direction de la maison de bain. Il me tend la main. Je la prends, avec malgré moi un regard sur ses phalanges couturées de cicatrices.

— Il se fait tard, dit-il doucement.

24

Nous dînons chez les parents d'Hideo ce soir. Je regarde avec quel soin Hideo s'occupe de frire la viande, de découper les légumes et de faire cuire le riz à la vapeur. Sa mère s'inquiète de ma pâleur.

— Une petite jeune fille aussi fragile, me reproche-t-elle gentiment avec un grand sourire. Hideo, enfin, il faut la nourrir mieux que ça ! Tu lui serviras un grand bol. Ça lui mettra un peu de rose aux joues.

— *Oka-san*, dit-il dans un soupir. S'il te plaît.

Elle hausse les épaules.

— Je te dis qu'elle a besoin de manger si tu veux que son cerveau puisse fonctionner au mieux. Tu te souviens de ce que je t'ai expliqué, la manière dont les neurones utilisent l'énergie apportée par le sang ?

J'échange un sourire discret avec Hideo pendant que sa mère se lance dans une explication scientifique.

Hideo met la table, assure le service et verse du thé à tout le monde. Le dîner est délicieux et je voudrais que ça ne s'arrête jamais : des morceaux de poulet tendres et juteux, frits à la perfection ; du riz gluant avec un œuf poché ; des légumes légèrement vinaigrés en garniture ; et en dessert, des mochis fourrés à la fraise et aux haricots rouges ; sans oublier le thé vert. Pendant le repas les parents d'Hideo échangent des messes basses, avec de petits sourires dans ma direction, comme s'ils croyaient que je ne remarquais pas leur manège.

Je donne un petit coup de coude à Hideo assis à côté de moi.

— Qu'est-ce qu'ils racontent ? dis-je dans un murmure.

— Rien, répond-il en rougissant. J'ai rarement le temps de cuisiner, c'est tout. Alors ils font des commentaires.

Je souris.

— Tu as voulu cuisiner pour moi ?

Le sourire que j'obtiens en retour du créateur de Warcross est – incroyable mais vrai – *timide*.

— Eh bien, se défend-il, je voulais faire quelque chose pour toi, pour changer. (Il me regarde avec une pointe d'appréhension.) Tu aimes ça ?

Des boîtes en cuir noir contenant des skateboards électriques à quinze mille dollars. Des vols en jet privé. Des armoires remplies de vêtements hors de prix. Des dîners dans des restaurants réservés entièrement pour nous. Et pourtant, rien de tout ça n'a fait battre mon cœur aussi fort que ce regard plein d'espoir qu'il me lance, attendant de savoir si j'apprécie ce qu'il a cuisiné pour moi.

Je le gratifie d'un petit coup d'épaule en lui montrant mon bol.

— Pas mal, dis-je.

Il cligne des paupières, surpris, puis semble se rappeler ce qu'il m'a dit lors de notre première entrevue. Il se met à rire.

— Je m'en contenterai, dit-il.

N'empêche. Il a beau discuter tranquillement avec son père et sa mère, je ne peux m'empêcher de repenser à ce qu'il m'a raconté un peu plus tôt ; qu'ils n'abordaient jamais le sujet de Sasuke, que leur douleur et leur honte étaient si fortes qu'ils ne voulaient même pas conserver un portrait de leur deuxième fils dans leur maison. Pas étonnant que je n'aie jamais rien vu sur lui dans tous les documentaires que j'ai pu regarder au sujet d'Hideo. Pas étonnant qu'il observe une telle réserve concernant tout ce qui a trait à sa famille.

— Ils n'ont jamais voulu déménager, me confie Hideo pendant le trajet de retour à Tokyo. J'ai essayé de les convaincre je ne sais combien de fois, mais ils tiennent absolument à rester ici. Alors je fais de mon mieux pour assurer leur sécurité.

— Comment ? dis-je.

— En faisant surveiller la maison en permanence par des gardes du corps.

Naturellement. Je n'y avais pas prêté attention, mais maintenant je repense au passant que j'ai aperçu sur le trottoir, au jardinier qui taillait sa haie.

Lorsque la voiture s'arrête derrière la résidence des Phoenix Riders, il est presque minuit. Je fixe l'intérieur des vitres teintées, qui projettent à l'extérieur l'image d'une voiture vide.

— À très bientôt, lui dis-je, rechignant à le quitter.

Il m'attire à lui et m'embrasse. Je ferme les yeux et m'abandonne à son baiser.

Puis il finit par me lâcher, beaucoup trop tôt.

— Bonne nuit, murmure-t-il.

Je m'interdis de regarder en arrière quand je descends de la voiture et me dirige vers la résidence. Mais longtemps après son départ, je sens encore sa présence. J'ai vu une nouvelle expression dans ses yeux, ce soir, d'un genre qu'il ne doit pas manifester souvent... mais il conserve encore des secrets. Je me demande ce qu'il faudra pour l'amener à m'en dévoiler un autre.

●●●●●

La semaine s'achève à toute vitesse. Le vendredi matin, le fracas familier d'Asher en train de défoncer ma porte avec son fauteuil m'arrache à un sommeil troublé.

— Troisième match ! crie-t-il, tout excité, en s'éloignant dans le couloir. Debout tout le monde ! On va expédier les Cloud Knights en un temps record !

Je me frotte le visage. Je me sens groggy aujourd'hui, l'esprit embrumé et le pouls qui bat trop vite à cause de mes cauchemars ; je me traîne hors du lit avec la sensation de peser une tonne. Alors que je m'habille, un message d'Hideo s'ouvre devant moi.

> **Bonne chance pour aujourd'hui. Je te regarderai des tribunes.**

Je secoue la tête. Il veut narguer ses adversaires, ou quoi ?

> **Je croyais que tu devais éviter de t'exposer.**

> **Nous avons changé les caméras de surveillance, revu toute l'alimentation électrique du stade et doublé les agents de sécurité. Ils ne s'attaqueront pas à moi deux fois au même endroit. Ne t'inquiète pas.**

Je sais déjà que je ne pourrai pas le faire changer d'avis.

> **Au moins, sois prudent, d'accord ? Garde bien les yeux ouverts.**

> **J'aurai les yeux rivés sur toi, j'en ai peur.**

Ça ne me rassure pas beaucoup, mais ça me fait quand même sourire. Je descends rejoindre les autres.

Le reste de l'équipe bavarde avec animation sur le chemin du stade. Je me sens étrangement déconnectée de tout ça. Ren se comporte avec moi comme d'habitude, et sa nonchalance me tracasse d'autant plus. Peut-être que j'aurais dû parler de lui à Hideo, en fin de compte. Peut-être qu'il l'aurait disqualifié pour le match d'aujourd'hui. J'observe Ren qui raconte une blague à Asher. Non. Ce n'est pas lui qui va m'obliger à sortir du bois. Je vais continuer à me servir de lui pour aller au fond de cette histoire.

Je ne prête pas grande attention au stade aujourd'hui et, quand nous pénétrons dans l'arène pour gagner nos cabines individuelles, j'ai comme la sensation d'avancer dans le brouillard. La voix du speaker me parvient de très loin ; les acclamations du public se changent en vague bruit de fond.

Je tourne la tête vers la tribune officielle. Hideo s'y trouve, entouré de ses gardes du corps.

Puis tout devient noir, et je suis transportée dans un autre monde.

— Bienvenue dans la Cité Engloutie !

Alors que l'écho de la voix du speaker s'éteint, un nouveau monde virtuel se déploie autour de nous. Une lumière trouble descend de la surface de l'océan, très loin de nos têtes. Je nage au-dessus de ruines spectaculaires, entourées de tous côtés par un rempart de corail. Des colonnes de pierre s'élèvent au milieu des décombres, parmi lesquels on reconnaît encore les vestiges d'amphithéâtres ou de thermes. Des diodes turquoise brillent dans certaines lézardes, esquissant des lignes brillantes qui semblent tracer un chemin. Les ruines s'étendent à perte de vue ; des taches de soleil y dansent par endroits et des bonus colorés flottent un peu partout, comme un champ de pierres précieuses. Un seul détail nous empêche de nous sentir complètement immergés : la clameur du public qui continue de nous parvenir.

Je regarde autour de moi. Mes coéquipiers sont tous là, vêtus de combinaisons blanches dotées de palmes aux pieds et de nageoires sur les bras. Je baisse les yeux sur mes mains. Elles sont équipées de boutons dans les paumes. Quand je les presse avec prudence, mon avatar s'avance brusquement. Voilà donc comment nous allons nous déplacer.

Nos adversaires du jour apparaissent de l'autre côté des ruines. Les Cloud Knights. Habillés en jaune vif, ils se détachent très bien sur le bleu du décor. Tous nos regards se tournent vers eux, sauf celui de Ren. Du coin de l'œil, je le vois scruter les ruines comme s'il y cherchait quelque chose. *Ne le perds pas de vue.*

— En jeu... Prêts... *Allez !*

La partie commence. Asher nous aboie ses ordres par la connexion sécurisée et nous nous déployons en conséquence. Face à nous, les Cloud Knights plongent vers les ruines, sans doute dans l'intention de s'y cacher. Nous plongeons, nous aussi. Je serre les poings sur les boutons que j'ai dans les paumes et fends l'eau à vive allure. Une barre graduée se matérialise devant moi, pour m'indiquer mon niveau d'oxygène.

Depuis le début de notre déploiement, mes coéquipiers figurent sous forme de points lumineux sur une petite carte tactique dans un coin de mon champ de vision. Mais je ne m'intéresse qu'à Ren. Il s'éloigne des autres pour gagner un monceau de colonnes écroulées qui forme une grotte. Vu ce qui s'est passé après notre premier match, je dévie pour me glisser dans son sillage.

— Emi, me rappelle Asher avec un soupir. Tu veux bien suivre mes instructions, pour une fois ? Je t'ai demandé d'aller au centre vers cet amphithéâtre en ruine.

Je réponds :

— Je vois un meilleur chemin, dis-je en continuant tout droit. Ne t'en fais pas.

Asher commence à protester puis s'interrompt, comme s'il se rappelait mes initiatives payantes lors de la dernière partie.

— Ce sera ton seul et unique coup en solo, me prévient-il. Tu m'entends ?

— Oui, capitaine.

Il coupe le contact. Il fait de plus en plus sombre autour de nous ; seuls quelques rayons bleutés descendent aussi bas. Je garde les yeux rivés sur Ren. Il nage devant moi à vive allure et disparaît derrière un bloc rocheux. Où peut-il aller comme ça ?

— On dirait bien que les Cloud Knights ont mis la main sur le premier bonus rare de la partie ! s'exclame le commentateur. Une sphère argent et or d'Invisibilité !

Je devrais être en train de me concentrer sur le jeu. Pourtant, je continue ma filature. Mon niveau d'oxygène commence à baisser dangereusement. Un message d'alerte s'affiche sous mon nez : `Attention : plus que 25 % d'oxygène`. Au-dessus de moi, j'aperçois un endroit entre les rochers d'où des bulles d'air s'échappent en flot régulier. Mais si je prends le temps de m'arrêter, je risque de perdre Ren. Alors je continue. Je suis trop près du but.

Et puis soudain tout se transforme autour de moi. Les ruines sous-marines disparaissent.

Je ne suis plus en train d'évoluer au fond de l'océan ; je me tiens dans une grotte circulaire, entièrement fermée. Une lueur rougeâtre éclaire les parois. La clameur du public s'est tue brusquement. Je cligne des paupières. Que s'est-il passé ? Dans la vraie vie, je tapote mes écouteurs. S'agit-il d'une défaillance technique ? J'ai l'impression d'avoir été déconnectée du jeu. Je ne vois même plus mes coéquipiers sur la carte tactique.

— Ohé ? dis-je en pivotant sur moi-même.

Ma voix résonne à travers la grotte.

Si c'est un bug, je devrais retirer mes lentilles et prévenir les officiels. Le jeu serait mis en pause le temps de réparer le problème. Mais je continue à regarder autour de moi, le cœur battant. Parce que, non, ce n'est pas un bug. La lueur rouge qui baigne cet endroit me rappelle furieusement celle du Dark World.

Je cligne à nouveau des yeux, et voilà qu'un personnage de haute taille se dresse devant moi. Il porte l'armure noire moulante que je commence à connaître, maintenant, et son visage est dissimulé sous un casque opaque. Il me fait face. Un instant, nous restons plantés l'un devant l'autre en silence.

Le proxy de Zéro. Ou son complice.

Ou alors, Zéro en personne.

Je me racle la gorge.

— Vous êtes le type qu'Hideo recherche, dis-je en m'avançant d'un pas.

— Et toi, celle qui me suit partout. La petite souris d'Hideo.

Sa voix roule dans la caverne, grave et déformée par l'écho.

C'est vraiment lui. Et il est au courant, pour moi. Il sait ce que j'essaie de faire. Je repense à son apparition lors de la première partie. S'agissait-il d'un test pour voir si j'allais le remarquer ? Et voilà qu'il sabote cette partie afin de pouvoir me parler.

— Mes coéquipiers vont vite s'apercevoir que vous m'avez piégée, dis-je avec force — et rancœur, car je n'ai pas oublié la tentative d'assassinat contre Hideo. Vous ne pouvez pas continuer à pirater les mondes les uns après les autres.

Zéro s'approche, roulant des muscles sous son armure, et s'arrête à une longueur de bras. Il me toise avec dédain.

— Tiens, regarde ce qu'ils voient en ce moment.

Une fenêtre s'ouvre au centre de mon champ de vision, pour me montrer les ruines sous-marines. On m'y voit en train d'ignorer les ordres répétés d'Asher pour m'éloigner des autres et récolter des bonus mineurs. On m'y voit en train de m'égarer dans une poche manifestement dépourvue d'air.

— Pour l'instant, autant qu'ils puissent en juger, tu as réussi à t'enfermer toute seule dans une grotte sous-marine. Et tu vas bientôt te trouver à court d'oxygène.

— Pourquoi êtes-vous là ? Qu'est-ce que vous voulez ?

— Je suis venu te faire une offre équitable.

Sa voix soulève des échos dans la grotte.

— Une offre *équitable* ?

— Tu préférerais un autre mot ? Un marché. Une proposition. Une suggestion. Appelle ça comme tu voudras.

Je sens la colère me gagner.

— Je commence à vous poser des problèmes ? Vous étiez obligé de me parler directement ? Quoi ? vous êtes furieux parce que vous sentez que vous êtes tout près de vous faire coincer ?

— Tu trouves que j'ai l'air furieux ? (Il ricane.) Tu es trop douée pour travailler pour lui. Combien Hideo te paie-t-il pour s'assurer ta loyauté ? Pour te voir accourir dès qu'il te siffle ? À moins que ce ne soit autre chose qui t'attire chez lui ?

— On peut dire que vous savez parler aux filles, fais-je d'un ton grinçant.

— Et si je parlais à ton compte en banque ?

Je plisse les yeux.

— Vous êtes sérieusement en train de proposer de m'engager ?

— Tout le monde a un prix. Dis-moi le tien.

— Non.

Zéro secoue la tête.

— Prends le temps de réfléchir avant de décider.

— C'est ce que je fais.

— Ah bon ? (Il se penche vers moi, si près que je vois mon visage se refléter sur son casque.) Parce que, autant que je sache, tu menais une vie plutôt risquée à New York. Tu n'es pas toujours très prudente dans le choix de tes... *relations*.

Un frisson me parcourt. S'est-il renseigné sur moi ? Me fait-il surveiller ? Est-il au courant, pour Hideo et moi ?

— Et vous, vous choisissez mal vos adversaires, dis-je entre mes dents serrées.

— Je te faisais un compliment.

— C'est ça, que vous appelez un compliment ?

— Je ne fais pas souvent ce genre de proposition, Emika. Interprète ça comme ça te chante.

Je serre les poings.

— Eh bien, vous pouvez garder votre proposition, dis-je à voix basse en m'avançant vers lui, et vous l'enfoncer bien profond dans votre cul virtuel.

Il se rapproche presque au point de me toucher.

— Tout le monde se croit toujours si courageux.

Et quand je baisse les yeux, je constate avec horreur que la manche de ma combinaison, blanche au départ comme celle de mes coéquipiers, est en train de noircir. Des plaques d'armure se mettent en place autour de mon poignet, remontent le long de mon avant-bras, jusqu'à mon épaule. Elles me recouvrent le torse, le cou, la taille, les jambes. Je lâche une exclamation étranglée et m'écarte de lui, comme si ça allait enrayer le processus. Mais je ne ressemble déjà plus à une Architecte. Je ressemble à une chasseuse de primes qui travaillerait pour lui, habillée tout en noir.

— Fichez-moi la paix, dis-je en grognant. Avant que je ne vous tue.

— C'est toi qui es venue me chercher, rétorque-t-il.

Ses paroles ne font que m'énerver davantage.

— Je vous laisse une dernière chance de vous rendre. Ça simplifierait la vie à tout le monde.

Il m'observe en silence, avec un calme déstabilisant. Puis il me tourne le dos.

— Tu vas le regretter, me prévient-il.

Je n'ai pas le temps de répliquer quoi que ce soit, qu'il a déjà disparu. Et la grotte écarlate avec lui.

Je me retrouve subitement catapultée dans le jeu. J'entends à nouveau la clameur du public, la voix choquée du commentateur et mes coéquipiers qui crient dans mes oreilles. Je m'inspecte aussitôt, m'attendant à voir encore sur moi la même armure noire que Zéro, mais elle a disparu, comme si j'avais halluciné. Ma combinaison est toujours d'un blanc immaculé.

— Emi ? Em ! rugit Asher. Mais qu'est-ce que tu fabriques ?

— Laisse tomber, intervient Hammie sur un ton frénétique. Elle est fichue. Je me charge de l'artefact *maintenant* !

De fait, je suis en train de flotter, piégée sous un amas de blocs. Un interstice étroit me permet de suivre la partie. Asher tient tête à trois Cloud Knights à la fois. Il va perdre son artefact. J'essaie de me frayer un chemin hors de ma prison sous-marine, mais je n'y arrive pas ; c'est parce qu'il ne me reste plus d'oxygène. Ma barre est dans le rouge. C'est ce que voulait dire Hammie : je suis morte, hors jeu jusqu'à ce que je puisse ressusciter. Que s'est-il passé ?

— Je n'en crois pas mes yeux ! s'exclame le commentateur. Après leur victoire spectaculaire au premier match, les Phoenix Riders risquent d'être éliminés prématurément s'ils ne réagissent pas très vite…

Hammie surgit à la dernière seconde ; elle se matérialise dans l'eau comme un fantôme. Elle plonge vers l'artefact des Cloud Knights avant qu'ils ne s'aperçoivent de sa présence, à l'instant précis où ils se jettent sur celui d'Asher. Chaque équipe s'empare de l'artefact de l'autre presque en même temps. La foule explose.

Quelques secondes s'écoulent avant que le résultat final s'affiche sous nos yeux.

— Les Phoenix Riders l'emportent d'une *milliseconde* ! crie le commentateur.

Tandis que le monde de jeu s'efface autour de moi et laisse la place au monde réel, l'arène et le public en délire, je vois Asher rouler hors de sa cabine avec un air furieux. Son visage est déformé par la colère. Il me jette un regard noir. Mes autres coéquipiers aussi. Je lève les yeux vers les hologrammes géants qui repassent des extraits de la partie et je me vois, en train d'ignorer les autres et de saboter leurs manœuvres. Des huées se mêlent aux acclamations dans la foule. Certains appellent à grands cris à rejouer le match, disent que nous n'avons pas gagné.

— Qu'est-ce qui t'a pris, nom de Dieu ? s'emporte Asher en s'approchant de moi. C'était la performance la plus minable, la plus humiliante que j'ai jamais vue de la part d'un joueur pro. À croire que tu cherchais à nous faire perdre.

Que puis-je dire ? Je revois encore Zéro, silencieux et menaçant. Je bafouille :

— Désolée, je…

Asher se détourne avec dégoût.

— On en reparlera à la résidence.

Du coin de l'œil, je vois Roshan qui secoue la tête, incrédule, tandis qu'Hammie évite mon regard. Nous avons gagné, mais ça ne ressemble pas à une victoire. J'en arrive à Ren, qui est en train de m'observer. Il a un minuscule sourire au coin des lèvres. Je serre les dents. *Il sait.*

Soudain, les hologrammes du stade changent de séquence. La foule se tait un instant. Moi-même, je m'immobilise. Mes coéquipiers sont figés sur place.

Et puis, le public se met à pousser des cris et des exclamations de stupeur. J'ai tout juste la force de regarder en silence l'image au grain important qui s'affiche en grand partout dans le stade, et probablement sur les lunettes de tous ceux qui suivent la partie. Partout dans le *monde*. Je ne sais pas qui l'a prise, ni comment, mais je suis sûre que c'est un coup de Zéro. Le début de son offensive contre moi.

L'image me montre en train de sortir de chez Hideo à la nuit tombée. On se tient par la main et il se penche pour m'embrasser. Il n'y a pas d'erreur possible.

Maintenant, tout le monde est au courant.

25

UNE PHOENIX RIDER DÉCROCHE LE CŒUR DU MILLIARDAIRE !

HIDEO TANAKA JOUE SA WILD CARD

LA WILD CARD ET LE MILLIARDAIRE

Exclusif : les premières photos d'Emika et Hideo

À notre arrivée à la résidence, je m'enferme dans ma chambre sans dire un mot à personne. Je n'ose pas consulter mon téléphone. J'ai déjà coupé la réception des messages. Malgré cela, impossible de ne pas avoir vu les gros titres qui s'affichaient sur les écrans géants autour du Tokyo Dome pour annoncer la nouvelle au grand public. Je me recroqueville sur mon lit, le cœur battant. Pour avoir ce grain, la photo a dû être prise de très loin, avec un téléobjectif surpuissant.

Au bout d'un moment, je modifie les réglages de ma messagerie pour laisser passer les messages d'Hideo. J'en ai reçu un, qui s'affiche immédiatement :

> **Reste à l'intérieur. Je renforce la sécurité autour de la résidence de votre équipe.**

Je suis sur le point de répondre quand on frappe à ma porte. La voix d'Hammie me parvient de l'autre côté.

— Tu comptes rester là encore longtemps ? demande-t-elle. Ou tu vas te décider à descendre nous expliquer ?

Je reste allongée sur mon lit encore un peu, la tête basse, à rassembler mon courage. Puis je soupire et finis par me lever.

— J'arrive, dis-je en marchant jusqu'à la porte.

Quand j'ouvre, je me retrouve nez à nez avec Hammie qui me dévisage d'un air méfiant. Elle ouvre une fenêtre entre nous pour me montrer la couverture d'un tabloïd. On y voit la photo d'Hideo et moi, sous le titre : « Passion ou tricherie ? »

— En bas, dit-elle, avec un petit geste de la main pour refermer la fenêtre.

Elle s'éloigne vers l'escalier sans me laisser le temps de réagir. Après une brève hésitation, je la suis.

Dans l'atrium, Roshan est en train d'activer l'opacification des baies vitrées pour nous dérober à la curiosité des journalistes, mais j'entends encore crépiter les appareils des photographes à l'extérieur, je vois la lumière des flashs se refléter sur le verre. Avant que les vitres ne s'assombrissent tout à fait, j'ai le temps d'apercevoir la cour principale qui donne sur le portail. Une meute de paparazzis s'y est rassemblée. Certains bousculent le cordon de sécurité ; deux gardes poursuivent un reporter et son caméraman qui piquaient un sprint vers nos chambres. C'est la folie.

Roshan tourne le dos aux fenêtres pour s'intéresser à moi. Sa bienveillance habituelle a cédé la place à une expression soupçonneuse. Asher me toise d'un œil noir. Je m'assieds sur le canapé à côté d'Hammie, évitant le regard de Ren. Je le sens qui m'observe avec une satisfaction arrogante.

— Quand avais-tu l'intention de nous en parler ? finit par demander Roshan.

— Je... C'est compliqué.

— Ah bon ? réplique Hammie, avec un coup d'œil dédaigneux en direction des baies vitrées opaques. Toutes ces fois où tu as refusé de passer du temps avec nous, c'était pour rejoindre Hideo Tanaka ? On est censés être une équipe, Emi. Mais manifestement, tu n'avais pas assez confiance en nous pour nous mettre dans la confidence.

Je me renfrogne.

— Ce qu'il y a entre Hideo et moi n'a rien à voir avec vous ni avec l'équipe.

Asher me lance un regard sévère.

— Ça a tout à voir, au contraire. On vient d'accéder aux phases finales, or maintenant les gens vont s'imaginer qu'on a gagné grâce au favoritisme ; ils vont penser qu'Hideo a influencé les juges en faveur des Phoenix Riders.

— Non, notre victoire est claire, intervient Roshan. (Il cherche mon regard, m'encourageant silencieusement à me défendre.) Et puis, ça ne doit pas être facile de parler d'une relation avec quelqu'un d'aussi connu. Pas vrai ? On t'écoute, Emi, il faut nous donner quelque chose.

Si seulement tu savais.

— Comment vouliez-vous que j'aborde la question ? C'était quelque chose de purement personnel. Je n'ai pas jugé utile d'y mêler l'équipe.

— Sauf que tu l'as fait, rétorque Hammie. Tu étais toujours prête à nous faire faux bond ou à quitter l'entraînement de bonne heure. D'ailleurs, c'était quoi, cette prestation lamentable d'aujourd'hui ?

Asher approuve d'un hochement de tête.

— Tu as délibérément ignoré mes instructions. Tu m'as dit que tu savais ce que tu faisais. Je t'ai accordé le bénéfice du doute parce que j'avais confiance en toi, parce que tu avais fait tes preuves, seulement… Je suis ton *capitaine* ! Je t'ai choisie la première à la draft. J'ai beaucoup donné pour bâtir une équipe de ce calibre. Et maintenant, quand bien même on remporterait le championnat, qui croira qu'on a gagné à la régulière ? Je vois les gros titres d'ici : « Une victoire sur canapé pour les Phoenix Riders ».

— Oh, c'est bon ! dis-je en commençant à m'agacer moi aussi. C'est juste un jeu, après tout. Je…

— Juste un jeu ? me coupe Hammie.

L'atmosphère se tend brusquement autour de moi, et je comprends que je viens de commettre une grosse erreur. C'est précisément le genre de remarque qui m'a toujours horripilée dans la bouche des autres. Avant que je puisse retirer ce que j'ai dit, Hammie reprend :

— Alors pourquoi es-tu ici ? Pourquoi participer au championnat de Warcross, si c'est tellement indigne de toi ? Je croyais que tu sortais du caniveau de New York ?

— Tu sais très bien que ce n'est pas ce que j'ai voulu dire.

— Alors tu devrais perdre l'habitude de dire le contraire de ce que tu voulais dire. Je suis sacrément bonne à

Warcross. Ça m'a permis de payer sa maison à ma mère, d'envoyer ma sœur dans une bonne université. (Elle écarte les mains comme pour embrasser la résidence entière.) C'est bien pour ça que tout le monde adore Warcross, non ? Ce n'est pas pour ça qu'on est tous accros au NeuroLink, toi comprise ? Parce que ça ouvre une foule de possibilités ?

— Ce n'est pas ce que je voulais dire, dis-je encore une fois. Vous n'avez aucune idée de ce qui se passe. Ça dépasse largement le cadre du championnat, alors oui : ce n'est qu'un jeu.

J'ai parlé sous le coup de la colère, sans réfléchir, et je le regrette aussitôt. Hammie me dévisage d'abord avec incrédulité. Puis scepticisme. À côté, Ren m'étudie avec curiosité. Comme s'il me mettait au défi d'en dire plus.

— Attends, intervient Roshan avec un mouvement circulaire de l'index. Donc, ce n'est pas simplement une passade. Qu'est-ce que tu veux dire par : « Ça dépasse largement le cadre du championnat » ?

Je prends une grande inspiration. J'ai toute l'histoire sur le bout de la langue, prête à sortir. Mais je m'arrête avant d'en dire trop. Ren est toujours là, assis avec nous. Zéro m'a menacée. Ça ne vaut pas le coup de mettre les autres en danger. Je lâche un juron et me lève.

— Je suis désolée.

Hammie se penche en avant, les coudes sur les genoux.

— Tu nous caches encore des trucs. Et je n'arrive pas à comprendre pourquoi.

— Pourquoi ne pas tout nous raconter, Emi ? demande Asher, d'une voix plus calme à présent.

— J'ai mes raisons.

Une lueur de sympathie s'allume dans l'œil de Roshan. Les coins de la bouche de Ren se creusent un peu, je suis la seule à m'en apercevoir, et il me lance un regard dur. Que je lui retourne. Je ne lui donnerai pas la satisfaction de m'intimider. Puis je tourne les talons et repars vers ma chambre. Asher m'appelle, mais je ne l'écoute pas.

Pas si vite, Emika.

La voix résonne directement dans ma tête. Je me fige sur place.

Et là, en vision virtuelle, je vois Zéro au bout du couloir qui mène à l'étage, engoncé dans son armure noire et son casque opaque. J'ai la bouche sèche, tout à coup.

Je t'avais prévenue, me rappelle-t-il.

— Qu'est-ce que vous faites ici ? dis-je d'une voix enrouée.

Derrière moi, j'entends Hammie qui s'approche.

— Emi, à qui tu parles ?

Zéro me dévisage tranquillement. *Fouille dans tes souvenirs.*

Mes souvenirs.

Soudain, j'ai le cœur qui se serre. Je tape une commande pour accéder à mes souvenirs ; toutes ces séquences avec mon père, compilées avec soin, que je revis si souvent. *Non. S'il vous plaît.* Quand le dossier s'ouvre, je reste pétrifiée.

Il est vierge. L'option Nouveaux souvenirs clignote au-dessus d'une fenêtre vide.

Je frémis. Impossible. J'ai empilé je ne sais combien de dispositifs de sécurité autour de ces souvenirs. Je les ai enfouis au fond de mes comptes pour qu'il ne puisse rien leur arriver. Je les ai sauvegardés dans le Cloud, j'en ai fait un tas de copies par précaution. Je lance une recherche frénétique sur ces copies, maintenant. Mais c'est peine perdue. Papa, en train de fredonner joyeusement à notre table en coupant du tissu. Papa fabriquant de splendides décorations de Noël pour moi. Papa m'apprenant à mélanger les pigments. Papa et moi en train de faire griller des cacahuètes à Central Park ; d'arpenter les couloirs d'un musée ; de fêter mon anniversaire.

Zéro a tout effacé.

Je chancelle, sous le choc.

Arrête de fourrer ton nez dans mes affaires et je te les rendrai peut-être. Si tu continues, cela n'est qu'un début.

Je serre les poings. La colère me fait trembler, tendue tout entière vers la silhouette en armure devant moi. Il me faut une seconde pour m'apercevoir que j'ai les yeux embués de larmes. Hammie me rejoint enfin.

— Emi, mais qu'est-ce qui t'arrive ? s'inquiète-t-elle.

Zéro incline légèrement la tête sur le côté. Comme s'il se moquait de moi. *Trop tard.*

À cet instant précis, une explosion dévastatrice soulève la résidence.

26

Rupture d'une conduite de gaz. Voilà l'explication officielle de l'explosion.

C'est seulement sur la petite télé de ma chambre d'hôpital que je prends la pleine mesure de ce qui s'est passé. Vu de l'extérieur, c'est épouvantable : les premières images montrent la résidence des Phoenix Riders, parfaitement calme. Puis une boule de feu orange crève le plafond de notre atrium dans un grondement assourdissant. Les vitres fracassées projettent des morceaux de verre partout. Un incendie se déclare aussitôt, soulevant une épaisse fumée noire. Les lumières s'allument dans les résidences voisines et les joueurs des autres équipes sortent en courant. Certains se mettent à crier. D'autres se tiennent la tête à deux mains, muets de stupeur. Mais la plupart se précipitent aux fenêtres et nous appellent à grands cris. Même Tremaine – l'arrogant, l'insupportable Tremaine – est là, qui aide Roshan à faire sortir Asher.

Les pompiers arrivent, suivis d'ambulances. Les lumières des gyrophares envahissent l'écran. Un journaliste dresse un rapide bilan devant l'incendie puis interviewe une

Hammie hébétée, enveloppée dans une couverture. Asher souffre de quelques coupures dues à des éclats de verre, comme Roshan, mais par miracle aucun de nous n'a été sérieusement blessé.

Ce qui ne veut pas dire que nous ne sommes pas fortement secoués.

— Mademoiselle Chen ? dit une infirmière en passant la tête par la porte de ma chambre. Vous avez de la visite.

Je m'assieds dans mon lit, les bras noués autour des genoux. J'ai l'impression d'avoir les membres en coton.

— D'accord, dis-je.

Elle sort, pour revenir un instant plus tard accompagnée de deux personnes.

C'est Roshan, qui porte un carton, suivi d'Hammie. On dirait qu'ils n'ont pas dormi depuis des jours. J'ouvre la bouche pour dire quelque chose, mais Hammie secoue la tête et me serre fort contre elle. Je grimace : j'ai de multiples entailles au bras, et mon dos me fait mal à l'endroit où j'ai heurté le sol quand le souffle de l'explosion m'a projetée.

— Aïe, dis-je en grognant.

Mais son étreinte me fait du bien, et je la serre contre moi en retour.

— Ash te fait dire qu'il va bien, souffle-t-elle sur mon épaule. Son frère et ses parents l'ont rejoint à l'hôpital.

— Je suis désolée, dis-je à voix basse. (J'ai les larmes aux yeux. L'explosion m'a complètement retournée.) Je suis vraiment désolée. Hammie…

— Tu ne te souviens de rien, pas vrai ? dit-elle en reculant un peu pour me regarder. Tu m'as pratiquement portée jusqu'à l'extérieur avant de t'évanouir. Alors arrête de t'excuser.

L'explosion, l'incendie, la fumée, le vague souvenir de m'être penchée sur Hammie en criant son nom… Je secoue la tête.

Roshan me tend le carton d'un air lugubre.

— On a sauvé ce qu'on a pu, dit-il.

Dans le carton, il y a les miettes de ma décoration de Noël ainsi que quelques fragments calcinés du tableau de mon père. Je passe la main dessus. J'ai une boule dans la gorge, si grosse que j'ai du mal à avaler.

Je m'essuie les yeux.

— Merci, dis-je en posant précautionneusement le carton à côté de moi.

Roshan se penche tout près.

— À ce qu'il paraît, Ren serait interrogé par la police en ce moment. Je ne crois pas une seconde à cette histoire de fuite de gaz.

— Mais là-dessus, tu en sais plus que nous, pas vrai Emi ? ajoute Hammie en cherchant mon regard. Il faut que tu nous dises ce qui se passe. On a le droit de savoir.

On a failli y rester, nous aussi. Malgré tout, j'hésite. Si je leur raconte tout, je risque de les mettre encore plus en danger. Ils pourraient devenir des cibles pour Zéro. Ils n'ont jamais signé pour ça, ils ne participent pas au championnat pour traquer un criminel, ils ne sont pas payés pour prendre des risques.

Hammie m'étudie comme un problème d'échecs.

— Tu me fais penser à moi il y a quelques années, dit-elle. Je voulais toujours aider tout le monde, mais je n'acceptais jamais aucun coup de main. Ma mère me l'a reproché, un jour. Tu sais ce qu'elle m'a dit ? Quand tu refuses de demander de l'aide, tu fais comprendre aux autres qu'eux non plus ne devraient pas t'en demander.

Que tu les méprises pour avoir besoin de toi. Que tu te sens supérieure à eux. C'est une insulte, Emi, pour tes amis et tout ton entourage. Alors ne sois pas comme ça. Fais-nous un peu confiance.

Les paroles d'Hammie me frappent de plein fouet. J'ai beau être une excellente menteuse, je vois bien qu'ils lisent la vérité sur mon visage : que je me retrouve embarquée dans une histoire qui me dépasse.

Une histoire qui aurait pu les tuer.

J'ai pour habitude de travailler seule. Si je leur racontais tout, à quoi cela servirait-il ? Je ne vais quand même pas les enrôler dans cette chasse.

Sauf qu'il ne s'agit pas d'une chasse ordinaire et qu'Hideo n'est pas un client ordinaire. Si nous sommes tous menacés, ça veut dire que nous avons des problèmes autrement plus sérieux que de savoir si je peux me fier ou non à mes coéquipiers.

La mention de mon nom à la télé nous incite à regarder l'écran de télévision. À côté du présentateur apparaît en incrustation une photo de moi, prise au moment où je célébrais notre première victoire avec les Riders.

— … que ce matin, Hideo Tanaka a annoncé qu'il sortait deux joueurs de l'équipe des Phoenix Riders, actuellement l'une des mieux classées du championnat : leur Guerrier, Thomas Renoir, et leur Architecte, Emika Chen. Rien n'a encore filtré pour l'instant en ce qui concerne les raisons de cette décision, mais les spéculations…

Sortie de l'équipe. Mes poumons se vident d'un seul coup.

Roshan et Hammie se tournent vers moi.

— Sortie ? murmure sèchement Hammie.

Roshan reste muet. Il semble sur le point de dire quelque chose, mais change d'avis.

J'hésite une dernière fois. Puis j'attire Roshan et Hammie contre moi pour les prendre dans mes bras. Et je leur souffle à l'oreille :

— Ce soir, promis. Je ne veux pas vous en parler à haute voix maintenant.

Quand je me détache d'eux, je leur dis :

— Vous m'avez bien assez aidée en me rapportant ce carton.

Roshan fronce les sourcils, mais Hammie m'adresse un hochement de tête presque imperceptible. Elle essaie de sourire :

— Pas de problème, dit-elle.

Ça ressemble à une réponse appropriée à ce que je viens de dire, mais je sais qu'elle veut aussi me signifier qu'elle a compris.

— Mademoiselle Chen ? dit l'infirmière en repassant la tête par la porte. Encore de la visite pour vous.

Roshan et Hammie me jettent un dernier regard. Puis ils se lèvent et quittent la chambre. Un instant plus tard, l'infirmière rouvre la porte pour faire entrer mon nouveau visiteur.

Hideo s'avance à grands pas, les traits crispés par la colère et l'inquiétude. Son regard se fixe sur moi et son visage se détend un peu.

— Tu es réveillée, dit-il avec soulagement en s'asseyant au bord du lit.

— Tu ne peux pas faire ça, dis-je en pointant la télé. Me sortir de l'équipe ? Tu plaisantes ? Pourquoi ne pas m'avoir prévenue ?

— Tu aurais préféré que je vous laisse continuer tous les deux, au risque de mettre tout le monde en danger ? riposte Hideo. Les médecins ne savaient pas quand tu te réveillerais. J'ai dû prendre une décision.

Ses yeux sont assombris par la colère, une colère qui semble dirigée contre lui-même ; son expression me rappelle celle qu'il avait en me parlant de son frère.

— Je croyais qu'on ne cédait pas devant l'intimidation ?

— C'était avant que Zéro ne s'en prenne à toi et aux autres joueurs.

— En quoi le fait de me sortir du championnat va pouvoir contrarier les plans de Zéro pour la finale ?

— En rien, reconnaît Hideo. Mais je préfère que tu ne t'en mêles plus. Je t'ai inscrite au championnat pour te permettre d'enquêter de l'intérieur, seulement je crois que tu as recueilli toutes les infos que tu pouvais en tant que joueuse officielle. (Il soupire.) C'est ma faute. J'aurais dû te sortir beaucoup plus tôt.

À l'idée d'abandonner mon équipe et de ruiner leurs chances de victoire… je ferme les yeux et baisse la tête. *Respire.*

— J'ai entendu dire que Ren avait des ennuis avec la police ?

— Il a été arrêté, oui. On l'interroge en ce moment.

Je secoue la tête.

— Vous n'en tirerez rien comme ça. Ça ne servira qu'à prévenir Zéro que vous êtes sur sa piste et il prendra encore plus de précautions, c'est tout. Allez, Hideo. La prochaine fois que j'irai assister à un match dans le Dark World, je n'aurai aucune…

— Tu n'iras pas, me coupe Hideo. (Il me regarde d'un air inflexible.) Ta mission est terminée.

Je cligne des yeux.

— Autrement dit, tu me vires ?

— Tu seras payée quand même, répond-il.

Pourquoi semble-t-il aussi distant ? La tension le rend froid, presque hostile.

Je me sens prise de vertiges. Mais… *chaque serrure a sa clé.* Il n'est pas question que j'abandonne avant d'avoir trouvé celle-ci.

— Ce n'est pas une question d'argent, dis-je.

— Tu l'as mérité. J'ai déjà procédé au virement.

Dix millions. Je secoue la tête avec dégoût.

— Il faut vraiment que tu arrêtes de faire ça. De jeter ton fric à la tête des gens et de croire que ça va te permettre d'obtenir tout ce que tu veux.

— Ce n'est pas la seule raison qui t'a fait venir ici ? demande Hideo d'un air pincé. Je te donne ce que tu voulais.

— Sais-tu seulement ce que je veux ? dis-je en élevant la voix.

Je sens mes joues s'échauffer. Des images de mon père me reviennent en mémoire ; des images de moi roulée en boule dans mon lit au foyer, cherchant une raison de vivre. *J'ai perdu tous mes souvenirs, maintenant. Zéro les a effacés.* Je ne pourrais même pas revoir le visage de mon père si je le voulais.

— Tu crois que je suis là uniquement pour l'argent ? Tu crois pouvoir tout arranger en signant un chèque ?

Les yeux d'Hideo semblent se voiler.

— Alors, c'est qu'on se comprend moins bien que je ne le pensais.

— Ou c'est peut-être toi qui ne me comprends pas. (Je le dévisage en plissant les yeux.) J'ai vu Zéro dans la résidence juste avant l'explosion. Écoute. Il ne s'est pas montré simplement pour me menacer, ou parce qu'il sait qui je suis. On a suivi la piste de Ren et on détient la preuve qu'il est impliqué dans le projet de Zéro. Tu l'as même fait arrêter. Ça veut dire que Zéro se sent menacé. Il sent qu'on se rapproche, voilà pourquoi il a posé cette bombe. Pour m'obliger à renoncer, au risque d'alarmer les autorités. Il est aux abois. On touche au but !

— Ce qui le rend d'autant plus imprévisible, fait valoir Hideo. Nous ne savons rien de lui, et je ne veux pas courir le risque d'un nouvel attentat juste parce que tu tiens à lui mettre la main dessus toi-même.

— Que tu mettes fin à ma mission ne signifie pas qu'il n'y aura pas d'autres attentats.

— Je sais. C'est la raison pour laquelle j'ai annulé toutes les diffusions dans les stades.

— Quoi, partout dans le monde ?

— Je ne veux pas faire venir des milliers de gens dans les stades du monde entier si ça doit leur faire courir un danger. Ils n'auront qu'à suivre le reste du championnat de chez eux.

Non. Je ne peux pas renoncer comme ça. Ma vieille panique familière me reprend, la terreur de voir un mur infranchissable se dresser entre le problème et la solution ; de rester là, impuissante, pendant qu'une personne que j'aime est en danger. Il y a quelque chose que je ne saisis pas, une chose qui a dû pousser Hideo à changer radicalement d'avis.

— Tu as toujours su qu'il y avait une part de risque là-dedans. Pourquoi m'obliger à arrêter maintenant ? Tu as peur qu'il m'arrive quelque chose ?

— J'ai peur de t'impliquer dans une affaire beaucoup trop grosse pour toi. Ce n'est pas pour ça que tu avais signé.

J'insiste :

— C'est mon boulot. Je sais très bien ce que je fais.

— Je ne remets pas en cause tes compétences, se défend Hideo, manifestement agacé. (Il semble sur le point d'ajouter quelque chose puis se ravise et secoue la tête.) Pour l'instant, je cherche simplement à minimiser les risques pour que personne ne soit blessé. Tu as rempli ta mission, Emika. Grâce à toi, nous savons maintenant quand il a l'intention de frapper, et tu nous as livré l'un de ses complices. C'est suffisant pour nous permettre d'assurer la sécurité du public. J'ai congédié aussi les autres chasseurs de primes. La police va prendre le relais.

— Sauf que Zéro court toujours. Ce n'est pas ce que j'appelle avoir terminé le travail. Alors si tu as une meilleure explication, je serais curieuse de l'entendre.

Les yeux d'Hideo flamboient.

— Je te demande de *partir*, Emika.

Je riposte aussi sec :

— Je n'ai pas d'ordres à recevoir d'un ex-employeur.

Les yeux d'Hideo ne sont plus que deux fentes. Soudain, il se penche sur moi, m'attrape par la nuque, me soulève. Et il m'embrasse fougueusement. Ma tirade à suivre est tuée dans l'œuf ; la colère que je sentais monter en moi retombe d'un coup.

Il me relâche, il respire fort. Je suis trop stupéfaite pour réagir autrement qu'en reprenant mon souffle. Il vient poser son front contre le mien, puis ferme les yeux.

— Va-t'en, m'implore-t-il d'une voix rauque, désespérée, fâchée. S'il te plaît.

Je murmure :

— Pourquoi ne veux-tu pas me dire ce qu'il y a ?

— Je ne peux pas te laisser continuer. Je n'aurais pas la conscience tranquille. (Son ton se radoucit.) Si tu ne veux pas croire mes autres raisons, accepte au moins celle-là.

Avant toute cette histoire, j'avais l'habitude de m'asseoir dans mon lit et d'éplucher tous les articles à propos d'Hideo, me demandant ce que ce serait de pouvoir le rencontrer un jour, de devenir aussi célèbre que lui, de travailler avec lui, de lui parler, d'*être* comme lui. À présent, il est devant moi, fragile, vulnérable, et je reste assise là, à le dévisager sans comprendre, désemparée.

Il y a quelque chose derrière tout ça. Quelque chose qu'il ne me dit pas. Zéro aurait-il réussi à lui faire peur ? L'a-t-il menacé de s'en prendre à moi, pour le pousser à me mettre sur la touche ? Je secoue la tête et serre mes genoux contre moi. Je ne sais plus quoi penser.

Hideo me regarde.

— Tes coéquipiers et toi allez être conduits dans un endroit sûr. Je te reverrai après la fin du championnat.

Puis il se lève et sort de la chambre.

27

J e dors particulièrement mal cette nuit-là. Mon lit d'hôpital ne fonctionne pas correctement, et malgré tous mes efforts je n'arrive pas à trouver une position confortable. Quand je finis par m'endormir, de vieux souvenirs se glissent dans mes rêves, des scènes qui remontent à mes huit ans, à l'époque où je vivais encore à New York.

J'étais rentrée de l'école en serrant mon annuaire scolaire contre moi.

— Papa, c'est moi ! ai-je crié en claquant la porte derrière moi.

L'école avait confié la couverture de l'annuaire aux bons soins de notre classe, cette année-là, et je venais de passer une semaine à peindre méticuleusement des volutes dans les coins.

Il m'a fallu une seconde pour me rendre compte de la pagaille qui régnait dans notre appartement : du papier à aquarelle éparpillé partout, des vêtements à demi coupés qui s'empilaient sur le sol, des pinceaux et des godets en désordre sur la table du salon. La robe sur laquelle travaillait papa se trouvait dans un coin, épinglée sur un buste.

J'ai jeté mon cartable dans l'entrée et regardé papa passer devant moi, quelques épingles entre les lèvres.

— Papa ? Papa !

— Tu es en retard, m'a-t-il reproché, avant de continuer son travail. Tu veux bien sortir les haricots du congélateur ?

— Pardon. Je suis restée faire mes devoirs à la bibliothèque. Mais regarde ! (J'ai soulevé l'annuaire scolaire.) Ils sont arrivés !

J'étais convaincue que ses yeux pétilleraient en voyant les volutes sur la couverture, qu'il me ferait un grand sourire et s'empresserait de venir admirer mon travail de plus près. « Oh, Emi, dirait-il. Regarde-moi ça comme c'est beau ! »

Au lieu de quoi, il m'a ignorée et s'est remis à épingler sa robe. Il fredonnait tout bas une mélodie que je ne reconnaissais pas, et ses mains tremblaient un peu. Était-il en colère contre moi ? J'ai réfléchi à la liste des choses qui auraient pu l'agacer, sans voir ce que j'avais fait de mal.

— Tu as prévu quoi à manger, ce soir ? ai-je dit pour engager la conversation, posant mon annuaire sur le plan de travail de la cuisine.

Il n'a pas répondu. J'ai ramassé tous ses pinceaux, je les ai rangés dans leur pot et j'ai essuyé la table avec une éponge propre. Il avait laissé son ordinateur portable ouvert. En jetant un coup d'œil dessus, j'ai vu un site avec un montant en chiffres rouges, des images de dés et de cartes, et un symbole dont j'ai appris plus tard que c'était celui d'un gang.

Le montant inscrit était : – 3 290 $.

— Papa ? ai-je demandé. C'est quoi, ça ?

— Rien du tout, a-t-il répondu sans se retourner.

À l'époque, j'ignorais qu'il s'agissait d'un site de paris clandestins tenu par un réseau criminel ; en revanche, je savais déjà ce que signifiait un symbole moins devant un montant en chiffres rouges. J'ai soupiré.

— Papa… tu avais dit que tu ne dépenserais plus d'argent comme ça.

— Je sais ce que j'ai dit.

— Tu avais promis d'arrêter.

— Emika…

Je n'ai pas fait attention à la note d'avertissement dans sa voix.

— Tu avais promis, ai-je insisté, plus fort. Et maintenant tu vas te retrouver sans argent, encore une fois. Tu avais dit…

— Tais-toi !

Son ordre a claqué comme un coup de fouet. Je me suis figée, j'ai ravalé la fin de ma phrase et j'ai dévisagé mon père avec stupeur. Il me regardait enfin : ses yeux brillaient, rougis à force d'avoir pleuré. J'ai compris tout de suite. Il n'y avait qu'une seule chose capable de le transformer comme ça en quelqu'un de méchant et de colérique.

Il avait eu des nouvelles de ma mère.

La colère commençait déjà à refluer sur son visage.

— Je ne voulais pas dire ça, s'est-il excusé en secouant la tête. Emi…

Mais c'était à mon tour d'être en colère, maintenant. Avant que papa ne puisse ajouter quoi que ce soit, je me suis avancée d'un pas avec une petite moue.

— Elle t'a encore envoyé un texto, pas vrai ? Qu'est-ce qu'elle t'a raconté, cette fois ? Que tu lui manquais ?

— *Emika.*

Il a essayé de me prendre le bras, mais j'avais déjà fait volte-face pour m'enfuir dans ma chambre. J'avais les oreilles qui sifflaient. La dernière chose que j'ai vue avant de claquer la porte de ma chambre, c'était mon père debout devant sa robe inachevée, tout seul, les épaules basses, le visage tourné dans ma direction. Après quoi je me suis mise au lit et j'ai pleuré.

Plusieurs heures se sont écoulées. Plus tard dans la soirée, la porte de ma chambre s'est entrebâillée en grinçant et j'ai vu mon père passer la tête à l'intérieur. Il tenait une grande pizza dans un carton.

— Je peux… ? a-t-il demandé doucement.

Je l'ai regardé entrer et refermer la porte derrière lui. Il avait des cernes noirs sous les yeux. Il avait l'air épuisé, il n'avait sans doute pas fait une nuit complète depuis des jours. Il s'est assis au bord de mon lit et m'a tendu le carton. Je ne voulais pas m'attendrir, j'ai essayé de rester fâchée. Mais mon ventre s'est mis à gargouiller à l'odeur de la sauce tomate et du fromage fondu ; alors je me suis assise et j'ai attrapé une part, aussitôt engloutie.

— Ton annuaire scolaire est magnifique, Emi. (Il m'a souri avec tristesse.) On voit que tu t'es donné du mal.

J'ai haussé les épaules : je lui en voulais encore. Et j'ai pris une deuxième part.

— Alors, que s'est-il passé aujourd'hui ? ai-je demandé.

Mon père est resté silencieux un long moment.

— Qu'est-ce qu'elle te voulait encore ? ai-je insisté.

Mais je connaissais la réponse. Tous les six mois environ, ma mère le contactait parce qu'il lui manquait. Et ensuite, elle disparaissait de nouveau. Elle ne parlait jamais de moi.

Après que j'ai posé la question une troisième fois, papa a sorti son téléphone. Il me l'a montré sans un mot. Je me suis penchée sur l'écran.

Ma mère lui avait envoyé une photo de sa main. On y voyait un gros diamant briller à son doigt.

J'ai levé la tête et regardé mon père.

Elle était tellement belle. Or la beauté peut parfois vous faire oublier mille cruautés.

Nous sommes restés assis en silence tous les deux. Puis j'ai caressé la main de mon père. Il a baissé les yeux pour ne pas croiser mon regard.

— Je suis désolé, Emi, a-t-il dit d'une petite voix. Je te demande pardon. Je suis trop bête.

Quand j'ai refermé mes bras autour de son cou, il m'a serrée fort contre lui, pour tenter de raccommoder les vies qu'elle avait abandonnées derrière elle.

Je me réveille en sursaut, les poings serrés. L'horloge de mon téléphone indique 3 h 34 et la télé de ma chambre est toujours allumée, à rediffuser les infos en boucle.

Je reste allongée en silence. Il s'écoule un long moment avant que je décrispe les mains et me détende. Je suis les infos d'une oreille distraite. Le présentateur est en train de parler des recalés de la Wardraft qui vont nous remplacer, Ren et moi.

— ... Brennar Lyons, niveau 72, une wild card venue d'Écosse qui sera le nouvel Architecte des Phoenix Riders. Et Jackie Nguyen, un Guerrier...

La voix du journaliste devient un simple bruit de fond tandis que mes pensées se tournent vers mes coéquipiers. Que doivent-ils penser en ce moment ? L'explication officielle du départ de Ren est qu'il se serait fait prendre à placer des paris. En ce qui me concerne, l'explication est que j'aurais reçu des menaces de mort à la suite de la divulgation de ma relation avec Hideo.

Hideo. Sa déclaration me revient en mémoire, aussi sûrement et précisément que si j'en avais enregistré le souvenir.

Je pose les yeux sur le carton que m'ont rapporté Roshan et Hammie, et je le soulève, pour passer les doigts sur les fragments de décoration de Noël et de toile calcinée. J'ai le cœur qui bat un peu trop vite et une douleur qui me serre la poitrine.

Je frappe du poing sur mon matelas. Zéro va réussir à s'en sortir. Je fais le point sur les éléments en notre possession. Les coordonnées de toutes les grandes villes où devait se dérouler le championnat de Warcross. Des bugs à l'intérieur de chaque monde de Warcross utilisé dans le championnat. Un fichier qui s'est autodétruit. Une tentative d'assassinat. Et une chanson composée par Ren, qui pourrait être diffusée à l'occasion de la finale.

C'est tout. Je passe et repasse ces éléments dans ma tête jusqu'à ce que le journal télévisé s'achève et recommence du début.

C'est alors qu'un nouveau message me parvient.

Je le fixe d'un œil perplexe. Comment a-t-il pu me parvenir ? Il ne vient pas d'un contact que j'ai approuvé. D'ailleurs, il ne comporte aucune indication. Je me décide à l'ouvrir.

Pour toi, d'un chasseur à un autre.

C'est tout ce que dit le message. Je respire. « *D'un chasseur à un autre* » ? Un des chasseurs de primes a trouvé le moyen de craquer mes défenses. Ils savent qui je suis.

Je lève la tête vers la caméra de surveillance de ma chambre et me demande si elle est piratée en ce moment, puis je reporte mon attention sur le message. Il comporte un onglet « Accepter l'invitation ? » en pièce jointe. Je me redresse contre mon oreiller. Puis, d'un doigt tremblant, j'accepte.

Mon interlocuteur apparaît devant moi sous forme virtuelle, il porte gants et brassards. Il a des yeux très bleus. J'ai un choc en découvrant son visage.

C'est Tremaine.

Il hausse un sourcil en voyant la tête que je fais.

— Salut, princesse Peach, dit-il avec un sourire sardonique. Quel honneur !

J'en bafouille :

— Je... tu es l'un des chasseurs de primes engagés par Hideo ?

Il se fend d'une courbette.

— J'ai été tout aussi surpris quand j'ai appris pour toi.

— Comment as-tu réussi à passer mes défenses ?

— Tu n'es pas la seule à avoir quelques tours dans son sac.

— Et pourquoi me contacter maintenant ? Surtout à visage découvert ?

— Relax, Emika. J'ai découvert un truc qui devrait t'intéresser.

Avant que je puisse lui demander de quoi il s'agit, il lève la main et fait un petit geste latéral. Un fichier se matérialise entre nous, flottant dans l'air sous la forme d'un cube bleu.

— Tu as l'autre partie de cc fichier, dit-il.

J'examine le cube en fronçant les sourcils avant de comprendre qu'il s'agit d'un morceau de `proj_ice_HT1.0`. Le fichier que j'avais réussi à dérober à Ren juste avant la tentative d'assassinat contre Hideo.

— Comment être sûre que tu n'essaies pas de me refiler un virus ?

Il prend un air vexé.

— Ne sois pas débile, tu ne crois pas que je m'y prendrais autrement ? J'essaie simplement de t'aider.

Je grince des dents.

— Pourquoi ? On n'est plus en concurrence ?

Il retrouve le sourire, porte deux doigts à son front et m'adresse un salut.

— Plus depuis qu'Hideo nous a remerciés tous les deux. J'ai reçu ma prime de dédommagement, je n'ai plus vraiment de raisons de continuer. D'ailleurs, j'ai déjà d'autres chasses qui m'attendent. (Il incline la tête.) Mais toi, je parie que tu tiens encore à protéger Hideo. Pas vrai ?

Je rougis, et cela m'agace.

Il hoche la tête en direction de son fichier.

— Alors, autant te refiler mes indices. Disons que c'est un échange de bons procédés entre collègues. Comme ça, si tu mets la main sur Zéro, tu sauras à qui tu le dois.

Je secoue la tête, encore réticente à toucher le fichier.

— Je n'ai pas confiance en toi.

— Je ne t'aime pas beaucoup moi non plus. Mais qu'est-ce que ça peut faire ?

Nous nous dévisageons l'un l'autre, puis je finis par accepter son fichier. Je m'attends au pire, persuadée d'avoir téléchargé un virus. Mais il ne se passe rien. Ce n'était pas un piège.

Tremaine est peut-être sincère, après tout.

Je lève les yeux.

— Je t'ai vu aider Roshan à sortir Asher du bâtiment.

À ces mots, son expression se fissure. Je me demande si l'explosion ne serait pas à l'origine de son revirement. Peut-être qu'en bon chasseur il a flairé que cette histoire de conduite de gaz n'était pas claire.

Il hausse les épaules et se détourne.

— Dis-lui que je suis passé, marmonne-t-il.

Avant que je puisse ajouter quoi que ce soit, il a disparu, me laissant seule dans la chambre.

Comment est-ce possible ? Je repense à la fête qui a suivi la Wardraft, à leurs provocations, à Max Martin et à lui. Ses données semblaient parfaitement normales, rien qui les distingue de celles d'un joueur lambda. Je n'ai remarqué aucun bouclier. Il a dû s'entourer d'un système très élaboré de fausses informations pour tromper les curieux. Je suppose qu'il m'espionnait de son côté pendant ce temps. Je l'avais sous les yeux et je n'ai rien vu. *Il est fort, l'enfoiré.*

Je scrute le fichier, tâchant d'en démêler le sens. Il est manifestement corrompu, comme la partie que j'ai en ma possession.

Je pose les yeux sur le contenu de mon carton.

Ma décoration de Noël et le tableau de papa ont entièrement brûlé, mais ça ne veut pas dire qu'il n'en reste pas quelques miettes. Et en rassemblant ces miettes, on peut encore deviner leur aspect d'origine.

J'ouvre un menu principal et tape quelques commandes rapides sur mes cuisses. Une liste apparaît par ordre chronologique. Je la remonte jusqu'au jour de notre premier match de championnat.

Puis je m'arrête.

```
proj_ice_HT1.0
```

Je clique dessus. Comme prévu, un message d'erreur s'affiche pour m'indiquer que ce fichier n'existe plus. Mais cette fois je lance un script pour l'obliger à s'ouvrir quand même. Ma chambre d'hôpital disparaît autour de moi et je me retrouve plongée dans un océan de code illisible.

Ce n'est que du charabia, partiellement corrompu. Je procède de la même manière avec le fichier que Tremaine m'a envoyé, je fusionne les deux et je les relance ensemble. Et, tout à coup, ils veulent bien s'ouvrir correctement.

C'est un souvenir.

Je suis dans un endroit immense plongé dans la pénombre. Une gare ? En tout cas un endroit bien réel. On aperçoit des toiles d'araignées sous la voûte et quelques rais de lumière qui descendent en biais jusqu'au sol. Des personnes sont regroupées en cercle mais demeurent silencieuses, le visage dans l'ombre. D'autres apparaissent sous forme virtuelle, comme si elles s'étaient connectées à distance pour être présentes.

— J'ai terminé le morceau, annonce quelqu'un.

Je sursaute en comprenant que c'est moi qui parle, du moins la personne à laquelle appartient ce souvenir ; je reconnais la voix de Ren. *C'est un souvenir de Ren.*

L'un des participants hoche la tête, c'est discret, on le remarque à peine.

— Tout est prêt ? demande-t-il.

Il a parlé tout bas, mais sa voix porte sous la voûte et je l'entends aussi distinctement que s'il se trouvait juste à côté de moi.

Ren hoche la tête.

— Il se lancera pendant le chargement du monde lors de la finale.

— Montre-moi.

Le personnage dégage une telle autorité que ça me sidère. C'est Zéro, le vrai, en chair et en os.

Ren s'exécute. Un instant plus tard, une musique se diffuse dans mes écouteurs, un air que je commence à connaître. Au moment du refrain, Ren met le morceau en pause puis en extrait une page de code pour la montrer aux autres.

— Ça déclenchera le compte à rebours des artefacts trafiqués, explique-t-il.

Je retiens mon souffle. Des artefacts trafiqués ? Les équipes en finale joueront avec des artefacts trafiqués ?

Trafiqués pour quoi faire, exactement ?

— Bien, approuve Zéro.

Il regarde tour à tour chacun des autres participants. Ils affichent tous une copie de leur mission pour se synchroniser et vérifier où ils en sont. Ren affiche la sienne. J'écarquille les yeux en la lisant. Voilà enfin ce que je cherchais.

Le détail de ce que Zéro a l'intention de faire.

Au cours de la finale, il compte échanger les artefacts habituels avec d'autres, qu'il aura trafiqués ; des artefacts corrompus ; contenant un virus qui se communiquera à tous les utilisateurs de NeuroLink en ligne.

Voilà pourquoi Zéro rassemblait toutes ces données sur chacun des mondes de Warcross ; pourquoi il assignait des grandes villes à ses complices. C'était pour s'assurer que le virus se propage bien partout, qu'aucun bouclier de sécurité ne puisse l'arrêter.

Le souffle court et précipité, je parcours le texte à toute vitesse. Quel sera l'effet de ce virus ? La destruction du NeuroLink ? Qu'est-ce que Zéro pourrait bien en retirer ? Et quelles seront les conséquences pour les personnes connectées pendant la finale ? *La finale.* Zéro savait ce qu'il faisait en choisissant ce moment pour répandre son virus. Le monde entier sera connecté pour suivre le match.

Pourquoi Zéro, qui est manifestement très doué en matière de technologie, voudrait-il détruire cette technologie ?

Dans son souvenir, Ren reprend la parole :

— Encore une chose qu'il faudrait vérifier, suggère-t-il. Emika Chen. L'autre wild card.

Zéro se tourne vers lui.

— Tu as trouvé quelque chose ?

— Elle est liée à Hideo. Je ne sais pas encore comment, mais ça dépasse le cadre du championnat. Et elle est sur notre piste. Si elle découvre quelque chose d'important et qu'elle l'en informe, il trouvera un moyen de nous arrêter.

Un frisson me saisit à ces paroles. Ren m'avait découverte en premier ; il avait prévenu Zéro à mon sujet, peut-être même pendant que je mettais Hideo en garde contre lui.

— Je m'en charge, déclare Zéro d'une voix calme. Nous allons surveiller ses allées et venues, et si elle tente de l'avertir, je le saurai. Au pire, il y a toujours la possibilité d'un double assassinat.

Le souvenir prend fin. Il s'estompe autour de moi et je me retrouve dans ma chambre d'hôpital. Je reste assise là, le cœur battant, la tête qui tourne, avec la sensation d'être plus seule que jamais.

Un double assassinat. Cette rencontre a dû avoir lieu avant la première tentative de meurtre contre Hideo. Je l'avais mis au courant et, en retour, ils ont essayé de le tuer. Puis Zéro est venu me voir pour me prévenir de lâcher cette affaire et me proposer plutôt de travailler pour lui. *L'attentat à la bombe.* Il n'a pas hésité à s'en prendre directement à moi.

Mon premier instinct est de contacter Hideo.

Je devrais lui envoyer le fichier tout de suite, lui parler du virus de Zéro, des artefacts trafiqués. Mais si je fais ça, Zéro risque de l'apprendre. Et s'il voit Hideo changer quoi que ce soit concernant la finale, il comprendra que je l'ai prévenu. Il n'aura plus qu'à modifier ses plans, et tout ce que j'ai déjà découvert sera obsolète.

Je dois trouver le moyen d'arrêter ce qui se prépare sans alerter Zéro, sans prévenir Hideo. Donc, réussir à me glisser en finale et empêcher Zéro de procéder à l'échange des artefacts.

Je prends une grande inspiration.

L'affaire est peut-être un peu trop grosse pour moi. Et une petite voix me rappelle que si je m'efface, si je laisse Hideo se débrouiller tout seul comme il me l'a demandé avec tant d'insistance, il se pourrait que Zéro me rende mes souvenirs.

Mais l'idée de jeter l'éponge à ce stade m'est insupportable. Que se passera-t-il si je renonce ? Je pose les yeux sur le carton à côté de moi. Sur les vestiges calcinés des seuls objets qui comptaient vraiment pour moi. Je n'arrive pas à penser à autre chose qu'à Zéro, caché derrière son casque opaque, en train de me dicter ma conduite. La colère me monte au nez. Je serre les poings.

Hideo veut me voir quitter le championnat et abandonner la chasse. Zéro m'a prévenue de rester à l'écart. Or je n'ai jamais été très douée pour obéir. Je suis une chasseuse de primes. Et tant que ma cible court toujours, j'ai un travail à terminer.

Je sors de mon lit, gagne le coin de la pièce où la caméra de surveillance est fixée au plafond, me hisse sur la pointe des pieds et arrache son câble. Le voyant lumineux s'éteint.

Puis j'appelle Roshan et Hammie. Quand ils répondent, je leur demande tout bas :

— Vous êtes prêts à entendre la vérité ?

— Tout à fait, répond Roshan.

— Tant mieux. Parce que je vais avoir besoin d'un coup de main.

28

L e simple bon sens me dit que c'est le pire moment possible pour me connecter au Dark World. J'ai failli mourir dans une explosion, on m'a retiré le boulot et j'ai sur le dos un pirate avec de nombreux complices. Je ne suis plus la chasseuse mais la proie ; ils sont prêts à m'éliminer à la seconde où je continuerai mon enquête. Il y a peut-être des assassins sur ma piste en ce moment même. Je suis probablement inscrite à la loterie du Repaire des Pirates.

Seulement, je suis pressée par le temps.

Alors, mes bottes virtuelles pataugent dans les flaques au fond des nids-de-poule de Silk Road tandis que j'avale les pâtés de maisons les uns après les autres, passant sous les enseignes au néon rouge qui dressent la liste de toutes les personnes exposées dans le Dark World. Il y a plus de monde dans ce secteur, une foule d'utilisateurs anonymes se presse dans les ruelles et sous les porches, créant une atmosphère de marché nocturne. En travers des rues pendent des guirlandes d'ampoules nues, au-dessus desquelles le reflet inversé de la ville miroite dans le ciel.

Je jette un coup d'œil circonspect aux stands que je dépasse. Certains vendent des objets virtuels de Warcross soigneusement alignés sur des tables, qui vont de la bague en or à la cape scintillante, en passant par les bottes en cuir, l'armure en platine, l'élixir de guérison ou le coffre au trésor. D'autres proposent des produits illégaux mais bien réels : des armes à feu sans numéro de série qu'on peut se faire livrer chez soi par caisses de trente ; de la drogue, avec une présentation qui n'a rien à envier à celle de n'importe quelle boutique en ligne, où l'on peut mettre des grammes de cocaïne ou de meth dans son panier, se faire livrer à domicile en quarante-huit heures et laisser un avis sur le vendeur sans mettre en danger son identité ; des pilules amaigrissantes qui n'ont pas reçu leur autorisation de mise sur le marché ; des remises pour assister en direct à des spectacles classés X. Je fais la grimace et détourne le regard. Il y a aussi des stands d'œuvres d'art volées, d'ivoire issu du braconnage, de change illégal de tickets, bitcoins et yens japonais ; et bien sûr, des officines de paris sur des matchs de Warcross ou de Darkcross.

Les paris sont déjà ouverts pour la finale et atteignent des sommes astronomiques. Un nombre est affiché au-dessus de chaque stand, pour signaler en temps réel combien de clients sont en train d'y faire des achats. Je lis 10 254 au-dessus d'une petite officine de paris. Plus de dix mille personnes sont en train de placer des paris clandestins rien que dans ce petit stand miteux. Je n'ose pas imaginer combien de paris sont enregistrés dans des lieux plus connus, comme le Repaire des Pirates. Un rappel supplémentaire du nombre de gens qui seront connectés au NeuroLink pendant la finale. Je presse le pas.

Je m'arrête devant un stand de change et convertis une grosse somme en tickets. Lâcher autant d'argent a encore quelque chose de douloureux pour moi : il y a de cela peu de mois, j'aurais donné n'importe quoi pour obtenir une somme pareille. J'aurais pu vivre avec le restant de mes jours. Je m'y résigne malgré tout et regarde le montant changer de symbole dans mon inventaire. Puis je repars. J'arrive enfin au croisement de Silk Road et de Big Top Alley, la « Ruelle des Bons Coins ». Plus loin dans la ruelle, j'aperçois la boutique que je cherche : l'Emerald Emporium, où l'on peut se procurer les bonus les plus rares, les plus chers et les plus précieux.

Extérieurement, l'endroit se présente comme un gigantesque chapiteau de cirque, peint de bandes noires et or qui scintillent sous les guirlandes lumineuses. Les rabats de l'entrée sont relevés ; un tapis de velours s'enfonce à l'intérieur, plongé dans un noir d'encre. Une peur viscérale me noue le ventre. Un jour papa et moi étions sortis nous promener dans la forêt en pleine nuit et, quand nous avions dû nous faufiler dans la pénombre d'un tronc creux, j'ai failli avoir une attaque de panique : j'avais l'impression de voir des monstres partout dans l'obscurité. L'entrée de ce chapiteau réveille en moi le même genre de terreur instinctive, celle de basculer dans une noirceur inconnue au cœur de laquelle rôde un danger. En fait, c'est une mesure de sécurité de la boutique qui vise à décourager les simples curieux. Si vous avez trop peur pour entrer, vous aurez probablement trop peur pour acheter quoi que ce soit.

Deux jumeaux sur des échasses se tiennent de part et d'autre de l'entrée. Ils se penchent vers moi avec leurs visages peints en blanc et leurs yeux noirs.

— Le mot de passe, me réclament-ils en chœur avec la même grimace sévère.

En même temps, une fenêtre transparente s'ouvre dans mon champ de vision.

Je tape le mot de passe du jour, une succession de trente-cinq lettres, chiffres et symboles. Les jumeaux l'étudient un moment puis s'écartent, me faisant signe d'entrer. Je prends une grande inspiration et pénètre dans l'Emporium.

À l'intérieur, c'est le noir complet. Je marche tout droit en comptant soigneusement mes pas. Quand j'en arrive à dix, je m'arrête et pivote sur ma droite. Je fais encore huit pas. Puis quinze à gauche. Et je continue comme ça, selon un code bien précis, jusqu'à ma destination. Les utilisateurs qui ne savent pas franchir ce deuxième cordon de sécurité se retrouvent piégés dans le noir. Ils peuvent mettre des semaines à récupérer leur compte et leur avatar.

Je lève la main et je frappe. À mon grand soulagement, j'entends un « toc-toc-toc » comme si je tapais sur du bois. Une porte coulisse, et je débouche sur une grande piste de cirque éclairée par des centaines d'ampoules nues suspendues.

Il y a partout des étagères et des présentoirs, où sont exposés toutes sortes de bonus : des gemmes écarlates et des billes blanches, des boules veloutées aux couleurs de l'arc-en-ciel et des cubes à rayures bleues, des sphères à damier noir et blanc, des bulles de savon… Certains de ces bonus n'ont été aperçus qu'une fois dans le jeu et n'ont plus jamais été proposés. D'autres sont des prototypes, en cours de développement chez Henka Games, que des hackeurs ont récupéré pour les revendre. Chacun est surmonté d'une étiquette avec son nom en lettres d'or et son enchère de départ. Mort Subite : 46 550 ₸. Attaque Alien : 150 000 ₸.

Des petits groupes d'avatars anonymes se bousculent devant les pièces les plus rares, discutant avec excitation. Des bots de surveillance glissent entre les badauds, sous la forme de femmes à la mâchoire mécanique portant des masques à long nez et des ombrelles noires. Je les étudie un moment. Leur parcours semble aléatoire mais obéit en réalité à un schéma précis. L'icône de mon panier virtuel s'affiche sous mes yeux, avec une fenêtre où taper un montant. Je regarde autour de moi, admirant tous ces bonus, jusqu'à tomber enfin sur celui que je cherche. Une bille aux allures de boule de cristal, couverte de paillettes de givre. Magnifique.

Givrage Général : 201 000 ₸. D'après son descriptif, ce bonus permet d'immobiliser l'équipe adverse au grand complet pendant cinq secondes.

Les gens rassemblés autour du présentoir ont tous des petites planchettes pour enchérir ; la mise aux enchères a déjà commencé. Je les rejoins et accepte la planchette que me tend un bot de surveillance. Il y a cinq bots en tout pour encadrer le processus, dont deux arrivent d'une enchère qui vient de se terminer juste à côté. Le commissaire-priseur est une petite fille coiffée d'un haut-de-forme presque aussi grand qu'elle.

— Deux cent cinquante et un mille tickets ! annonce-t-elle avec un débit rapide. Ai-je entendu deux cent cinquante-deux mille ?

Quelqu'un lève sa planchette.

— Deux cent cinquante-deux mille ! Ai-je entendu deux cent cinquante-trois mille ?

Les enchères se poursuivent ainsi, jusqu'à se réduire à une bataille entre deux acquéreurs. Je les observe attentivement. L'enchère la plus élevée est pour l'instant de deux cent quatre-vingt-quinze mille tickets, et le deuxième acquéreur hésite à monter à trois cent mille. La petite fille continue à claironner la somme, mais personne ne se décide. Le dernier enchérisseur bombe le torse avec excitation.

— Personne pour trois cent mille ? insiste la petite fille en regardant autour d'elle. Deux cent quatre-vingt-quinze mille une fois, deux cent quatre-vingt-quinze mille deux fois…

Je lève ma planchette et crie :

— Quatre cent mille !

Tous les visages se braquent sur moi, choqués. Des murmures s'élèvent de la foule. La petite fille me pointe du doigt avec un grand sourire.

— Quatre cent mille tickets ! s'exclame-t-elle. Enfin, ça s'anime un peu ! Ai-je entendu quatre cent un mille ?

Elle regarde partout sous le chapiteau, mais personne ne bouge. L'autre avatar me lance un regard meurtrier que je m'abstiens de lui retourner.

— Adjugé ! crie la petite fille dans ma direction.

Mon panier se met à jour, le chiffre 1 s'y affiche et quatre cent mille tickets disparaissent de mon compte. Dans le même temps, le bonus de Givrage Général disparaît du présentoir et les autres avatars se dispersent en bougonnant. Les yeux de l'enchérisseur malheureux s'attardent un moment sur moi. Comme celui des bots de surveillance.

Je remercie le commissaire-priseur, puis jette un coup d'œil aux autres présentoirs. J'ai encore un bon million de tickets à dépenser, et un coup de pouce supplémentaire ne sera pas de trop.

Je rejoins une deuxième mise aux enchères pour un bonus qui ressemble à une boule en peluche noire avec deux grosses pattes. Le Roi des Artefacts. Si vous avez l'artefact de votre adversaire en point de mire, ce bonus le téléporte directement entre vos mains, ce qui vous assure aussitôt la victoire.

La mise démarre à cinq cent mille tickets.

Encore une fois, le commissaire-priseur fait rapidement monter les enchères. Et encore une fois, il ne reste bientôt plus que quelques enchérisseurs. Dont moi. J'en suis à sept cent vingt mille et l'un de mes adversaires refuse toujours de se coucher. Finalement, par frustration, je fais une enchère qui dépasse largement la valeur de ce bonus.

— Adjugé pour huit cent quatre-vingt mille ! s'exclame le commissaire-priseur.

Huit cent quatre-vingt mille tickets. Je grimace en pensant au trou que ça va creuser dans mes finances, puis je vérifie le contenu de mon panier pour m'assurer de la présence de mes achats. Dans la vraie vie, je lance un scan de mon inventaire, histoire de m'assurer que personne n'essaie d'y accéder. Il n'est pas rare que des usagers fortunés ressortent d'ici avec plusieurs bonus hors de prix. Certains petits malins attendent qu'ils aient le dos tourné pour hacker leur inventaire. J'en vois déjà deux qui me tournent autour comme des squales, et leur convoitise me fait froid dans le dos.

Il me reste moins de deux cent mille tickets, pas de quoi m'offrir quoi que ce soit d'utile pour la finale. Alors je préfère regarder autour de moi, à la recherche d'un pigeon que je pourrais délester d'un ou deux bonus. Je tombe sur la vente aux enchères d'un bonus dont le nom me fait dresser l'oreille. Je n'en avais encore jamais entendu parler. Sans doute s'agit-il d'un prototype, voire d'une création illégale.

Main de Dieu : 751 000 ₮. 14 enchères

Apparemment, ce bonus vous octroie le pouvoir temporaire de manipuler tout et n'importe quoi dans un niveau de Warcross. Parfait.

Les enchères sont presque terminées, il ne reste plus que deux acquéreurs à la lutte, mais cette fois j'y assiste en simple spectatrice derrière les bots de surveillance. Le prix continue à grimper, pour finir par frôler le million, quand l'un des deux acquéreurs hésite.

— Ai-je entendu un million ? crie le commissaire-priseur. Un million tout rond ? Non ?

Il compte jusqu'à trois, et comme personne d'autre ne se manifeste, il désigne le vainqueur.

— Adjugé, pour neuf cent quatre-vingt-dix mille !

L'acquéreur est un homme de haute taille qui porte une veste à carreaux. Alors qu'il empoche son bonus et tourne les talons, je me rapproche en prenant soin de ne pas attirer l'attention des bots de surveillance. Dans la vraie vie, je suis en train de pianoter furieusement tout en guettant le moment où mon pigeon sera seul et vulnérable. Les bots continuent leurs rotations aléatoires ; certains s'éloignent pour aller surveiller une autre vente aux enchères qui vient de démarrer.

Enfin, j'entrevois la chance que j'attendais – l'instant où deux bots de surveillance se détournent en même temps, ouvrant un chemin dégagé jusqu'à ma cible. Je fonds sur lui en accélérant le pas. Et là, à l'instant précis où il se retourne, je bondis sur sa mallette.

Un avatar ordinaire n'aurait pas la force de la lui arracher. Mais je travaille sur le code de mon avatar depuis des années ; je me suis programmée précisément pour ce genre de manœuvre. Donc, quand ma main se referme sur la poignée de sa mallette, je tire violemment ; et la mallette vient.

L'homme n'est pas un imbécile, cela dit. Les gens qui peuvent claquer un million de tickets pour un bonus le sont rarement. Aussitôt, deux autres avatars qui se tenaient à proximité me tombent dessus. Il avait prévu une escorte. Je leur file entre les doigts et fonce à toute vitesse vers la sortie. Si j'arrive à regagner le tunnel noir, où les bots de surveillance ne peuvent pas entrer, je devrais réussir à m'échapper avec mon butin.

L'un des avatars sort un couteau et se jette sur moi, déterminé à m'ouvrir en deux. Je me dérobe, mais le deuxième me retient par la cheville et me fait perdre l'équilibre. Le monde bascule autour de moi et je me retrouve par terre. Je rue comme je peux tout en continuant à pianoter frénétiquement. Mais rien de ce que je pourrai faire maintenant n'améliorera beaucoup mon système de sécurité ; il me faudrait plus de temps pour ça. Autour de nous, les bots de surveillance ont remarqué la bousculade et se sont aussitôt regroupés devant l'entrée pour la bloquer. D'autres fondent sur moi. Les yeux des femmes mécaniques jettent des éclairs, leurs ombrelles noires tournoient comme des lames de rasoir. Elles m'attrapent par les bras. Je tente de repousser à coups de pied l'homme qui se penche pour récupérer sa mallette. Ses deux acolytes saisissent mon sac à dos.

Soudain, l'un des bots de surveillance qui me tenait frappe l'homme avec le tranchant de son ombrelle. Je pousse un petit cri en voyant l'ombrelle traverser son bras. Ce ne sont que des pixels, bien sûr, n'empêche que l'homme recule, la main coupée net, inutilisable. Je regarde le bot d'un air surpris, mais il m'ignore et attaque les deux autres avatars avant de faire face aux autres bots.

— File, Em ! me crie-t-il.

Mon pouls s'emballe. Ce n'est pas un bot, en fin de compte. Je reconnais la voix de Roshan.

Je me relève précipitamment pour m'élancer vers la sortie. Un autre bot couvre ma fuite : c'est Hammie. Et un troisième. *Asher !* Leur protection est d'autant plus efficace que les vrais bots ne semblent pas trop savoir comment gérer cette attaque venue de leurs propres rangs. Je me faufile entre deux d'entre eux et plonge dans le tunnel d'accès. Les bruits s'estompent aussitôt derrière moi.

Je refais le parcours en sens inverse, comptant soigneusement mes pas, puis surgis du chapiteau pour me retrouver dans la ruelle. Les jumeaux qui gardent l'entrée ne font pas attention à moi. Je m'empresse d'ouvrir un menu et de me déconnecter du Dark World. Tout devient noir autour de moi et, un instant plus tard, me voilà de retour dans ma chambre virtuelle personnelle.

J'ai toujours la mallette. J'ai toujours mon sac à dos. Mes bonus sont toujours là.

Je m'attaque à la serrure de la mallette. Je dois m'en débarrasser au plus vite, sinon je risque d'attirer les soupçons. Après quelques tentatives infructueuses, je parviens à l'ouvrir. La Main de Dieu est bien à l'intérieur, bleue et magnifique, avec ses tourbillons laiteux qui se brouillent sous mes doigts.

Le cœur battant, je contemple mon butin. Je range soigneusement mes trois bonus dans mon inventaire et les protège sous plusieurs couches de pare-feu. Puis j'attends dans ma chambre virtuelle, envoyant des pings et des invitations à mes coéquipiers toutes les deux ou trois secondes.

Je n'obtiens d'abord aucune réponse. Se sont-ils déconnectés complètement ? À moins qu'ils ne se soient fait prendre ?

Roshan apparaît soudain dans la pièce, suivi d'Hammie. Asher arrive en dernier. Ils ne ressemblent plus à des bots de surveillance ; ils se sont débarrassés de ce déguisement. Je souris. Je n'avais encore jamais collaboré avec personne sur une chasse, et je dois bien reconnaître que tout est beaucoup plus facile avec mes coéquipiers à mes côtés.

Asher est le premier à prendre la parole.

— Alors ? me demande-t-il en haussant un sourcil. J'espère que ça en valait la peine.

J'acquiesce de la tête, en ouvrant mon inventaire pour leur montrer ce que j'ai rapporté.

Asher écarquille les yeux, Roshan lâche un juron.

— Tremaine a plutôt intérêt à avoir dit la vérité à propos du fichier qu'il t'a envoyé, prévient-il.

— Vérité ou pas, observe Hammie, avec ces bonus, la finale promet d'être intéressante.

— Si ça ne nous aide pas à battre Zéro, dis-je, je ne vois pas ce qui le fera.

29

Avec les scandales en cours, la finale qui doit oppo-
ser les Phoenix Riders à l'équipe Andromeda
est déjà assurée d'être la partie la plus suivie de
toute l'histoire de Warcross. Les infos ne parlent que
de ça aujourd'hui. Les reportages et les extraits de matchs
s'enchaînent ; chaque programme s'efforce de faire mieux
que la concurrence, dans toutes les langues et dans tous
les pays. À croire que le monde entier s'est arrêté pour le
championnat. Dans Tokyo, les boutiques et les restaurants
ferment comme s'il s'agissait d'un jour férié. Les gens qui
ne sont pas chez eux pour se connecter se pressent dans les
bars et les cybercafés avec leurs lentilles. La ville est illumi-
née par les icônes, les symboles, qui s'agglutinent au-dessus
des endroits où la foule se rassemble.

Je m'écarte de la fenêtre de ma chambre et retourne
m'asseoir sur le canapé. Je me cache dans le centre-ville
de l'un des nombreux districts de Tokyo ; je me suis enre-
gistrée à l'hôtel sous un faux nom. Pour autant que je le
sache, Hideo me croit repartie pour New York. Depuis
notre conversation à l'hôpital, il ne m'a envoyé qu'un seul
message.

« *Tiens-toi à l'écart, Emika. S'il te plaît, fais-moi confiance.* »

Maintenant, je regarde une horloge transparente au centre de mon champ de vision égrener le temps qui reste. Il y a quelques mois à peine, je me suis introduite accidentellement dans le match de gala de la cérémonie d'ouverture du championnat. Et aujourd'hui nous ne sommes plus qu'à cinq minutes du début de la finale. Dans cinq minutes, je devrai m'introduire à nouveau dans la partie et, cette fois, je l'aurai fait exprès. Je vérifie tout une dernière fois, notamment que je suis bien en train d'enregistrer. Je compte sauvegarder la partie d'aujourd'hui comme souvenir. Si les choses tournent mal à cause de Zéro, j'aurai au moins une trace que je pourrai consulter après coup.

Enfin, si son virus ne m'atteint pas en premier.

Un gros titre s'étale sous mes yeux :

VIIIᵉ championnat de Warcross
Finale
PHOENIX RIDERS vs ANDROMEDA

Je prends une grande inspiration.

— C'est parti, dis-je à voix basse.

Je lève la main, clique sur le titre, et tout devient noir.

J'entends le sifflement du vent avant de voir quoi que ce soit. Puis un monde apparaît autour de moi. Je me tiens sur une corniche, à l'aplomb d'un lac circulaire entièrement bordé par un mur de métal nu de plus de cent mètres de haut. Quand je me retourne, je constate qu'il n'y a que l'océan à perte de vue de l'autre côté du mur.

Du centre du lac, dix passerelles métalliques qui ne sont pas reliées les unes aux autres partent vers le mur en formant une étoile. Elles mènent à de grandes portes de hangar disposées dans le mur à intervalles réguliers. Des bots de surveillance se dressent de part et d'autre de chaque porte. Des bonus se matérialisent au sommet du mur, sur le pourtour du lac et le long des passerelles, dessus, dessous. Je revérifie la présence de mes propres bonus dans mon inventaire. Ils sont toujours là.

« *Et si on retournait Tokyo, comme si le temps nous était compté.* »

La musique d'intro qui retentit au-dessus du lac me fait dresser les cheveux sur la nuque. La dernière composition de Ren, qui doit activer les artefacts trafiqués.

« *Et si on terminait en apothéose / Ouais, Si on terminait en apothéose.* »

Je ne l'avais pas remarqué tout de suite, mais la clameur du public résonne partout autour de moi. Puis j'entends les voix des commentateurs, plus excitées que jamais.

— Mesdames et messieurs, déclare le speaker. Bienvenue au Cercle d'Argent !

En contrebas, les joueurs apparaissent à leur tour. Chacun se tient sur une passerelle, près du centre. Les Andromedans se reconnaissent facilement à leur combinaison rouge écarlate ; leur capitaine, Shahira, a épinglé son voile bien serré et l'artefact de son équipe brille au-dessus de sa tête. Leur Guerrier, Ivo Erikkson, s'est lissé les cheveux en arrière et affiche un air résolu. J'ai la gorge qui se noue en voyant mes coéquipiers. Leurs combinaisons bleues se détachent sur le mur d'acier qui les entoure. Asher (surmonté du diamant bleu des Riders), Hammie, Roshan. Puis les deux nouveaux. Jackie Nguyen, qui remplace Ren ; et mon propre remplaçant, Brennar Lyons, l'Architecte.

Prête ? C'est Asher, qui me contacte par un canal crypté que j'ai ouvert pour lui. Son message apparaît en blanc transparent au bas de mon champ de vision.

Je hoche la tête, même si je ne suis pas sûre de l'être. **J'espère**, dis-je en réponse. J'ouvre mon inventaire avec mes précieux bonus.

Quand je serai entrée, passe-moi ton artefact.

Ça marche.

Puis je me focalise sur Brennar et je passe ses données au crible. Si je veux m'introduire dans cette partie, j'ai plutôt intérêt à réussir du premier coup. Que se passera-t-il aujourd'hui, si les Phoenix Riders ne gagnent pas ? Que se passera-t-il si Zéro met son plan à exécution ?

Le speaker est en train de présenter les joueurs. Après avoir épluché les données de Brennar, je lâche un grogne-ment. **Impossible d'entrer avant le début de la partie**, dis-je à Asher. **Son compte n'est pas encore activé.**

J'ouvrirai l'œil, me répond-il. **Je te préviendrai si je remarque quoi que ce soit.**

Je prends une grande inspiration et me penche à nou-veau sur le terrain de jeu. Les joueurs sont chacun au bout de sa passerelle, à fixer l'eau qui les entoure ou à se défier du regard. Ils ne peuvent pas s'atteindre les uns les autres, séparés qu'ils sont d'une bonne quinzaine de mètres. Je vois Asher remuer les lèvres, il donne ses instructions aux autres Riders. Mon attention se déplace sur les immenses portes en métal à l'intérieur du mur circulaire. Des feux rouges commencent à clignoter au-dessus de chaque porte. Qu'y a-t-il à l'intérieur ? Et où se trouve Zéro ? Les doigts me démangent dans la vraie vie, car je sais que Zéro est en train de suivre la partie en ce moment, peut-être bien de la même manière que moi. Prêt à la faire capoter.

— En jeu… Prêts… *Allez !* crie le speaker.

Le public invisible pousse une clameur à tout casser.

Au même instant, une alarme résonne. Elle provient des feux rouges au-dessus des dix portes. Les joueurs pivotent comme un seul homme. Hammie est la première à s'élancer vers sa porte. Je me laisse descendre pour mieux voir. Les portes tremblent à l'unisson puis commencent à se relever, dans un grand fracas de ferraille. Hammie pique un sprint. Elle crie quelque chose aux autres Riders. Les Andromedans courent le long de leurs passerelles, eux aussi. À mesure que les portes s'élèvent, j'arrive à distinguer ce qu'il y a derrière.

Des jambes mécaniques aussi épaisses que des immeubles. Des articulations circulaires chromées, avec des tendons d'acier. Puis un torse puissant, au design personnalisé, et des bras noueux qui pendent de chaque côté. Au sommet, une tête métallique fermée par une visière transparente. J'en reste bouche bée. Dix robots de combat géants qui n'attendent plus que leurs pilotes.

Les eaux du lac et l'océan à l'extérieur commencent à s'agiter à mesure qu'une tempête s'approche à l'horizon, noire et menaçante. Je double-clique sur le point de mon champ de vision où je peux voir Brennar courir vers son robot. Le monde tourbillonne autour de moi. Soudain je me retrouve au-dessus de lui, alors qu'il atteint la porte d'acier. Il entreprend d'escalader l'échelle de son robot.

Hammie est parvenue au sommet de son robot et se tient debout sur sa tête. Elle cherche la trappe d'accès, la trouve, dévisse quelque chose et disparaît dans l'habitacle. Les yeux de son robot s'allument de l'intérieur et diffusent une lueur verte. Un grondement se fait entendre qui monte dans les aigus. Le robot s'ébranle, avec autant de souplesse que si c'était Hammie elle-même. Il lève une jambe, puis l'autre. La passerelle tremble sous ses pas.

Asher est le deuxième à atteindre le sommet de son robot. Quand il se glisse dans l'habitacle, son artefact disparaît à la vue. Je pousse une exclamation de dépit. Ce sera pareil pour Shahira : pour me servir de mon bonus de Roi des Artefacts, je devrai la sortir de son robot. Shahira fait démarrer son robot juste derrière Asher ; puis c'est le tour de Franco, l'Architecte des Andromedans. J'en reviens à Brennar. Il touche au but, mais il est clairement plus lent que les autres. On voit qu'il n'a pas eu le temps de s'entraîner. Malgré tout, il n'était pas wild card pour rien. Arrivé au sommet de son robot, il se glisse à l'intérieur et lance le moteur. Sa visière s'allume avec une lueur bleutée.

J'ouvre une fenêtre au-dessus de Brennar et son robot : leurs données s'affichent sous la forme d'un bloc de code vert en rotation. Je dois minuter mon intrusion avec la plus grande précision. La moindre erreur et je risque d'apparaître au milieu du décor au vu et au su de tous. Zéro saura aussitôt où je suis et ce que je fais. Et quand je serai dans la place sous la forme d'un joueur, je devrai agir vite. Parce que Brennar verra tout de suite qu'il ne contrôle plus son avatar. Il alertera la sécurité, qui mettra le jeu en pause. Ils me trouveront et me neutraliseront.

— Shahira se positionne pour frapper ! s'exclame un commentateur.

Le robot de Shahira court en direction du plan d'eau central. Parvenu au bout de sa passerelle, il s'accroupit avec la souplesse d'un léopard. Puis se catapulte dans les airs, et des ailes plates se déploient en éventail dans son dos. C'est magnifique. Shahira s'envole haut, rafle un bonus de vitesse au passage et accélère pour franchir le vide au-dessus du plan d'eau et retomber du côté d'Asher. La passerelle tremble sous l'impact. Le fracas se répercute à travers l'espace virtuel.

Je m'efforce de taper plus vite. Je dois entrer en jeu maintenant. Alors que son robot s'avance, j'affiche une image tridimensionnelle de Brennar dans l'habitacle. Puis je m'approche le plus près possible. Je suis devant les yeux du robot, je vois la silhouette de Brennar à l'intérieur. *Allons-y.*

J'entre une dernière commande. Pendant une fraction de seconde, Brennar m'aperçoit à l'extérieur de sa visière. Il cligne des paupières avec ébahissement.

Tout se précipite autour de moi. Quand je rouvre les yeux, je suis dans le robot. Mieux encore, je suis dans le corps de Brennar, avec la maîtrise complète de son avatar.

Salut, capitaine, dis-je à Asher.

Content de te revoir, me répond-il. Il se tourne aussitôt vers Hammie pour lui transmettre notre artefact. Elle avait anticipé la manœuvre et se tient prête à le recevoir. En quelques pas, elle le rejoint et leurs deux robots se serrent la main. Un flash lumineux les illumine : à présent, tous les joueurs savent que notre artefact se trouve entre les mains d'Hammie.

Elle ne perd pas une seconde. Tandis que Shahira se jette sur Asher, Hammie allonge le bras vers moi. Je lui prends la main. Nouveau flash : notre artefact est désormais en ma possession. La foule rugit d'excitation.

Je charge mon script de désactivation, respire un grand coup et le lance sur l'artefact. Le processus demande quelques secondes. Je crains, un instant, que ça ne marche pas.

Puis l'artefact se met à crépiter. Plusieurs pages de code corrompu défilent devant moi. L'artefact vire au noir. Je le passe à l'analyse et souris devant son absence de réaction. Il est désactivé.

À présent, le compte à rebours commence. J'ai une minute ou deux, tout au plus, avant que l'alerte ne soit donnée et que je me retrouve déconnectée du jeu. J'ignore si Zéro s'apercevra ou non de ce que j'ai fait à notre arte-fact ; de toute façon, je n'ai pas le temps de m'appesantir là-dessus. Je repasse l'artefact désactivé à Hammie, qui le transmet à Asher.

Les commandes à l'intérieur de mon robot sont d'une simplicité remarquable, conçues de manière à être com-prises par tous au premier coup d'œil. Il y a des armes intégrées dans les bras et les épaules et, quand je bouge, le robot reproduit mes mouvements. Je cherche Shahira. Elle a engagé Asher au corps-à-corps dans les airs au-dessus du lac, et Franco s'élève vers eux pour lui prêter main-forte. Les autres convergent sur moi.

Je dois faire sortir Shahira de son robot.

Givrage Général pour neutraliser l'équipe adverse. Roi des Artefacts pour voler l'artefact de Shahira. Et Main de Dieu pour modifier le niveau de jeu. Je m'élance sur ma passerelle, regarde autour de moi et m'apprête à activer mon bonus de Givrage.

— À ta gauche ! crie Asher pour m'avertir. Il t'arrive droit d…

Je tourne la tête : le robot d'Ivo Erikkson fond sur moi, la bouche grande ouverte. J'ai tout juste le temps de me préparer à l'impact.

Nos deux robots se rentrent dedans et plongent dans le lac. Je suis drôlement secouée ; je ne vois plus qu'une eau trouble à travers ma visière. *Sers-toi du bonus*, me souffle mon instinct, mais je ne l'écoute pas. Si je le faisais maintenant, Shahira tomberait dans l'eau, coulerait puis ressusciterait sur sa passerelle. Alors, je braque mon arme sur le visage d'Ivo. Et j'écrase mon poing sur le bouton de tir.

Une roquette explose en plein sur le robot d'Ivo. Il me lâche, mon robot flotte désormais librement. Pas une seconde à perdre. J'attrape mon bonus de Main de Dieu et je l'active.

Tout s'arrête brusquement. Dans mon champ de vision, des chiffres transparents entament le décompte des secondes qui me restent pour modifier le paysage. Mes doigts se déplacent à toute vitesse. Je jaillis hors de l'eau, me stabilise sur une passerelle, puis les fais toutes se rejoindre au milieu. Elles s'arrachent du mur avec des crissements métalliques. Shahira et Asher sont toujours collés l'un à l'autre dans les airs ; je les sépare. Le robot de Shahira libère celui d'Asher. J'en profite pour le forcer à se poser juste devant moi.

Autour de nous, le public pousse des exclamations de stupeur. Le commentateur, visiblement confus, déclare :

— Un bonus vient d'être activé. J'ignore où Brennar se l'est procuré : il s'agit manifestement d'un bonus que personne n'a jamais vu dans le jeu depuis l'origine du championnat ! En attendant de plus amples informations…

La sécurité sait désormais qu'il se passe quelque chose. Hideo lui-même le sait. Et Zéro doit le savoir aussi. Le compte à rebours de mon bonus expire. Tout se remet en marche. Le robot de Shahira s'accroupit et secoue la tête comme pour reprendre ses esprits. J'active immédiatement mon deuxième bonus : Givrage Général. Il se fige sur place. Tous les Andromedans aussi.

La voix d'Asher résonne dans les écouteurs de Brennar :

— Allez ! crie-t-il.

Je bondis hors de mon siège et lève les bras vers la trappe au-dessus de ma tête. Une pluie battante me cingle le visage : la tempête qui s'approchait à l'horizon a fini par nous atteindre, paramètre que je n'ai pas changé quand j'avais le contrôle du niveau. Je me hisse hors de l'habitacle. Les Phoenix Riders viennent se placer autour de moi, face à l'ennemi, pour me protéger.

Accroupie sur la tête de mon robot, je me penche vers celui de Shahira. Derrière la visière, Shahira me fixe avec des yeux ronds, incapable de bouger. Je saute sur l'épaule de mon robot et cours le long de son bras tendu.

La voix du commentateur couvre la tempête :

— Brennar s'est détaché des autres et a utilisé un deuxième bonus ! Nous essayons de savoir lequ…

Ils vont arrêter le jeu d'un instant à l'autre. Je suis surprise que ce ne soit pas encore fait. Que peut bien fabriquer Hideo ? *Concentre-toi.* J'atteins la main de mon robot et bondis vers le bras du robot de Shahira. La pluie a rendu le métal glissant. Je m'accroche de justesse, me relève d'un bond et remonte le bras ennemi au pas de course. Arrivée au sommet de la tête, alors que la confusion et l'ébahissement enflent au sein du public, j'ouvre la trappe d'un geste brusque. À l'instant précis où le Givrage Général prend fin.

Shahira lève la tête. Son artefact écarlate scintille. Je sors mon troisième bonus, le Roi des Artefacts, pour l'activer.

Sauf que j'en suis incapable. Je me retrouve paralysée de la tête aux pieds et je reste là, mon bonus à la main, sans pouvoir remuer d'un pouce. Shahira bondit de son siège pour s'extraire du robot. Elle se dresse devant moi. Je comprends qu'elle aussi s'est servie d'un bonus, qui m'a complètement paralysée.

— Je t'avais prévenue, Emika.

Même s'il s'agit de la voix de Shahira, je *sais*, avec une certitude absolue, que ce n'est pas elle qui me parle.

Zéro a pris le contrôle de son corps.

Je me débats vainement tandis que Shahira s'approche de moi, avec la démarche de prédateur de Zéro. Son artefact rubis brille au-dessus de sa tête. *Si près du but.* Elle tourne autour de moi, ainsi que Zéro l'a fait au Repaire des Pirates, puis tend la main et m'arrache mon bonus.

Non ! J'ai envie de crier, mais je n'y arrive pas. Shahira lève le bonus vers moi comme elle lèverait son verre pour trinquer.

— On peut être deux à jouer à ça.

Puis elle me tourne le dos et se met à courir vers le robot d'Asher.

Pourquoi Hideo n'a-t-il pas encore arrêté le jeu ? Quelqu'un a bien dû se rendre compte qu'il se passait quelque chose d'anormal. Alors qu'une cacophonie d'exclamations, de huées et de cris incrédules monte du public, l'effet paralysant du bonus finit par s'épuiser. Je m'élance derrière Shahira. Quoi qu'il arrive, je ne peux pas la laisser utiliser mon bonus contre Asher. Pas question qu'elle réactive notre artefact. C'est moi qui dois désactiver le sien. Je décroche le lasso de ma ceinture.

— Hé !

Toutes les têtes se tournent pour voir le robot d'Hammie qui bondit vers nous. Il retombe lourdement dans l'eau, soulevant de grosses vagues qui se fracassent sur les passerelles. La trappe de la tête s'ouvre ; Hammie en jaillit d'un bond, sous la pluie battante. Elle tient à la main un bonus vert pomme qu'elle a cueilli plus tôt. Elle le lance en direction de Shahira.

L'explosion, qui secoue le bout du bras de mon robot, atteint Shahira : le souffle lui fait perdre l'équilibre et elle bascule dans le vide. De l'autre côté, Franco arrive au pas de charge dans l'eau peu profonde.

Je crie :

— Hammie !

Mais il est déjà trop tard. Le robot de Franco l'attrape au creux de son poing, referme les doigts sur elle et la balance au loin. Elle vole dans les airs et retombe dans les vagues démontées au-delà du mur. De son autre main, le robot rattrape Shahira et la sauve d'une chute mortelle.

Le robot d'Asher arrive à son tour, poing levé, droit sur Franco. Je baisse la tête. Il bondit au-dessus de moi, très haut ; son œil rougeoie dans le ciel sombre. Il assène un coup de poing terrible dans le flanc du robot de Franco. Je me prends un paquet d'eau quand les vagues soulevées par Asher balaient le bras endommagé de mon robot. Je m'essuie le visage et lève les yeux. Par robots interposés, Franco est en train de rendre coup pour coup à Asher. Au milieu de ce chaos, j'aperçois Shahira. Elle court le long du bras de Franco vers le robot d'Asher. Je lui file le train.

— Je te dépose quelque part ? me propose la voix de Roshan dans mon oreillette.

Son gros poing surgi de nulle part me cueille et se referme sur moi. Son robot vole dans les airs ; ses ailes métalliques battent si fort qu'elles creusent un tourbillon dans les eaux du lac. Nous filons droit sur Franco et Asher bloqués dans une étreinte mortelle.

Le robot d'Ivo tente de nous prendre de vitesse. Nous y sommes presque.

— Lâche-moi ici ! je crie à Roshan en frappant du poing contre la paume du robot.

Il ouvre la main et me laisse tomber. Je me réceptionne sur l'épaule d'Asher. Au même moment, Shahira se hisse sur l'épaule opposée. Nous grimpons toutes les deux. La pluie frappe sans pitié. Je m'accroche du mieux que je peux et tente d'accélérer. Un autre coup de Franco dans les côtes du robot d'Asher me déséquilibre ; je ne me tiens plus que par une main mais parviens à me rétablir à la force du bras. *Continue.*

Je me hisse sur la tête du robot au moment où Shahira se relève. Je la vois courir vers la trappe. Si elle l'ouvre et voit l'artefact d'Asher, elle n'aura plus qu'à utiliser mon bonus et la partie sera perdue. Je serre les dents et me rue sur elle.

La suite se déroule au ralenti.

Shahira ouvre la trappe en grand.

Elle lève la main pour activer le bonus.

Je la rejoins et me jette sur elle avec l'énergie du désespoir.

Mon poing se referme sur le bonus. Je le lui arrache à l'instant précis où elle, Zéro, allait s'en servir. *Fais-le maintenant.* Je me focalise sur l'artefact de Shahira. Avant qu'elle puisse m'en empêcher, je vise et lui lance le bonus en pleine tête. Elle écarquille les yeux.

Le bonus explose en une boule de fumée noire qui nous enveloppe toutes les deux. À travers l'obscurité, je vois l'artefact rubis de Shahira apparaître dans ma main. Je serre le poing et lance mon script de désactivation. L'artefact crépite ; des éclairs dansent à sa surface. Et puis il vire au noir.

Gagné. C'est terminé.

Le public est en délire. Une clameur assourdissante s'élève.

— C'est *fini* ! rugit le commentateur au milieu du vacarme. Mais attendez un peu, les amis, que s'est-il passé dans l'arène aujourd'hui ? On n'avait jamais vu un coup pareil dans une finale de championnat ! Attendons le verdict des juges…

C'est fini. Je serre l'artefact comme si ma vie en dépendait. *On a gagné. Pas vrai ?* Je laisse échapper un petit rire étranglé et m'affale, complètement vidée. La voix d'Asher résonne dans mon oreille, il me crie quelque chose avec enthousiasme, je n'en comprends pas un mot. Je n'arrive pas à me concentrer sur quoi que ce soit, hormis le fait que la partie est terminée.

Il se produit alors quelque chose d'étrange.

Je reçois une décharge d'électricité. Je tressaute. Un frisson de stupeur collective parcourt la foule, comme si tout le monde dans le public avait ressenti exactement la même chose au même moment. Des nombres et des données clignotent au-dessus de chaque joueur avant de disparaître.

C'était quoi, ça ? Je reste plantée là, indécise. J'ai un mauvais pressentiment.

Devant moi, l'avatar de Shahira disparaît, remplacé par Zéro dans son armure noire et son casque opaque. Il me dévisage sous le ciel orageux.

— Tu l'as activé, m'accuse-t-il à voix basse.

Je m'écrie :

— Activé quoi ? Tu as perdu ! Ton plan a échoué.

Ma réponse semble l'étonner.

— Tu n'as vraiment rien compris, alors.

Rien compris ? Rien compris à quoi ?

Il se redresse.

— Mon plan, explique-t-il, consistait à arrêter Hideo.

30

*Q*uoi ?

Je secoue la tête, perplexe. Mais avant que je puisse répliquer quoi que ce soit, Zéro disparaît tandis que le monde virtuel se fige autour de nous et que tout devient noir. Je cligne des yeux et me voilà de retour dans ma chambre d'hôtel. Tout est terminé. Je reste assise en silence un moment, sous le choc. C'est arrivé si vite. J'ai réussi. Et même si je ne sais toujours pas qui est Zéro, je suis au moins parvenue à faire échouer son plan, quel qu'il ait pu être.

« *Tu n'as vraiment rien compris. Mon plan consistait à arrêter Hideo.* »

Qu'est-ce que ça veut dire ? Que n'ai-je pas compris ? Quelque chose me chiffonne, je ressens une inquiétude diffuse.

Au même instant, un signal d'appel s'affiche dans mon champ de vision. C'est Asher. J'accepte la communication et il apparaît devant moi, aussi net que s'il était dans ma chambre. Il a l'air aux anges.

— Emi ! s'exclame-t-il. Tu as réussi ! On a gagné !

Je me force à sourire et marmonne une vague réponse, mais les paroles de Zéro tournent en boucle dans ma tête.

> **Où es-tu ?**

C'est un message d'Hideo.

— Je te rappelle, Ash, promets-je avant de couper la communication.

Je réponds à Hideo comme dans un brouillard. Si seulement je peux le voir, il saura m'expliquer ce que Zéro voulait dire. Je lui raconterai tout et il comprendra.

Moins d'une demi-heure plus tard, ma porte s'ouvre et Hideo entre dans ma chambre, escorté par ses gardes du corps. Il secoue la tête à leur intention et ils s'arrêtent aussitôt, si vite qu'on les dirait programmés pour ça. Ils font demi-tour et ressortent dans le couloir. Nous voilà seuls. Je n'avais pas revu Hideo depuis plusieurs jours, pas en personne, et mon cœur s'emballe. Je me lève d'un bond. *Il va pouvoir m'expliquer ce qui se passe.*

Hideo me dévisage d'un air curieux.

— Je t'avais demandé de partir.

Quelque chose dans son regard me fait hésiter. Les paroles de Zéro me reviennent en mémoire.

— Zéro était dans la partie, dis-je. Il avait trafiqué les artefacts avec un virus. Il m'a dit un truc avant de disparaître : qu'il avait essayé de faire échouer *ton* plan. Je ne saisis pas.

Hideo reste silencieux.

Je continue :

— Tu vois, je pensais que son plan visait à détruire le NeuroLink, quitte à blesser au passage tous ceux qui étaient connectés à ce moment-là, et je ne comprenais pas pourquoi. (Je scrute le visage d'Hideo, redoutant sa réponse.) Tu le sais, toi ?

Hideo baisse la tête. Il a le front plissé, et tout dans son attitude exprime la réticence à répondre.

Ne me dites pas que Zéro avait raison. Que je n'avais vraiment rien compris.

J'insiste :

— De quoi voulait-il parler ? dis-je tout bas.

Hideo relève enfin la tête. Il n'y a plus trace de curiosité ou d'amusement dans son regard hanté ; il a retrouvé son sérieux habituel. Et pour la première fois je perçois chez lui quelque chose d'inquiétant. Ce n'est pas uniquement l'expression d'un créateur discret.

Il soupire et se passe la main dans les cheveux. Une fenêtre familière s'ouvre devant moi.

Connexion avec Hideo ?

— Laisse-moi te montrer, suggère-t-il.

J'hésite. Puis j'accepte son invitation.

Un échantillon de ses émotions me parvient dès que la connexion s'établit. Il est fatigué, usé par les soucis. Optimiste, également. À propos de quoi ?

— Nous sommes toujours en train de chercher un moyen d'améliorer nos vies grâces aux machines, commence-t-il. Grâce aux données. Depuis quelque temps maintenant je travaille au développement d'une intelligence artificielle parfaite ; un algorithme qui pourrait, par le biais du NeuroLink, corriger nos défauts bien mieux que n'importe quelle police.

Je fronce les sourcils.

— Corriger nos défauts ? Comment ça ?

D'un petit geste de la main, Hideo ouvre une nouvelle fenêtre entre nous. On y voit un ovale de couleurs – verts, bleus, jaunes et pourpres – en évolution permanente.

— Tu as sous les yeux le cerveau d'un utilisateur de NeuroLink, m'explique-t-il.

Il balaie l'image d'un geste. Elle est remplacée par une autre similaire, aux couleurs différentes.

— En voici un autre. (Nouveau balayage.) Et un autre.

Je fixe ses images avec incrédulité.

— Ce sont des cerveaux d'utilisateurs ? Tu peux voir l'intérieur de leur cerveau ? Leurs pensées ?

— Oh ! je peux faire mieux que ça, répond Hideo. Le NeuroLink a toujours été une interface avec le cerveau humain. C'est bien pour ça qu'il arrive à rendre la réalité virtuelle aussi réaliste. C'est tout l'intérêt de mes lunettes. Mais tu le savais déjà. Jusqu'à aujourd'hui, je me servais de cette interface comme d'un système de transmission à sens unique ; le code se contentait de créer et d'afficher ce que réclamait le cerveau. Tu bougeais le bras, le code faisait bouger ton bras virtuel. C'était le cerveau qui contrôlait tout. (Il me jette un regard appuyé.) Mais l'information peut circuler dans les deux sens.

J'ai du mal à saisir où il veut en venir. *L'invention d'Hideo exploite le meilleur générateur d'effets 3D au monde – notre propre cerveau – afin de créer pour nous la meilleure illusion de réalité possible.*

La meilleure interface qu'on ait jamais connue entre l'ordinateur et le cerveau.

Je secoue la tête, refusant de comprendre.

— Mais qu'est-ce que tu racontes ?

Hideo me dévisage longuement avant de répondre.

— La fin de la partie a activé la faculté du NeuroLink à contrôler l'esprit de ses utilisateurs.

Le NeuroLink peut contrôler ses utilisateurs.

La vérité me frappe si fort que j'en ai le souffle coupé. Les utilisateurs sont censés pouvoir contrôler le NeuroLink avec leur esprit. Mais ça peut aussi fonctionner dans l'autre sens : avec une commande adéquate, on peut indiquer quoi faire au cerveau. Avec suffisamment de commandes, on pourrait contrôler le cerveau de manière permanente. Et Hideo a créé un algorithme pour ça.

Je recule d'un pas et heurte ma table de chevet.

— Tu contrôles la manière dont les gens pensent, dis-je… grâce au code ?

— Les lentilles de Warcross étaient gratuites, me rappelle Hideo. Elles ont été distribuées à presque tout le monde, aux quatre coins du globe.

Les reportages aux infos parlaient de files d'attente, de cargaisons volées. Je comprends maintenant pourquoi Hideo se moquait bien qu'on lui vole ses lentilles. Plus elles circulaient, mieux c'était.

Hideo me montre une autre image de cerveau d'utilisateur. Cette fois, les couleurs de l'ovale ont une dominante rouge et violet.

— Le NeuroLink sait reconnaître quand les émotions de l'utilisateur tournent à la colère, m'apprend-il. Il peut dire à l'avance si une personne est sur le point de recourir à la violence, avec une précision incroyable.

L'image montre à présent la personne dont nous venons de voir le cerveau. C'est un homme en train de sortir un flingue de son blouson, le front luisant de sueur, qui se prépare manifestement à braquer une épicerie.

— C'est en train d'arriver en ce moment ? dis-je en bredouillant.

Hideo hoche la tête.

— Dans le centre de Los Angeles.

À l'instant où l'homme pousse la porte du magasin, l'ovale qui représente son cerveau s'embrase brusquement. Le nouvel algorithme du NeuroLink entreprend alors de modifier les couleurs. Le rouge vif cède la place à un mélange apaisé de bleu, de vert et de jaune. Sur la vue en direct, l'homme se fige. Il hésite, le flingue à moitié sorti, avec une expression hébétée qui me fait froid dans le dos. Puis son visage se détend, il cligne des paupières, ressort dans la rue et s'éloigne tranquillement, tournant le dos à l'épicerie.

Hideo me montre d'autres vidéos d'événements similaires en train de se produire un peu partout dans le monde. La cartographie en couleurs de milliards de cerveaux, tous contrôlés par un algorithme.

— Avec le temps, ajoute Hideo, le code va s'adapter à la personnalité de chacun. Il va affiner ses réglages, se perfectionner, intégrer dans ses réactions automatiques les détails spécifiques du comportement des uns et des autres. Cela va devenir le système de sécurité ultime.

À en juger par les images, les gens ne se doutent pas de ce qui leur arrive. Quand bien même, je suppose que le code les empêcherait de s'en émouvoir.

— Et si les gens n'ont pas envie de ça ? dis-je. S'ils jettent leurs lentilles et cessent d'utiliser le NeuroLink ?

— Tu te rappelle ce que je t'ai dit quand je t'ai offert ta première paire ?

Je m'en souviens au mot près. « *Elles déposent au contact de l'œil un film inoffensif d'un atome d'épaisseur. Ce film sert de conducteur entre le corps et les lentilles.* »

— Ce film restera sur l'œil même une fois les lentilles retirées. Il continuera d'assurer la connexion de l'utilisateur au NeuroLink.

Je me suis fourvoyée quant aux intentions de Zéro. C'est ça qu'il voulait contrecarrer avec son virus. Il a tenté d'assassiner Hideo pour l'empêcher de mettre son plan à exécution. Il a posé cette bombe dans notre résidence dans l'espoir de m'écarter, pour que je ne puisse pas aider Hideo. Et peut-être que c'est aussi pour ça qu'Hideo n'a pas interrompu la finale quand il a vu ce qui se passait. Il m'avait chargée d'arrêter Zéro pour avoir les coudées franches.

Il fait tout ça à cause de Sasuke. Il a imaginé tout ça pour que personne n'ait plus à subir le même sort que son frère, pour qu'aucune famille n'ait plus à endurer une épreuve pareille. Notre conversation me revient en mémoire. « *Tu as créé Warcross pour lui* », lui avais-je dit. Et il m'avait répondu : « *Tout ce que je fais, c'est pour lui.* »

Kenn était-il au courant de son plan ? Ses proches collaborateurs étaient-ils tous dans la confidence ?

— Tu ne peux pas faire ça, dis-je d'une voix rauque.

Ma question ne semble pas le perturber.

— Pourquoi pas ? demande-t-il.

— Tu n'es pas sérieux. (Je lâche un petit rire désespéré.) Tu as vraiment l'intention de devenir un… dictateur ? De contrôler le comportement de tous sur la planète entière ?

— Pas moi, répond Hideo. (Il pose sur moi le même regard perçant que lors de notre première entrevue.) Mais si le dictateur était un algorithme ? Un code ? Et si ce code pouvait forcer le monde à devenir meilleur, mettre fin aux guerres d'une simple ligne, sauver des vies grâce à un système automatisé ? L'algorithme n'a pas d'ego. Il n'a pas d'appétit pour le pouvoir. Il est programmé dans l'intérêt commun, parfaitement équitable. Comme l'ensemble des lois qui régissent notre société, sauf qu'il est en capacité de les faire respecter, partout, à tout moment.

— N'empêche que tu gardes le contrôle de l'algorithme.

Il plisse les paupières.

— C'est vrai.

— Personne ne t'a élu, dis-je sèchement.

— Parce que tu trouves que les gens ont montré beaucoup de clairvoyance dans l'élection de leurs dirigeants ? riposte-t-il sur le même ton.

— Tu ne peux pas décider ça tout seul ! Tu nous retires quelque chose qui nous rend fondamentalement humains !

Hideo se rapproche.

— Ah oui ? Et quoi donc, exactement ? Le choix de tuer et de violer ? De faire la guerre, de bombarder des populations ? De kidnapper des enfants ? De massacrer des innocents ? C'est cette part de l'humanité que tu tiens tant à préserver ? Est-ce que la démocratie a réussi à empêcher tout ça ? On a déjà essayé de contrôler le mal grâce à la loi. Sauf que la police ne peut pas être partout. Elle ne peut pas tout voir. Moi, si. J'aurais pu dissuader le type qui a enlevé Sasuke. Le NeuroLink peut empêcher que la même chose arrive à d'autres enfants. Je peux libérer quatre-vingt-dix pour cent de la population mondiale de toute pulsion criminelle, ce qui permettra à la police de se focaliser uniquement sur les dix pour cent restant.

— Tu veux dire que tu contrôles désormais quatre-vingt-dix pour cent de la population ?

— Les gens peuvent continuer à vivre leur vie, poursuivre leurs rêves, savourer leurs mondes imaginaires… Je ne m'y oppose pas. Ils peuvent faire tout ce qu'ils veulent, tant que ce n'est pas un crime. C'est la seule chose qui change vraiment. Alors, pourquoi pas ?

Les arguments d'Hideo me semblent contradictoires, et je me sens partagée. Je pense à ma ville de New York, où je trouve du travail comme chasseuse de primes parce que la police est débordée par la montée de la criminalité. Et c'est la même chose un peu partout. « *Ils peuvent faire tout ce qu'ils veulent, tant que ce n'est pas un crime. C'est la seule chose qui change vraiment.* »

Sauf que ce changement s'opère au prix de la liberté. Et ça fait toute la différence.

— Le NeuroLink joue un rôle essentiel dans la vie de tous les jours, continue Hideo. Les gens travaillent à l'intérieur, montent des sociétés à partir du NeuroLink et profitent des loisirs qu'il offre. Personne n'a *envie* d'y renoncer.

Il a raison, bien sûr. Qui voudrait se passer d'une réalité imaginaire parfaite au prétexte qu'elle lui coûte sa liberté ? À quoi bon être libre si c'est pour mener une existence misérable ? Ce serait comme dire à tout le monde de ne plus utiliser Internet. Et même si j'ai la chair de poule quand je pense que j'ai porté moi aussi des lentilles NeuroLink – j'en porte toujours –, j'éprouve un sentiment d'angoisse à l'idée de ne plus jamais me connecter, une répugnance profonde à m'en débarrasser.

Avec ou sans ce film sur les yeux, les gens continueraient à s'en servir. Ils refuseraient probablement de croire qu'ils sont manipulés. Et quand bien même cela soulèverait une polémique, notre vie entière est organisée autour du Neuro-Link. Ceux qui ne se sont pas encore connectés ne tarderont pas à l'être, ce qui les soumettra aussitôt à l'algorithme. Tout le monde finira tôt ou tard par l'installer dans sa tête. Et Hideo nous contrôlera tous.

Et peut-être que personne n'en aura rien à faire.

— Et les récalcitrants ? dis-je. Ceux qui voudront continuer à se battre pour la justice, à se tromper ou simplement
à avoir des opinions contraires aux tiennes ? Est-ce que ton
algorithme empêchera les gens de voter des lois injustes ?
Quelles lois fera-t-il appliquer, exactement ? Comment
ton intelligence artificielle sera-t-elle capable de juger tout
le monde, ou même de comprendre les raisons qui les
poussent à agir ? Comment sauras-tu si tu vas trop loin ?
Tu ne vas pas imposer la paix dans le monde à toi seul.

— Les gens se moquent bien de la paix dans le monde,
rétorque Hideo. C'est juste un argument qui sonne bien,
qu'on utilise pour se donner bonne conscience. (Son regard
s'enfonce au plus profond de moi.) J'en ai assez de toutes
ces horreurs. Je veux y mettre un terme.

Je repense à toutes les fois, après la mort de mon père,
où je me suis battue à l'école, où j'ai crié des choses que j'ai
regrettées ensuite. Je repense à ce que j'ai fait pour défendre
Annie Partridge. Le code d'Hideo m'en aurait empêchée.
Aurait-ce été une bonne chose ? Pourquoi ai-je la sensation qu'on me retourne un couteau dans la poitrine chaque
fois que je me dis que c'est pour *ça* qu'il m'a fait venir à
Tokyo ? *Et qu'il insistait tellement pour me voir repartir.*

— Tu m'as menti, dis-je d'une voix ferme.

— Ce n'est pas moi qui m'en suis pris à toi, me rappelle
Hideo avec douceur. Ce n'est pas moi qui ai détruit ce qui
t'appartenait. Il y a des choses terribles en ce monde, et ça
ne vient pas de moi.

C'est vrai, c'est Zéro qui a détruit ce qui comptait le
plus à mes yeux, les derniers fragments de mon passé, ma
décoration de Noël, le tableau de mon père. Mes souvenirs.
Alors qu'Hideo m'avait offert un moyen de les sauvegarder,

au contraire. C'est lui qui m'a empêchée de me retrouver à la rue. Il pleure son frère, aime sa famille et crée des choses magnifiques.

Zéro a recours à la violence pour défendre sa cause. Alors qu'Hideo défend la sienne en interdisant toute violence. Au fond de moi, contre toute raison, je vois bien que son plan n'est pas complètement dingue, quand dans le même temps il me fait frissonner de dégoût.

Hideo se détourne en soupirant.

— Quand je t'ai engagée, au début, je voulais seulement arrêter un hackeur qui cherchait à me mettre des bâtons dans les roues. J'étais loin de me douter que… (Il ne termine pas sa phrase.) Je ne voulais pas que tu continues à travailler pour moi sans avoir conscience de ce que tu faisais.

— Ah oui ? N'empêche que j'ai continué quand même. Et que tu m'as laissée faire, sans me dire pourquoi.

Toutes les fois où il a été réticent à nous entraîner plus loin. Le moment où il a décidé de me renvoyer. Mon retrait de l'équipe des Phoenix Riders. À sa manière, il a essayé de mener à bien son plan tout seul. Je ressens les lentilles comme des corps étrangers et hostiles. Je pense à la version pirate de Warcross que j'utilise. Suis-je épargnée ?

Hideo se penche si près que nos lèvres se frôlent. Mes instincts se réveillent, me poussant à combler la distance qui nous sépare. Ses yeux sont très sombres, presque noirs, son expression est tourmentée. *Chaque problème a une solution, n'est-ce pas ? Je voudrais te prouver que mon plan n'a rien de délirant.* Il plisse le front. *Je peux te montrer, si tu me laisses faire. S'il te plaît.*

À travers la connexion, je ressens sa sincérité, son ambition dévorante de faire le bien, son désir de me prouver qu'il a raison. Quand je fouille son regard, j'y retrouve le jeune homme curieux, passionné, intelligent, qui me montrait sa dernière invention lors de notre première rencontre dans son bureau. C'est la même personne. Comment est-ce possible ? Son expression demeure incertaine, troublée.

Ne me laisse pas, Emika, dit-il.

J'avale ma salive. Je lui réponds avec ma vraie voix. Elle est plus calme, maintenant, presque froide.

— Je ne peux pas te soutenir sur ce coup-là.

J'ai l'impression de sentir son cœur se briser à l'endroit précis où il avait pris le risque de l'ouvrir pour moi, de me dévoiler la plaie béante à l'intérieur. Il s'était confié à moi en se disant que je serais peut-être la seule personne au monde à me ranger de son côté. Et pourquoi pas ? a-t-il dû se dire : je comprenais son chagrin, il comprenait le mien… on se comprenait tous les deux. Du moins, c'est ce qu'on pensait. Il a l'air très seul, tout à coup, vulnérable malgré sa détermination.

Je prends une grande inspiration puis coupe la communication. Ses émotions cessent brusquement de me parvenir.

— Je vais faire ce qu'il faut pour t'arrêter, Hideo.

Son regard devient distant ; ses défenses se remettent en place. Il s'écarte de moi et m'étudie longuement, comme s'il me voyait pour la dernière fois.

— Je ne veux pas être ton ennemi, me dit-il doucement. Mais j'irai au bout de ce projet, avec ou sans toi.

C'est mon cœur qui se brise, cette fois, mais je tiens bon. Il ne veut pas céder ; moi non plus. Donc chacun va rester de son côté du ravin.

— Ce sera sans moi.

31

J e n'avais jamais vu aussi peu de monde dans les rues de Tokyo. J'avale le bitume sur ma planche, cheveux au vent, les larmes aux yeux sous l'effet de la vitesse.

Comme tout est devenu compliqué ! Il n'y a pas si longtemps je me faufilais encore dans le centre-ville surpeuplé de New York, en quête d'un peu d'argent pour payer mon loyer. Hideo n'était alors qu'une couverture de magazine, un entrefilet dans la presse, une photo diffusée au journal télévisée, un gros titre en une des tabloïds. Désormais c'est quelqu'un que j'ai bien du mal à cerner, un homme aux mille facettes.

Autour de moi, les gros titres protestent que la finale du championnat a été truquée, que le résultat a été faussé par l'introduction de bonus illégaux. Les fans appellent à rejouer le match. Plusieurs théories du complot se sont déjà répandues comme des traînées de poudre au sein des communautés de fans, expliquant qu'une blague d'un employé serait à l'origine de la présence des bonus, ou qu'Henka Games voulait simplement augmenter ses chiffres d'audience, ou encore que les joueurs auraient découvert un secret inavouable dans le monde de la finale.

Si quelqu'un proclamait la vérité haut et fort, personne ne verrait la différence.

L'immense majorité continue à vaquer à ses affaires sans même s'apercevoir du changement subtil, mais ô combien significatif, qui permet désormais au NeuroLink de contrôler leur vie. D'ailleurs, les choses ont-elles vraiment changé ? Ne sommes-nous pas tous sous influence depuis des années, complètement accros à la réalité virtuelle ? Avons-nous déjà tous capitulé ? Je détourne la tête au passage d'une voiture de police. Hideo a-t-il demandé à la police de m'arrêter ? Irait-il jusque-là ? Sa patience à mon égard n'est peut-être pas épuisée, mais cela se produira tôt ou tard.

Je dois trouver un moyen de l'arrêter. Avant que lui ne me neutralise.

J'ai ressorti mon vieux téléphone piraté, avec mon script qui me permet de localiser les autres Phoenix Riders sans passer par le nouvel algorithme. Ils sont tous regroupés en banlieue, dans un appartement qui doit appartenir à Asher.

Un message apparaît sur mon téléphone. Il provient d'une source inconnue, cryptée. Hideo, sans doute. Je l'ignore résolument, chasse mes larmes et pousse ma planche à sa vitesse maxi dans la rue déserte.

Alors que le soleil s'enfonce derrière l'horizon, baignant la ville dans une lumière dorée, j'arrive à un carrefour aux abords de Tokyo, dans un quartier où les gratte-ciel ont cédé la place à des collines et des petites rues tranquilles. Je m'arrête devant le portail d'une maison individuelle à deux étages, aux boiseries sombres et blanches.

Asher me fait entrer puis me conduit au salon où Hammie et Roshan m'attendent déjà. Ils se lèvent en me voyant. Hammie me serre dans ses bras. Derrière elle, je vois d'autres joueurs assis dans la pièce, issus d'équipes diverses. Ziggy Frost. Léa Abeni, des Cloud Knights. Tremaine est là également, assis à distance de Roshan ; mais les deux sont encore tournés l'un vers l'autre, ils étaient sans doute en train de discuter avant mon arrivée. La tension que j'ai toujours sentie entre eux semble largement dissipée, voire enterrée.

— Et maintenant, qu'est-ce qu'on fait ? demande Hammie une fois que tout le monde s'est rassis.

Sa question est suivie d'un long silence.

Je m'assieds à mon tour et je réponds :

— J'utilise une version pirate de Warcross. Je n'ai pas l'impression que le virus m'ait infectée. Je peux peut-être m'arranger pour vous en obtenir une copie.

J'entreprends alors de leur raconter toute l'histoire depuis le début, mon recrutement par Hideo après mon entrée fracassante dans le jeu, mes entrevues fréquentes avec lui, et la révélation que j'ai eue après l'apparition de Zéro pendant la finale. Je parle jusqu'à ce que les lampadaires s'allument dans la rue et qu'Asher soit obligé d'allumer aussi dans le salon.

— Je l'ai vu apparaître devant moi, dis-je, à la fin de la partie, quand on a tous ressenti cette décharge d'électricité. C'était la première fois que je voyais une partie de ses données.

Tremaine me regarde dans les yeux.

— Alors tu l'as vu, toi aussi ? Je croyais être le seul.

Les autres interviennent tous à la fois.

— Moi aussi je l'ai vu, dit Asher. Il avait un casque opaque et un pseudo [néant] au-dessus de la tête. Avec une armure noire.

Hammie acquiesce, Roshan aussi.

Tout le monde a vu Zéro à ce moment précis. Ce qui signifie qu'il était visible hors de mon piratage et que, pendant un bref instant, toutes ses données ont dû se retrouver exposées. *Toutes ses données étaient exposées.*

Je me redresse brusquement et me mets à pianoter. J'accède à mon compte Warcross et ouvre mon fichier souvenirs. Il n'y en a qu'un : mon enregistrement de la finale.

Les autres se pressent autour de moi. Je leur marmonne :

— J'ai besoin de vérifier un truc.

Je lance le souvenir en mode partagé pour qu'ils puissent tous le suivre avec moi. Le salon s'efface et je me replonge dans la finale. Je revois le début de la partie, les passerelles, les robots qui émergent de leurs hangars, la bataille qui s'engage… Je fais défiler tout ça en avance rapide. Un peu avant la fin, je laisse la séquence se dérouler en vitesse normale jusqu'au moment de la décharge électrique, quand Zéro apparaît devant moi. Je mets le souvenir en pause.

Ses données. Je les ai enregistrées.

J'ai accès à son vrai compte.

— Em, demande Ash assis à côté de moi. Est-ce que tu peux voir qui c'est, maintenant ?

D'une main tremblante, je fais défiler le compte personnel de Zéro.

Tout est là. L'activation l'a démasqué ; à peine une fraction de seconde, mais c'était suffisant. Je fixe hébétée les infos qui s'affichent devant nous au centre du salon.

On y lit un nom, un vrai nom, à côté d'une photo de Zéro dans la vraie vie. Je n'ai pas besoin de consulter le nom pour le reconnaître. C'est le portrait craché d'Hideo en plus jeune. Voilà à quoi devait ressembler Hideo il y a deux ou trois ans. Je pose enfin les yeux sur son nom, incapable de croire ce que je lis.

Sasuke Tanaka

● ● ● ● ●

Plus tard dans la soirée, je sors un moment sur la pelouse devant la maison. J'ai besoin d'un peu d'air. Les lampadaires jettent des ronds de lumière sur les trottoirs et je décide de me focaliser là-dessus, pour m'éclaircir les idées et retrouver un peu de sérénité. Puis je lève les yeux vers les étoiles. On n'en voit pas beaucoup, d'ici ; quelques points lumineux épars au niveau de la Voie lactée, quasi invisible sans filtre virtuel. Peu importe. Pour l'instant, je trouve un certain réconfort à observer le monde tel qu'il est au lieu de sa version améliorée par NeuroLink.

Sasuke. *Sasuke.*

Un nombre infini de questions se bousculent dans ma tête. Je ne peux pas croire qu'Hideo soit au courant de ça. Il en aurait parlé, s'il l'était. Peut-être même aurait-il renoncé à son plan. Mais comment est-ce possible ? Sasuke a disparu voilà des années, enlevé par un inconnu. Pourquoi réapparaître ainsi sous les traits d'un hackeur en guerre contre Hideo ? Pourquoi ne pas être allé voir Hideo directement, pour lui dire qui il est ? Se souvient-il encore de sa vie d'avant ? Sait-il qu'Hideo est son frère ? Qui le contrôle ? Pour qui travaille-t-il ? Et pourquoi garder son identité secrète ?

Est-il seulement réel ?

Je m'assieds au bord du trottoir, les genoux sous le menton. Que fera Hideo quand il saura ? *Renoncerait-il, s'il était au courant ?* D'ailleurs, ai-je vraiment envie qu'il renonce ? Quel est le pire : un monde où Hideo lutte *contre* la violence, ou un monde où Zéro lutte *par* la violence ?

Je me demande ce qui peut bien passer par la tête d'Hideo en ce moment. Il me faut des trésors de volonté pour ne pas l'appeler et rétablir la connexion, éprouver ce qu'il ressent, ou simplement lui envoyer un message pour entendre sa voix.

Un message. Je baisse les yeux sur mon téléphone, me rappelant le message crypté que j'ai reçu plus tôt dans l'après-midi. Une petite voix me déconseille de l'ouvrir, de ne pas donner l'opportunité à Hideo de me faire changer d'avis. N'empêche que mon doigt hésite au-dessus du message… Je finis par cliquer dessus.

Ça ne vient pas d'Hideo. Mais de Zéro.

> **Mon offre tient toujours.**

Un petit « ding » se fait entendre, pour me signaler que je viens de télécharger quelque chose. Ma main se fige au-dessus des nouveaux fichiers.

Ce sont mes souvenirs. Ceux que je croyais avoir perdus. Je lâche une exclamation en les faisant défiler l'un après l'autre, tous les souvenirs de mon père que Zéro m'avait volés, qui s'affichent devant moi comme s'ils avaient toujours été là.

Il me les a rendus.

Ma main se met à trembler. Je ferme les yeux et serre mes jambes contre moi, très fort. C'est comme si la vie venait de m'être rendue. Quand je rouvre les yeux, ils sont mouillés de larmes.

« *Mon offre tient toujours.* »

Son offre. Pourquoi me rendre maintenant ce qu'il m'avait pris ? Comment ose-t-il présenter ça comme un cadeau, comme s'il me faisait une faveur ? Je revois sa silhouette noire dans cette grotte rougeoyante, j'entends de nouveau sa voix, basse et tranquille. Je m'imagine avec une armure noire sur le dos, les bras, les jambes, transformée de la tête aux pieds.

— Ça va ?

La question vient interrompre mes ruminations. Je m'essuie les yeux. Tremaine est debout à côté de moi.

— Ça va, dis-je en planquant mon téléphone.

Tremaine remarque mon geste mais ne fait pas de commentaire. Suffisamment de secrets ont été révélés aujourd'hui.

— J'ai été contacté par un autre chasseur de primes, m'annonce-t-il en s'étirant.

La lumière des lampadaires illumine sa peau pâle.

Je croise son regard.

— Un de ceux engagés par Hideo ?

Il fait oui de la tête.

— Je crois l'avoir aperçu dans les bas-fonds. Il était assis avec d'autres avatars devant la loterie des assassinats. En s'y mettant tous les deux, on devrait pouvoir remonter jusqu'à lui. Il peut nous aider. On n'est pas si nombreux à maîtriser le fonctionnement interne de Warcross et à avoir travaillé pour Hideo.

Le message de Zéro continue à me trotter dans la tête. Je hoche la tête.

— Alors, on n'a plus qu'à descendre dans le Dark World et découvrir le moyen de le contacter. Il faut trouver une solution.

— Pour arrêter Hideo ? demande Tremaine. Ou bien Zéro ?

Je repense au regard d'Hideo, à son génie, à sa résolution. Je repense à la manière dont il a collé son front contre le mien en murmurant mon nom. Je le revois lever les yeux vers les étoiles, cherchant un moyen d'échapper à son passé. Je repense aux dernières paroles qu'on a échangées. Puis je repense à la surprise de Zéro, à sa colère quand il s'est retrouvé face à moi en finale, à la manière dont il m'a volé mes souvenirs. À la manière dont il me les a restitués.

« *Tout le monde a un prix*, a-t-il prétendu. *Dis-moi le tien.* »

Tremaine me tend la main pour m'aider à me relever. Je reste côte à côte avec lui un moment, sans bouger, devant les lumières de Tokyo ; dos à la maison, les bottines pointées vers la ville, le cœur suspendu entre deux possibilités, à me demander ce qui m'attend pour la suite.

REMERCIEMENTS

Il y a toujours une part de moi dans mes livres, mais *Warcross* me ressemble tout particulièrement (Je veux dire, l'un de mes corgis y fait même une brève apparition : c'est son petit cul grassouillet qu'on voit se dandiner dans le vestibule d'Hideo. Je t'aime, Koa.). Pour autant, je n'aurais jamais pu l'écrire sans le soutien des meilleures personnes que je connaisse.

À ma reine entre tous les agents, Kristin Nelson. Merci pour l'enthousiasme que tu as manifesté dès le premier jour, tes suggestions brillantes, tes critiques et les efforts incroyables que tu as déployés pour défendre cet ouvrage, ainsi que tous nos livres précédents. Franchement, je ne sais pas ce que je ferais sans toi.

Merci à mes inimitables éditeurs, Jen Besser et Kate Meltzer, pour m'avoir encouragée à chaque modification et m'avoir poussée à travailler mon livre du mieux possible. Pour Anne Heausler, génie de la correction, je tenais juste à rendre hommage à ton cerveau. Merci pour tout.

C'est mon septième ouvrage publié auprès des équipes incroyables de Putnam, Puffin et Penguin Young Readers, et je suis toujours aussi émerveillée et impressionnée par votre talent à tous : Marisa Russell, Paul Crichton, Theresa Evangelista, Eileen Savage, Katherine Perkins, Rachel Cone-Gorham, Anna Jarzab, Laura Flavin, Carmela Iaria, Vanessa Carson, Alexis B. Watts, Chelsea Fought, Eileen Kreit, Dana Leydig, Shanta Newlin, Elyse Marshall, Emily Romero, Erin Berger, Brianna Lockhart et Kara Brammer. À quoi dois-je la chance de travailler avec vous ? Je ne le sais toujours pas, mais je m'en félicite tous les jours. Je tiens tout spécialement à remercier Wes (Cream Design) pour sa magnifique illustration de couverture en 3D.

À Kassie Evashevski, mon extraordinaire agent pour le cinéma : c'est une grande chance pour moi que ce soit toi qui t'occupes de mon livre. Je te suis éternellement redevable. À Addison Duffy : quel bonheur ç'a été de te rencontrer en personne ! Merci pour ton soutien, tu as été formidable.

À mes très chers, mes indéfectibles Amie Kaufman, Leigh Bardugo, Sabaa Tahir et Kami Garcia : merci de m'avoir écoutée vous parler de *Warcross* alors qu'il n'en était encore qu'à ses balbutiements et de m'avoir aidée à donner forme à cette histoire ; merci pour tous les mots gentils que vous avez eus pour ce livre et qui me donnent le sourire quand j'y repense ; merci pour votre amitié et votre cœur indomptable.

Merci aux amis merveilleux qui m'ont apporté un soutien inestimable : JJ (S. Jae-Jones), l'un des tout premiers à avoir lu *Warcross* ; Tahereh Mafi, pour avoir généreusement répondu à toutes mes questions (tout ce qui est un peu à la mode dans ce livre est directement inspiré de toi !) ; Julie Zhuo, pour tes connaissances techniques approfondies ainsi que ton amitié (vingt-huit ans que ça dure, et ce n'est pas fini !) ; Yulin et Yuki Zhuang, pour nous avoir fait visiter

Tokyo avec Amie, pour savoir littéralement tout ce qu'il y a à connaître sur cette ville, et pour être parmi les deux personnes les plus gentilles que j'aie jamais eu la chance de rencontrer ; Mike Sellers, pour ta connaissance infinie dans tous les domaines et pour ton aide précieuse ; Sum-yan Ng et David Baser, pour ces brainstormings avec moi tard dans la nuit et tous ces conseils que vous m'avez offerts ; et Adam Silvera, incollable sur New York et vrai dur à cuire. Un grand merci également à Ryh-Ming Poon pour ton éclairage précieux sur l'industrie du jeu (et ton amour de la bonne chère !).

Le Think Tank, ce groupe de huit stagiaires, dont j'ai fait partie à mes débuts dans l'univers du jeu vidéo, mérite d'être mentionné à part : ces six mois resteront gravés à jamais dans ma mémoire. Pratiquement tout ce que je sais sur les jeux, c'est à vous que je le dois, les gars. (Au passage, cette partie de Mario Kart mentionnée dans le livre, avec la coquille bleue balancée en plein sur la ligne d'arrivée ? C'est une partie réelle qu'on a jouée entre nous. Je m'en souviens encore.)

À mon mari Primo Gallanosa, ex-interne et collègue du Think Tank, et meilleur homme qui soit : merci d'avoir lu les 120 582 versions de *Warcross*, pour tes suggestions de jeu désopilantes et pour savoir toujours exactement comment me faire rire.

À ma mère, qui n'a absolument rien de commun avec la maman d'Emika : le courage d'Emika, sa fougue et son intelligence sont entièrement basés sur toi. Tu es la personne la plus compétente, la plus altruiste et la plus inspirante que je connaisse. (Les talents de cuisinier d'Hideo sont aussi basés sur toi, ça va sans dire.)

À tous les bibliothécaires, enseignants, libraires, lecteurs et défenseurs des livres partout dans le monde : merci, merci, merci pour tout ce que vous faites. Partager mes histoires avec vous est ma plus grande fierté.

Enfin, à toutes les filles gamers du monde entier : c'est vous qui avez inspiré ce livre.

Ouvrage composé par
PCA – 44400 Rezé

Cet ouvrage a été imprimé
en Allemagne par
GGP Media GmbH
à Pößneck

www.pocketjeunesse.fr
PKJ • POCKET JEUNESSE

12, avenue d'Italie - 75627 PARIS Cedex 13